D0715220

L'empire de la valeur

Du même auteur

La Violence de la monnaie
(en collaboration avec Michel Aglietta)
PUF, coll. « Économie en liberté », 1982
(2e édition avec avant-propos, 1984)

Le Pouvoir de la finance
Odile Jacob, 1999

La Monnaie entre violence et confiance
(en collaboration avec Michel Aglietta)
Odile Jacob, 2002

De l'euphorie à la panique : penser la crise financière
Éditions de la Rue d'Ulm, « Opuscule du Cepremap », 2009

DIRECTION D'OUVRAGES

Analyse économique des conventions
PUF, « Quadrige », 1994, 2004

Advances in Self-Organization and Evolutionary Economics
(en collaboration avec Jacques Lesourne)
Economica, 1998

La Monnaie souveraine
(en collaboration avec Michel Aglietta)
Odile Jacob, 1998

Evolutionary Microeconomics
(en collaboration avec Jacques Lesourne et Bernard Walliser)
Springer, 2006

André Orléan

L'empire de la valeur

Refonder l'économie

Éditions du Seuil

COLLECTION DIRIGÉE PAR JACQUES GÉNÉREUX

ISBN 978-2-7578-3563-0
(ISBN 978-2-02-105437-8, 1re publication)

© Éditions du Seuil, 2011, à l'exception de la langue anglaise

Le Code de la propriété intellectuelle interdit les copies ou reproductions destinées à une utilisation collective. Toute représentation ou reproduction intégrale ou partielle faite par quelque procédé que ce soit, sans le consentement de l'auteur ou de ses ayants cause, est illicite et constitue une contrefaçon sanctionnée par les articles L. 335-2 et suivants du Code de la propriété intellectuelle.

Que Jean-Yves Grenier et Ramine Motamed-Nejad soient vivement remerciés pour leur soutien amical, leur regard critique et leur érudition.

Introduction

L'économie en tant que discipline traverse aujourd'hui une grave crise de légitimité. Alors qu'elle aurait dû être un guide pour nos sociétés, les conduisant vers plus de rationalité et de clairvoyance, elle s'est révélée être une source de confusion et d'erreur. En son nom a été menée une politique suicidaire de dérégulation financière sans que jamais l'ampleur des dangers encourus n'ait fait l'objet d'une mise en garde appropriée. Au lieu d'éveiller les esprits, elle les a endormis ; au lieu de les éclairer, elle les a obscurcis. Le discrédit qu'elle connaît aujourd'hui auprès de l'opinion publique est à proportion de cette faillite : extrême. Face à cette situation sans précédent, face aux virulentes critiques dont ils sont l'objet, la réaction des économistes étonne par sa timidité. Même si une majorité d'entre eux est prête à reconnaître que des erreurs dommageables ont été commises, domine l'idée qu'il ne « faut pas jeter le bébé avec l'eau du bain ». Certes, il faut critiquer les dérives d'une modélisation trop confiante dans l'efficacité de la concurrence ou sollicitant jusqu'à l'absurde la rationalité des acteurs, mais il ne faut pas perdre de vue que ces errements n'offrent qu'une image déformée de la discipline. Celle-ci posséderait les moyens de sa rénovation, du côté des équilibres multiples, de l'économie expérimentale, voire de la neuroéconomie. Tel est aujourd'hui le point de vue qui domine. C'est dire si l'économie n'est nullement sur la voie d'une remise en cause : l'enseignement pratiqué dans le supérieur est resté identique à ce qu'il était avant la crise[1] et, dans le domaine de la recherche, on chercherait en vain une inflexion quelconque des conceptions et des méthodes. Contrairement à ce qu'ont pu faire croire certaines couvertures de magazine annonçant le retour de Marx, de Schumpeter et d'autres, rien ne bouge.

Cette situation ne doit d'ailleurs pas étonner. La démarche scientifique a sa propre temporalité. Les économistes ne sont pas des girouettes qui, à la demande, pourraient enseigner aujourd'hui le contraire de ce qu'ils ont professé hier. La théorie économique n'est pas un catalogue de recettes dans lequel on peut puiser au gré des circonstances, mais un corps de doctrines fortement structurées autour d'hypothèses, de méthodes et de résultats : ce qu'on nomme également un « paradigme ». En son temps, Thomas Kuhn a montré qu'il est dans la nature même de l'organisation paradigmatique de résister aux crises. Pour changer de paradigme, il faut non seulement une série persistante d'anomalies graves remettant en cause les résultats passés, mais surtout il faut qu'un nouveau paradigme soit prêt à prendre la relève. Or ce n'est pas parce que de nouveaux problèmes ont surgi avec la crise que de nouvelles solutions seraient disponibles, prêtes à être adoptées. Le fait que les économistes aujourd'hui citent plus volontiers Keynes, Minsky ou Kindleberger, ne doit tromper personne. Ces références expriment une certaine prise de distance à l'égard de l'hypothèse d'efficience des marchés financiers, mais le cadre conceptuel est conservé à l'identique.

Le présent livre propose de rompre avec cette timidité.

---

1. Sur cette question, on pourra lire avec profit l'article de Patricia Cohen « Ivory Tower Unswayed by Crashing Economy », paru dans le *New York Times* du 4 mars 2009 : http://www.nytimes.com/2009/03/05/books/05deba.html?pagewanted=1.

Il part du constat que les difficultés rencontrées par la théorie économique ne doivent rien aux circonstances mais sont la conséquence d'une conception d'ensemble défaillante. Il milite en conséquence pour une *refondation* de l'économie. Ce diagnostic ne peut manquer de susciter un certain scepticisme, voire quelques sourires ironiques, pour qui a en tête les remarquables succès de la discipline économique au cours des trente dernières années. Des centaines de revues scientifiques témoignent de la fécondité et de l'inventivité des économistes. On ne saurait contester cette vitalité. De même, l'apport de la modélisation néoclassique à une meilleure compréhension des mécanismes économiques n'est guère douteux. En conséquence, il n'est pas question de la rejeter. Ce qui pose problème est ailleurs, dans l'étroitesse de ses hypothèses institutionnelles, que ce soit en matière de rationalité, de préférences individuelles, de qualité des biens ou de nature des interactions. Parce qu'elles se focalisent sur certains aspects du fonctionnement des marchés, ces hypothèses laissent de côté de larges pans de la réalité économique. Le présent livre a pour objectif de montrer qu'un cadre d'intelligibilité général est possible, un cadre apte à saisir l'économie marchande dans la totalité de ses déterminations, y compris l'approche néoclassique qui sera prise en compte à la manière d'un cas particulier associé à un régime institutionnel spécifique. À cette occasion, l'appartenance de l'économie aux sciences sociales sera affirmée avec force.

La première partie de ce livre est consacrée à l'examen du paradigme néoclassique, également appelée « marginaliste » ou encore « walrassien », aux fins d'en expliciter la cohérence et les limites. Contre certains de nos collègues qui ne voient dans l'économie qu'une simple boîte à outils, constituée pour l'essentiel de méthodes quantitatives, s'adaptant aux réalités étudiées sans leur imposer une interprétation plutôt qu'une autre, nous soutenons qu'il existe bel et bien un tel paradigme dont les conceptions engagent en profondeur la compréhension des relations marchandes, en particulier par le fait qu'elles définissent ce qu'est l'économie et ce que font les économistes. Ce corps de doctrine, qui énonce les définitions élémentaires comme la structure de base de l'argumentation, il revient à ce qu'on nomme « la théorie de la valeur » d'en expliciter le contenu. Pour cette raison, son rôle est crucial, comme le souligne Joseph Schumpeter dans sa monumentale *Histoire de l'analyse économique* : « Le problème de la valeur doit toujours occuper la position centrale, en tant qu'instrument d'analyse principal dans toute théorie pure qui part d'un schéma rationnel[1]. » La valeur d'une marchandise, nous dit la théorie marginaliste, a pour fondement son utilité. Telle est la conception *princeps* qui est à l'origine de la pensée économique moderne. La valeur est considérée comme une grandeur qui trouve son intelligibilité, hors de l'échange, dans une substance – l'utilité – que possèdent en propre les marchandises. Pour les économistes néoclassiques, la quête de biens utiles est la force qui anime les économies marchandes. La satisfaction des consommateurs est à l'origine de la production comme des échanges. Cette conception de la valeur trouve sa pleine expression dans l'équilibre général walrassien qui sera, en conséquence, soigneusement étudié.

Pour le dire succinctement, nous refusons d'admettre que la valeur marchande puisse s'identifier à une substance, comme l'utilité, qui préexiste aux échanges. Il faut plutôt la considérer comme une création *sui generis* des rapports marchands, par laquelle la sphère économique accède à une existence séparée, indépendante des autres activités sociales. Les relations marchandes possèdent leur

1. Joseph Schumpeter, *Histoire de l'analyse économique*, tome II : *L'Âge classique, de 1790 à 1870*, Paris, Gallimard, 1983, p. 287.

propre logique de valorisation dont la finalité n'est pas la satisfaction des consommateurs mais l'extension indéfinie du règne de la marchandise. Que, pour ce faire, la marchandise prenne appui sur le désir d'utilité des individus est possible, et même avéré, mais l'utilité n'entre dans la valorisation que comme une composante parmi d'autres. Il n'y a pas lieu d'enfermer la valeur marchande dans cette seule logique. La quête de prestige que manifestent les luttes de distinction est un aiguillon également puissant du rapport aux objets. Plus généralement, dans de multiples situations, la valeur se trouve recherchée pour elle-même, en tant que pouvoir d'achat universel. Notre projet de refondation trouve ici sa définition : *saisir la valeur marchande dans son autonomie, sans chercher à l'identifier à une grandeur préexistante, comme l'utilité, le travail ou la rareté*. Cette autonomie qui donne à voir la valeur en majesté, dans la plénitude de sa puissance, c'est grâce à la monnaie qu'elle s'obtient. Pour cette raison, dans notre approche, la monnaie joue un rôle essentiel. Elle est l'institution qui fonde la valeur et les échanges. La deuxième partie lui est entièrement consacrée. Une telle démarche rompt radicalement avec la théorie de la valeur néoclassique pour laquelle la monnaie est un fait périphérique, un ajout secondaire qui vient après l'utilité, dans le but étroitement circonscrit de rendre les transactions plus faciles, autrement dit, comme un instrument au service de cette utilité. Pour nous, au contraire, la monnaie est première en ce qu'elle est ce par quoi la valeur marchande accède à l'existence. Le désir de monnaie, et non la quête de biens utiles, est la force qui donne vie à toute la mécanique marchande ; il en constitue l'énergie originelle. Il découle de cette analyse un cadre d'intelligibilité qui pense l'activité marchande dans sa radicale autonomie, sans l'assujettir dès l'origine à l'utilité ou à toute autre finalité. L'échange suit une logique *sui generis*. Comme l'avait noté Simmel :

« [...] l'échange est une figure sociologique *sui generis* [...] ne découlant nullement, comme une suite logique, de cette nature qualitative et quantitative des choses que l'on désigne par utilité et rareté. Il faut, à l'inverse, la condition préalable de l'échange pour que ces deux catégories développent toute leur importance dans la création de valeur. Quand, pour une raison quelconque, tout échange (un sacrifice pour un gain) se trouve exclu, aucune rareté de l'objet convoité n'en fera une valeur économique, jusqu'au moment où la possibilité d'un tel rapport se présente à nouveau[1]. »

Cette analyse ne conduit pas à rejeter l'approche néoclassique mais à en contester la généralité. L'utilité ne nous livre pas la pleine intelligibilité du rapport aux objets. Elle n'en constitue qu'une modalité particulière. Pour qu'il y ait transaction, encore faut-il que se manifeste le désir d'échange qui n'est rien d'autre que le désir d'argent. Par ailleurs, l'utilité ainsi conçue ne préexiste nullement aux échanges mais, tout au contraire, elle en est le résultat. Elle est une création des relations marchandes.

En mettant l'accent sur le rôle des dispositifs d'échange et des rapports de force dans la détermination des prix, notre démarche rompt avec l'idée d'un primat absolu des grandeurs sur les relations. Il est un domaine où cette conception est particulièrement prégnante, c'est le domaine financier. Selon les économistes néoclassiques, les titres ont une valeur intrinsèque, encore appelée « valeur fondamentale », qui détermine le mouvement des prix. L'adéquation de cette hypothèse à la réalité n'a rien d'évident : comment peut-on concilier, sans contorsions excessives, les mouvements erratiques que connaissent sans cesse les cours boursiers, à la hausse comme à la baisse,

1. Georg Simmel, *Philosophie de l'argent*, Paris, PUF, 1987, p. 81-82.

avec l'hypothèse d'une valeur intrinsèque stable ? Le plus souvent, les économistes sont conduits à admettre que les données objectives ne réussissent pas à expliquer les variations de prix. C'est le cas, par exemple, lors du krach du 19 octobre 1987. L'indice Dow Jones perdit 22,6 % de sa valeur, soit la baisse la plus importante jamais observée aux États-Unis, alors que rien de comparable, même de loin, ne s'observait dans l'économie réelle. Tout l'effort théorique de la troisième partie de cet ouvrage vise à montrer que l'hypothèse d'une valeur financière objective ne tient pas. Sur ce point également, la théorie de la valeur doit être abandonnée. Évaluer un titre suppose nécessairement une part irréductible d'indétermination. Le rôle du marché financier n'est pas de faire connaître une valeur qui lui préexisterait mais, sur la base des estimations subjectives des uns et des autres, de faire advenir une estimation de référence à laquelle tout le monde adhère. La logique sous-jacente est de nature essentiellement mimétique : peu importe la manière dont chacun estime en son for intérieur le titre, ce qui compte, sur un marché, c'est de prévoir l'opinion majoritaire. C'est cette nature mimétique qui explique la déconnexion maintes fois constatée entre économie réelle et dynamiques financières. Il s'ensuit un modèle qui pense le prix comme résultant d'un processus d'auto-extériorisation, le marché se mettant à distance de lui-même. Ce modèle d'auto-extériorisation mimétique joue un grand rôle dans notre démarche car il démontre que les interactions marchandes peuvent produire d'elles-mêmes leurs propres médiations, sans qu'il soit nécessaire de mobiliser un principe qui leur soit extérieur. Ce résultat s'impose comme essentiel pour une approche qui fait de l'autonomie des valeurs marchandes son principe central d'intelligibilité. L'analyse de la monnaie comme celle de la finance en illustrent la pertinence.

Notre critique de la théorie existante ne porte pas tant sur la qualité de ce qui est produit dans le cadre du paradigme néoclassique que sur le fait que d'importants pans de l'économie restent ignorés. La crise l'a démontré avec éclat. Cependant cette exigence de refondation vaut par-delà la crise. Elle n'est nullement liée aux circonstances. Elle est une nécessité absolue si l'on veut que nos sociétés accèdent à une meilleure connaissance d'elles-mêmes.

Première partie

CRITIQUE DE L'ÉCONOMIE

Chapitre I
La valeur substance : Travail et utilité

Une économie marchande est une économie dans laquelle la production des biens se trouve dans les mains d'une multitude de producteurs-échangistes indépendants qui décident, souverainement, en fonction de leurs seuls intérêts personnels, de la qualité et de la quantité des biens qu'ils produisent. En raison même de cette autonomie des décisions privées, rien n'assure *a priori* que les biens produits dans de telles conditions répondront aux besoins de la société. Ce n'est qu'*a posteriori*, une fois la production réalisée, que s'opère *par le biais du marché* la mise en relation des producteurs. Dans une économie marchande pure, la connexion entre les hommes se fait exclusivement *ex post* par le biais de la circulation des choses. Par définition se trouve exclue de la relation marchande toute relation personnelle ou hiérarchique de même que tout engagement collectif qui viendrait restreindre *a priori* l'autonomie des volontés privées. Les producteurs-échangistes ne se connaissent jamais les uns les autres que superficiellement, au travers des objets qu'ils apportent au marché : aucun lien direct, aucune dépendance personnelle, aucune finalité collective n'y vient réduire la distance à autrui. Tout advient par la médiation des marchandises. Le terme de « séparation marchande » semble le plus adéquat pour exprimer ce rapport social paradoxal où chacun doit constamment affronter autrui pour susciter son intérêt s'il veut faire en sorte qu'il y ait transaction. Pour autant, dès lors qu'on considère une division sociale du travail un tant soit peu développée, chaque producteur-échangiste séparé se trouve dépendre matériellement d'un très grand nombre d'autres producteurs-échangistes, d'abord du côté de la production, pour l'obtention de tous les inputs qui lui sont nécessaires, mais également du côté de la vente lorsqu'elle met en jeu une multitude de consommateurs finaux. Qui plus est, l'identité de ce très grand nombre d'individus varie en fonction de l'évolution des techniques de production comme de celle des préférences des consommateurs. À la limite, dans une société marchande développée, chacun dépend potentiellement de tous, soit comme fournisseur, soit comme client, bien qu'étant séparé de tous. Cette dépendance universelle a pour lieu d'expression le marché sur lequel les objets produits sont échangés.

Cette présentation met bien en relief ce qui fait l'énigme spécifique de l'ordre marchand : sur quelle base des individus séparés peuvent-ils se coordonner durablement ? N'y a-t-il pas une contradiction flagrante entre, du point de vue des forces productives, une dépendance matérielle étroite de chacun à l'égard de tous et, du point de vue de la relation sociale, une extrême autonomie formelle des décisions privées ? Comment ces deux aspects peuvent-ils être rendus compatibles ? Pourquoi la logique de l'accaparement privé ne débouche-t-elle pas sur l'anarchie ? Quelles forces agissent pour faire en sorte que les individus séparés puissent tenir ensemble et constituer une société ? En un mot : pourquoi y a-t-il de l'ordre plutôt que du néant ? Il s'agit de mettre au jour les médiations sociales par le jeu desquelles les désirs acquisitifs individuels se voient transformés et modelés jusqu'à être rendus compatibles.

La réponse à ces questions suppose que soit introduite une notion fondamentale : la valeur. Elle est au cœur de la régulation marchande. Il n'est pas exagéré de dire qu'elle en constitue l'institution fondatrice. Pour en prendre pleinement la mesure, il n'est que de considérer la relation marchande élémentaire, l'échange. Son principe de base est l'équivalence *en valeur*, par laquelle les transactions marchandes se distinguent radicalement de toutes les autres formes d'appropriation (don, redistribution, vol ou capture violente). C'est en tant que valeur que les marchandises entrent dans l'échange. « Comme valeur, la marchandise a la propriété de s'échanger dans des proportions déterminées avec d'autres marchandises ; c'est là que réside l'unité des marchandises[1]. » Dès lors qu'elle est reconnue comme ayant une certaine valeur, la marchandise change de statut. Elle cesse d'être le produit spécifique de tel centre de production particulier, simple expression des conceptions personnelles de son propriétaire quant à ce qu'il faut produire et selon quel procédé, pour être désormais considérée universellement comme apte à l'échange, ce qui implique que son propriétaire possède désormais un droit de même montant à l'égard des productions de toute l'économie. Autrement dit, en tant qu'elles valent, les marchandises accèdent à une forme d'objectivité particulière, l'objectivité de la valeur, fondamentalement distincte de leur objectivité en tant que valeur d'usage, mais qui s'impose aux acteurs marchands d'une manière tout aussi impérative. Cette objectivité si énigmatique est ce qui caractérise l'économie marchande. Pour cette raison, il faut définir le rapport marchand comme une relation à autrui médiée par l'objectivité de la valeur. Tout le mystère de l'économie est dans cette objectivité *sui generis*, spécifique à la marchandise, qui ne se confond en rien avec l'objectivité matérielle des marchandises en tant que choses. Marx exprime bien cette idée quand il remarque : « Par un contraste des plus criants avec la grossièreté du corps de la marchandise, il

1. Antoine Artous, *Le Fétichisme chez Marx*, Paris, Éditions Syllepse, 2006, p. 61.

n'est pas un atome de matière qui pénètre la valeur. On peut donc tourner et retourner à volonté une marchandise prise à part ; en tant qu'objet de valeur, elle reste insaisissable[1]. » Cette énigme est au cœur de la réflexion des économistes : « D'où vient l'objectivité de la valeur ? »

Si l'on examine l'histoire de la pensée économique, on observe que deux réponses se sont successivement imposées : la valeur travail et la valeur utilité. La première caractérise la période classique, celles des pères fondateurs, Smith, Ricardo et Marx ; la seconde, la période néoclassique qui a pour origine les travaux marginalistes de Jevons, Menger et Walras. Cette dernière réponse a connu une élaboration extrêmement sophistiquée grâce au développement de l'économie mathématique. Elle est aujourd'hui absolument dominante. C'est dans le cadre de celle-ci que raisonnent tous les économistes contemporains, ou peu s'en faut. Aussi sera-t-elle au cœur de la réflexion que propose le présent livre, car il s'agit bien, en priorité, ici, de dialoguer avec l'économie telle qu'aujourd'hui elle se pratique. On la désignera du terme de théorie « orthodoxe » ou « dominante », par lequel il s'agit simplement de décrire ce qui est, sans jugement de valeur : l'existence d'un paradigme accepté très largement par la communauté des économistes.

Cependant, avant de l'analyser en détail dans le chapitre II, une constatation préliminaire s'impose : la théorie de la valeur utilité partage avec la théorie de la valeur travail une manière identique de concevoir la valeur et son objectivité, sans équivalent dans les autres sciences sociales. Toutes deux y voient l'effet d'une « substance » ou qualité que les biens marchands posséderaient en propre. Cette hypothèse que nous nommerons « hypothèse substantielle » tend à « naturaliser » les rapports économiques.

1. Karl Marx, *Le Capital*, Livre I sections I à IV, Paris, Flammarion, 1985, p. 50.

En accordant la primauté aux objets, elle construit une « économie des grandeurs » au détriment d'une « économie des relations ». Mettre au jour cette structure conceptuelle permet de comprendre que les impasses actuelles de la théorie économique ont des racines profondes. Y remédier passe nécessairement par une « refondation » conceptuelle. Il s'agit de promouvoir un nouveau cadre global d'intelligibilité appréhendant la réalité économique sous une nouvelle perspective. Par ailleurs, cette analyse, parce qu'elle permet de faire émerger, par-delà la coupure entre classiques et marginalistes, une structure conceptuelle commune, établit l'unité profonde de la pensée économique et en révèle l'origine : l'hypothèse substantielle. Ce résultat ne doit pas être négligé. La prétention à une scientificité poppérienne comme la revendication d'autonomie à l'égard des autres sciences sociales comptent parmi ses expressions les plus notables[1]. On les trouve présentes chez des auteurs que par ailleurs tout, ou presque, oppose. C'est cette tradition qui doit aujourd'hui être transformée.

Le présent chapitre vise à mettre au jour cette structure conceptuelle commune[2]. Il s'agit donc d'en revenir à ce que les économistes nomment « théories de la valeur ». Il est inutile d'insister sur la place centrale qu'elles occupent dans la pensée économique. Quatre propriétés seront mises

1. Se reporter à Roger Guesnerie, « L'économie, discipline autonome au sein des sciences sociales ? », *Revue économique*, vol. 52, n° 5, septembre 2001.

2. À l'évidence, ce projet, pour être mené à bien, nécessite bien plus de connaissances que je n'en possède, en particulier concernant les auteurs préclassiques et classiques. Il fait l'objet d'un travail en cours mené avec Jean-Yves Grenier, spécialiste de ces questions. De nombreuses idées qui sont présentées ici lui doivent beaucoup, en particulier la thèse centrale selon laquelle les théories de la valeur se caractérisent par une triple exclusion : exclusion des échanges, du marché et de la monnaie (Jean-Yves Grenier, *L'Économie d'Ancien Régime. Un monde de l'échange et de l'incertitude*, Paris, Albin Michel, 1996, p. 19-141).

en évidence : l'insistance sur le troc, l'exclusion de la monnaie, la sous-estimation des relations d'échange et le caractère global du concept de valeur. Ces quatre propriétés se déduisent logiquement de l'hypothèse substantielle, comme l'atteste le fait qu'elles sont présentes aussi bien chez les classiques que chez les néoclassiques. Une fois cette mise en évidence effectuée et après un ultime détour du côté de la pensée de Marx, le chapitre suivant se centrera sur la seule pensée néoclassique.

Avant de poursuivre selon ces lignes, une ultime remarque introductive s'impose : la réflexion de ce livre porte exclusivement sur l'économie marchande et non sur le capitalisme. S'intéresser au capitalisme supposerait d'introduire, à côté de la séparation marchande, un autre rapport social, à savoir le rapport salarial. Il n'en sera rien. L'analyse qui suit ignore le salariat et traite la production à la manière d'une boîte noire, chaque acteur étant simultanément producteur et échangiste comme le souligne le terme de « producteur-échangiste ». L'économie marchande s'impose comme le cadre conceptuel adéquat pour mettre au jour le rôle que joue la valeur dans la coordination des activités séparées. Là réside tout son intérêt. Même si la compréhension du capitalisme demeure le but final que poursuit l'économie, cette compréhension passe au préalable par une pleine élucidation de la valeur.

L'hypothèse substantielle

La tradition économique nomme « théorie de la valeur » les approches qui cherchent à découvrir le secret de l'échangeabilité marchande dans l'hypothèse d'une « substance » ou qualité conférant aux biens une valeur intrinsèque. Le plus souvent, ce livre se conformera à l'usage et retiendra la qualification usuelle de « théorie de la valeur » pour les désigner, mais sans jamais perdre de vue que, sous cette appellation d'apparence générale et neutre, se cache en fait une conception très particulière. Lorsqu'il s'agira de les distinguer d'autres approches, le terme, plus lourd mais plus précis, de « théorie substantielle de la valeur », ou encore de « théorie de la valeur substance », sera utilisé. Historiquement, deux « substances » ont été prises en considération par les économistes : le travail et l'utilité. Cependant, quelle que soit la substance considérée, ces approches partagent la même conception *princeps* selon laquelle, pour penser l'échange, il convient d'aller par-delà l'apparence des transactions monétaires de façon à mettre en évidence la présence d'une grandeur cachée qui préexiste logiquement aux transactions et les organise. L'idée d'une valeur objective ordonnant de l'extérieur l'anarchie apparente des échanges marchands trouve dans ce corps de doctrine son hypothèse fondatrice. Elle façonne en profondeur le regard que les économistes portent sur la réalité. Il s'agit de faire apparaître ce qui est dissimulé : la loi de la valeur qui, à l'insu des échangistes, commande aux transactions. Il y a des échanges parce qu'il y a de la valeur et cette valeur se présente comme une qualité que possèdent en propre les biens marchands.

Ainsi, Léon Walras commence-t-il ses *Éléments d'économie politique pure* par une spécification de ce qu'est la richesse sociale en partant de la notion de rareté : « J'appelle *richesse* sociale l'ensemble des choses matérielles ou immatérielles qui sont *rares*, c'est-à-dire qui, d'une part, nous sont *utiles*, et qui, d'autre part, n'existent à notre disposition qu'*en quantité limitée*[1]. » Comme on le note, cette définition de la rareté renvoie à des réalités indépendantes de l'échange, à savoir l'utilité et une quantité limitée. Il énonce ensuite que la rareté, propriété

1. Léon Walras, *Éléments d'économie politique pure ou théorie de la richesse sociale*, Paris, Librairie Générale de droit et de jurisprudence, 1952, p. 21.

objective, est ce qui confère de la valeur aux objets et fonde, de ce fait, l'échange. La nature de la valeur est ainsi totalement spécifiée par des critères objectifs. L'échange en découle logiquement. Comme le dit Walras lui-même, le fait de l'échange est déduit *a priori* de cette substance spécifique qu'il nomme « rareté ». Une fois la valeur explicitée dans la première section des *Éléments d'économie politique pure*, Walras passe à l'étude de l'échange de deux marchandises entre elles (section II), puis à celle de l'échange de plusieurs marchandises entre elles (section III). Il démontre que, à l'état d'équilibre, le rapport des valeurs est égal au rapport des raretés. Ce n'est qu'en tout dernier lieu que la monnaie se trouve introduite. Cette progression valeur, troc, monnaie est caractéristique de l'hypothèse substantielle.

Pour ce qui est de la théorie de la valeur travail, elle trouve son expression la plus aboutie chez Karl Marx[1]. Dans le premier chapitre du *Capital*, Marx considère deux marchandises, du froment et du fer, et il observe que, dans l'échange, « une quantité donnée de froment est réputée égale à une quantité quelconque de fer[2] ». À partir de cette observation, il s'interroge sur ce que signifie cette égalité. Il répond : « C'est que [dans ces deux objets différents, le froment et le fer], il existe quelque chose de commun. » En conséquence, il cherche à déterminer ce « quelque chose de commun ». Selon lui, ce « quelque chose de commun » ne peut pas être « une propriété naturelle quelconque, géométrique, physique, chimique, etc[3]. ». Plus largement, il écarte tout ce qui est de l'ordre de la valeur d'usage.

---

1. « La théorie de la valeur d'échange de Marx est aussi une théorie de la quantité de travail, et peut-être [...] la seule vraiment complète qui ait jamais été écrite » (Joseph Schumpeter, *Histoire de l'analyse économique*, tome II, *op. cit.*, p. 296).

2. Karl Marx, *Le Capital*, *op. cit.*, p. 42.

3. *Ibid.*

Il conclut avec assurance : « La valeur d'usage des marchandises une fois mise de côté, il ne reste plus qu'une qualité, celle d'être des produits du travail » ! Plus loin, il précise : « Tous ces objets ne manifestent plus qu'une chose, c'est que dans leur production une force de travail humaine a été dépensée [...]. En tant que cristaux de cette substance sociale commune, ils sont réputés valeurs[1]. » En l'occurrence, cette « substance sociale commune » est mesurée par le temps de travail socialement nécessaire à la production des biens[2]. Il écrit : « Nous connaissons maintenant la substance de la valeur : c'est le travail. Nous connaissons la mesure de sa quantité : c'est la durée du travail[3]. »

À l'évidence, chez Marx, la valeur substance a le statut d'une hypothèse *a priori* qui structure le regard de l'économiste et lui dicte ce qu'il doit voir. Elle est une construction conceptuelle et non pas un fait d'observation. Certes Marx cherche à persuader son lecteur qu'il suffirait d'examiner attentivement les échanges pour que la valeur travail se révélât à ses yeux. Mais sa démonstration n'est guère convaincante. Pourquoi rejeter la valeur d'usage comme source potentielle de la valeur ? Ou encore, une fois celle-ci rejetée, pourquoi ne resterait-il que le travail humain pour justifier la commensurabilité ?

Ces deux auteurs illustrent parfaitement l'hypothèse substantielle. Il s'est agi pour Marx comme pour Walras de mettre au jour une grandeur, le travail socialement nécessaire, pour le premier ; la rareté pour le second, qui fonde la valeur et, ce faisant, l'échange. La force de cette construction tient au fait que ces grandeurs peuvent être calculées sans référence aux échanges. Une fois l'économie

1. *Ibid.*, p. 43.

2. Se reporter à Isaak Roubine pour une analyse fouillée de la théorie de la valeur de Marx.

3. *Ibid.*, p. 45.

marchande spécifiée par ses productions et ses consommations, il est possible de calculer la valeur de toutes les marchandises. Ces grandeurs peuvent être dites objectives. Ceci est clair pour Marx. C'est également vrai de Walras mais demandera quelques explications supplémentaires dans la mesure où l'objectivité de l'utilité renvoie à des préférences individuelles qui sont subjectives. Cependant, dès lors que ces dernières sont supposées exogènes, rien ne les distingue plus des fonctions de production. Elles sont tout autant objectives du point de vue du théoricien de la valeur. Elles sont des données à partir desquelles les valeurs se déduisent. Le chapitre II, consacré à la théorie néoclassique, reviendra longuement sur ce point.

La centralité du troc et l'exclusion de la monnaie

Une première caractéristique commune à ces deux approches est à trouver dans le rôle primordial qu'y joue l'échange direct d'une marchandise contre une autre, le troc. On le constate chez Marx qui prend pour point de départ de son analyse l'échange froment contre fer. Comment justifier la mise à l'écart de l'échange monétaire alors que, dans la réalité, les marchandises sont universellement échangées contre de la monnaie ? Pourquoi un tel point de départ si contraire aux faits ? On a vu que Walras faisait de même. Une fois la valeur spécifiée (section I), il passe à l'étude de l'échange de deux marchandises entre elles (section II). Plus généralement, on constate que les théoriciens de la valeur s'intéressent prioritairement au troc. C'est essentiellement de lui dont il est question. Ainsi, dans *Théorie de la valeur*[1], le livre dans lequel Gérard Debreu présente l'approche moderne sous sa forme

1. Gérard Debreu, *Théorie de la valeur. Analyse axiomatique de l'équilibre économique*, Paris, Dunod, 2001.

paradigmatique, il n'est question que d'échanges directs. La monnaie en est absente. Cette omniprésence du troc peut paraître bien paradoxale si l'on garde à l'esprit, d'une part, que le troc s'observe le plus souvent dans les économies non marchandes et, d'autre part, que son apparition dans les économies marchandes développées est le signe infaillible de leur dysfonctionnement ! On admettra que ces faits d'observation conduiraient plutôt à considérer l'échange direct comme étranger à la logique marchande qu'à le mettre au cœur de son analyse. Comment expliquer, dans ces conditions, que Marx et Walras, comme l'immense majorité des économistes, et malgré l'évidence empirique, abordent l'étude de la circulation des marchandises en partant du troc ? La responsabilité en incombe entièrement à l'hypothèse substantielle elle-même et à l'adhésion généralisée dont elle fait l'objet au sein de la communauté des économistes, y compris parmi les plus grands. Autrement dit, si les économistes attachent une telle importance à l'échange direct, c'est parce que, depuis plus de deux siècles, les théories de la valeur leur ont appris à penser la transaction marchande comme étant une extension du troc. Il ne faut pas chercher ailleurs le statut si particulier qu'occupe le troc dans la pensée économique. Parce que les économistes pensent que la valeur est dans la marchandise, l'échange de marchandises contre d'autres marchandises s'impose à eux comme la forme naturelle, simple et immédiate, de l'échange et acquiert, de ce fait, une position centrale dans leur modélisation des rapports marchands. Paradoxalement, c'est *a contrario* l'échange monétaire qui désormais se révèle totalement énigmatique. Carl Menger est peut-être l'économiste qui a le mieux restitué ce mystère que constitue l'échange monétaire pour le théoricien de la valeur utilité, comparé à l'évidence du troc : « Il est évident même pour l'intelligence la plus ordinaire, écrit-il, qu'un bien puisse être cédé par son propriétaire pour un autre qui lui soit plus utile. Mais que chaque unité économique d'une nation soit prête à échanger ses biens contre des petits disques de métal apparemment sans utilité [...] est un processus si opposé au cours ordinaire des choses [que même un penseur aussi pertinent que Savigny le trouverait] tout à fait "mystérieux[1]". » Cette citation illustre à quel point, dans l'hypothèse de la valeur, substance et troc marchent de conserve. Pour le théoricien de la valeur, le fait premier est l'attirance que les marchandises exercent directement les unes à l'égard des autres en tant qu'elles sont toutes porteuses de valeur. Et cette attirance immédiate qu'institue la logique de la valeur ne trouve nulle part d'expression plus fidèle que dans le troc, avant que diverses institutions, dont la monnaie, en altèrent la nature comme la puissance. En conclusion, c'est bien la diffusion des théories de la valeur qui a déformé le regard des économistes. La place qu'occupe l'échange direct au sein de la théorie économique, démesurée si on la compare à son rôle infiniment marginal dans les économies réelles, trouve ici sa source véritable. Elle est la conséquence d'une hypothèse conceptuelle qui s'est peu à peu propagée à l'ensemble des économistes : la valeur substance. Il est dans la logique de cette construction conceptuelle d'attribuer à l'échange direct une place centrale dans son analyse des rapports marchands en tant qu'expression la plus simple de la valeur. Tout l'effort théorique du chapitre IV visera à démontrer qu'il est erroné de considérer le troc comme étant une « forme simple » d'expression de la valeur. *Il n'y a d'expression de la valeur que monétaire*. Pour qui adhère à cette dernière thèse, le statut du troc se révèle conforme à ce que l'observation indique : il s'agit d'une aberration. En conclusion, il faut se méfier fortement des analyses qui utilisent le troc comme modèle de la relation

1. Carl Menger, « On the Origin of Money », *Economic Journal*, vol. 2, 1892, p. 239.

marchande car le troc est, au mieux, une forme marchande dégénérée. En tant que telle, il livre une image particulièrement déformée du rapport marchand. Si les économistes l'oublient malgré l'observation, c'est par l'effet d'un long apprentissage théorique qui les a conditionnés à penser la valeur comme une substance que posséderaient en propre les marchandises.

Ce rôle primordial dévolu au troc par les penseurs de la valeur les conduit fort logiquement à délaisser le rapport monétaire. C'est là un des traits les plus caractéristiques et les plus énigmatiques des théories de la valeur : elles se donnent pour objet une économie sans monnaie. Que ce soit chez Marx, chez Sraffa, chez Walras ou chez Arrow et Debreu, la théorie de la valeur s'intéresse uniquement aux prix relatifs, à savoir : dans quel rapport tel bien s'échange contre tel autre bien. Pour ce faire, elle introduit le plus souvent un numéraire. Autrement dit, elle pose par convention que le prix de tel bien vaut 1, à partir de quoi on détermine la valeur de tous les autres biens relativement à celui-ci, ce qu'on nomme « prix ». Mais c'est là une hypothèse purement technique qui vise simplement à faciliter l'explicitation des valeurs d'échange. En aucun cas introduire un numéraire n'altère la nature profonde de l'économie considérée. Celle-ci reste une économie de troc puisque les biens s'y échangent exclusivement contre d'autres biens. Il n'y existe pas de monnaie réelle, « c'est-à-dire de monnaie qui, non seulement procure une unité de compte, mais encore circule effectivement et en outre fonctionne comme "réserve de valeur[1]" ». Cette absence de monnaie doit être soulignée avec vigueur. Elle n'est en rien un accident mais l'expression significative du fait que, aux yeux des théoriciens de la valeur, l'échangeabilité est la conséquence d'une « substance » sociale. En

1. Joseph Schumpeter, *Histoire de l'analyse économique*, tome II, *op. cit.*, p. 287.

conséquence, ce qui importe est de déterminer celle-ci. Omettre la monnaie répond à la volonté d'aller au-delà des apparences immédiates dans le but de circonscrire au mieux le principe de l'échange. Le bon théoricien de la valeur ne doit pas se laisser tromper par l'illusion monétaire qui masque l'essentiel. Il convient de s'abstraire des apparences pour saisir l'échangeabilité des biens dans son principe propre : la valeur. Ce qu'exprime Schumpeter avec une rare pertinence lorsqu'il écrit :

> « Non seulement on peut rejeter ce voile [monétaire] chaque fois que nous analysons les traits fondamentaux du processus économique, mais il faut le faire, à l'instar d'un voile qui doit être ôté lorsqu'on veut voir le visage qu'il recouvre. C'est pourquoi les prix en monnaie doivent céder la place aux taux d'échange des marchandises entre elles qui sont vraiment la chose importante "derrière" les prix en monnaie[1]. »

On trouve une idée semblable chez Marx qui écrit à propos de l'expression des marchandises en argent :

> « Cette forme acquise et fixe du monde des marchandises, leur forme argent, au lieu de révéler les caractères sociaux des travaux privés et les rapports sociaux des producteurs, ne fait que les voiler[2]. »

Cette pensée de la relation marchande a une conséquence primordiale. Elle conduit nécessairement à reléguer la monnaie dans une position accessoire. En effet, dès lors que la commensurabilité des marchandises se trouve fondée en amont de l'échange monétaire dans le principe de valeur, quel rôle peut-il bien rester à la monnaie ?

---

1. Joseph Schumpeter, *Histoire de l'analyse économique*, tome I : *L'Âge des fondateurs, des origines à 1790*, Paris, Gallimard, 1983, p. 389.
2. Karl Marx, *Le Capital, op. cit.*, p. 72.

Ni l'échangeabilité en elle-même, ni la détermination des rapports quantitatifs à travers lesquels celle-ci se manifeste ne sont plus de son ressort. Dans un tel cadre, il ne reste plus à la monnaie qu'un rôle parfaitement secondaire : rendre plus aisées des transactions dont la logique lui échappe totalement parce qu'elle relève tout entière de la théorie de valeur. En un mot, être l'instrument des échanges. Schumpeter écrit : « La monnaie n'entre [dans cette analyse] qu'en y jouant le modeste rôle d'un expédient technique adopté en vue de faciliter les transactions[1]. » Il faut bien lire « faciliter », dans la mesure où ces approches considèrent toujours le troc comme une alternative possible. Ici, la monnaie est, au sens fort, un moyen, un instrument, un « expédient technique » au service d'un principe qui la domine entièrement : la valeur. Il ne peut en être autrement dès lors qu'on adhère à une conception substantielle de la valeur. Celle-ci débouche nécessairement sur une conception instrumentale de la monnaie. Elle sera présentée et critiquée au chapitre IV pour ce qui est de la théorie néoclassique.

Sous-estimation des échanges

Cette mise à l'écart de la monnaie par les théories de la valeur peut également s'interpréter sous un autre angle : elle témoigne d'une désinvolture certaine à l'égard des transactions réelles et de la manière dont elles se déroulent. Ceci ne doit pas surprendre dans la mesure où la valeur substance construit un point de vue qui appréhende les échanges de l'extérieur, à partir de la mise au jour du contenu substantiel des objets en présence. L'échange proprement dit n'y joue aucun rôle. Pour s'en persuader,

1. Joseph Schumpeter, *Histoire de l'analyse économique*, tome I, *op. cit.*, p. 389.

il suffit de considérer les deux prédicats qui sont à la base de la notion de valeur : l'unité et la transitivité. D'une part, il est postulé que la valeur d'un même bien reste égale à elle-même quel que soit l'exemplaire du bien considéré. Autrement dit, deux biens identiques, tirés au hasard dans des lieux distincts de l'univers marchand, ont nécessairement la même valeur. D'autre part, il est postulé que la valeur d'un bien ne varie pas, qu'il soit échangé contre tel bien ou tel autre bien. Marx écrit à ce propos : « La valeur d'échange reste immuable, de quelque manière qu'on l'exprime, en *x* cirage, en *y* soie, *z* or, et ainsi de suite. Elle doit donc avoir un contenu distinct de ces expressions diverses[1]. » Ces deux spécifications dotent la valeur d'une singulière puissance : quel que soit l'exemplaire du bien considéré, quel que soit l'échange considéré, elle demeure inchangée. Pourtant, on sait, pour ce qui est des prix, que la question est loin d'être aussi simple : ni la loi du prix unique, ni la transitivité des prix relatifs ne s'imposent absolument dans le monde réel. Il semble bien que les forces de l'échange puissent perturber durablement l'expression des valeurs intrinsèques. Pour le théoricien de la valeur, il n'en est rien ; l'essentiel est dans celles-ci qui déterminent à la fois ce qui sera échangé et selon quel rapport. Il s'ensuit un discours théorique où l'objectivité des valeurs domine les relations d'échange. Nous ne voulons pas dire que les théories de la valeur ne s'intéressent pas aux échanges marchands puisqu'il s'agit bien pour elles, *via* la valeur, d'en produire l'intelligibilité, mais qu'elles considèrent que tout ce que ceux-ci ont à dire d'intéressant à l'économiste se trouve contenu dans le concept de valeur : ce dernier en livre l'entière compréhension. Une fois la valeur calculée, les échanges ont tout dit. L'écart qui peut apparaître entre le prix et la valeur n'est qu'un résidu,

1. Karl Marx, *Le Capital*, *op. cit.*, p. 42.

sans portée théorique. Il échappe à toute détermination quantitative. Ceci est vrai de la pensée classique comme de la pensée néoclassique. La sous-estimation des échanges leur est commune.

Cependant, sur ce point important, les économistes classiques et néoclassiques procèdent d'une manière trop différente pour qu'il soit fructueux de continuer à les considérer conjointement. En effet, dans la théorie que les premiers proposent, les variables d'offre et de demande sont absentes alors que les seconds les intègrent explicitement à leur analyse. *Prima facie* la divergence semble radicale. En conséquence, pour ce qui est des classiques, leur sous-estimation des échanges relève de l'évidence puisque la valeur travail, dans sa nature même, a pour fondement exclusif les conditions de production. Le marché s'y trouve évincé *de jure*. Il s'ensuit que l'égalité entre valeur et prix n'est en rien assurée puisque chacune de ces grandeurs semble répondre à des déterminations indépendantes : productivité du travail, pour la première ; rapport entre offre et demande, pour le second. Les théoriciens de la valeur travail (Smith, Ricardo et Marx[1])

1. Comme on le sait, la position de Marx est complexe puisque, pour ce qui est des économies capitalistes, il introduit un nouveau concept : le prix de production. Celui-ci diffère structurellement de la valeur. Dès lors, concernant les économies capitalistes, l'approche de Marx est fort différente de celle de Smith et Ricardo qui, eux, adhèrent toujours à la primauté de la valeur travail, ou « prix naturel ». Cependant, dans le cas de ce que Marx nomme une « économie marchande simple », c'est la valeur travail qui reste, pour lui comme pour eux, le concept pertinent. Dans une telle économie, « la valeur représente le niveau moyen autour duquel les prix de marché fluctuent » (Isaak Roubine, *Essais sur la théorie de la valeur de Marx*, Paris, Éditions Syllepse, 2009, p. 104). Il est donc possible de considérer conjointement Smith, Ricardo et Marx à condition, pour ce qui est de Marx, de s'intéresser à ses analyses des économies marchandes simples. Aussi, dans cette section consacrée à la sous-estimation des échanges par la valeur

reconnaissent d'ailleurs explicitement que d'importants écarts peuvent exister entre ces deux grandeurs. En effet, à leurs yeux, si les évolutions de la valeur sont au fondement des évolutions des prix, la conformité entre valeur et prix ne prévaut que tendanciellement, sur le long terme. Lorsque Marx s'efforce de répondre à la question de savoir comment cette conformité advient, il répond : « Parce que, dans les rapports d'échange accidentels et toujours variables [...], le temps de travail social nécessaire à [la] production l'emporte de haute lutte comme loi naturelle régulatrice, de même que la loi de la pesanteur se fait sentir à n'importe qui lorsque sa maison s'écroule sur sa tête[1]. » Cette analyse est emblématique des théories de la valeur : une puissance cachée, invisible, meut les objets, produisant de l'ordre là où semble régner le jeu aveugle des intérêts privés. En conséquence, l'économiste classique oppose ce qui est du domaine de l'intelligible, la loi de la valeur, et ce qui est du domaine de « l'accidentel » et du « variable », les fluctuations des prix à court terme. Celles-ci échappent à la loi de la valeur travail ; elles sont secondaires et périphériques. Elles apparaissent lorsque la forme prix est introduite, s'analysant comme des corollaires de celle-ci. On ne sera pas surpris de retrouver chez Adam Smith une analyse identique : « [La valeur[2]] est donc, pour ainsi dire, le prix central, vers lequel les prix de toutes les denrées gravitent continuellement. Différents accidents peuvent tantôt les tenir en suspens largement au-dessus de ce prix, et tantôt les forcer à tomber quelque peu au-dessous. Mais quels que puissent être les obstacles

---

travail, laisserons-nous de côté la question du prix de production pour nous intéresser exclusivement aux rapports entre valeur et prix de marché chez Smith, Ricardo et Marx.

1. Karl Marx, *Le Capital*, *op. cit.*, p. 71.

2. Smith utilise le terme de « prix naturel » pour désigner la valeur.

qui les empêchent de se fixer en ce centre de repos et de continuation, ils y tendent constamment[1]. » De nouveau, l'économiste classique recourt à la loi de la gravitation lorsqu'il cherche à expliciter comment la loi de la valeur agit. Partout, chez les classiques, on retrouve cette même construction conceptuelle : il faut aller par-delà l'apparence des choses, à la manière de la physique newtonienne. Ce qui est primordial est l'action de la valeur travail ; elle domine les échanges. « Il est évident que ce n'est pas l'échange qui règle la quantité de valeur d'une marchandise, mais au contraire la quantité de valeur de la marchandise qui règle ses rapports d'échange[2] », écrit Marx. En conséquence, ce qui, dans l'échange marchand, n'est pas pris en compte par le biais de la valeur a le statut d'un bruit, sans portée conceptuelle. Le théoricien n'a pas lieu de s'en préoccuper. Pour cette raison, une analyse détaillée des marchés en tant que dispositifs de mise en rapport des acheteurs et des vendeurs est inutile. On la trouve à peine chez Smith, mais ni chez Ricardo, ni chez Marx. Ils ne s'intéressent pas au fonctionnement concret des marchés. Ce qui peut être rendu intelligible dans les variables d'offre et de demande se trouve entièrement élucidé grâce au concept de valeur : « Par conséquent, si ce sont l'offre et la demande qui règlent le prix de marché ou plus exactement les écarts des prix de marché par rapport à la valeur de marché, par contre c'est la valeur de marché qui règle le rapport entre l'offre et la demande ou qui constitue le centre autour duquel les fluctuations de l'offre et de la demande font varier les prix de marché[3] », explique Marx. Autrement dit, chez

1. Adam Smith, *Enquête sur la nature et les causes de la richesse des nations*, Paris, PUF, 1995, Livre I, chapitre VII, p. 67.

2. Karl Marx, *Le Capital*, *op. cit.*, p. 62.

3. *Le Capital*, Livre III, cité par Isaak Roubine dans *Essais sur la théorie de la valeur de Marx*, *op. cit.*, p. 245.

les classiques, le passage de la valeur au prix se fait sans ajout conceptuel important : le prix, c'est la valeur plus des fluctuations à court terme qui, parce qu'elles sont sans règle, échappent à toute détermination quantitative. Laissons Marx conclure : « Il est donc possible qu'il y ait un écart, une différence quantitative entre le prix d'une marchandise et sa grandeur de valeur, et cette possibilité gît dans la forme prix elle-même. C'est une ambiguïté, qui au lieu de constituer un défaut, est au contraire une des beautés de cette forme, parce qu'elle l'adapte à un système de production où la règle ne fait loi que par le jeu aveugle des irrégularités qui, en moyenne, se compensent, se paralysent et se détruisent mutuellement[1]. »

L'approche néoclassique est très différente puisque l'égalité de l'offre et de la demande appartient aux conditions que la valeur doit respecter. Cette approche cherche à décrire le mécanisme de marché pour expliciter par quel processus la valeur se transforme en prix. Pourtant, comme le soulignera le prochain chapitre, la sous-estimation des échanges y est également présente, mais sous une forme spécifique.

Une conception totalisante

Cette analyse de ce qu'ont en commun les différentes théories de la valeur fait apparaître une troisième caractéristique que les historiens de la pensée économique ont souvent négligée : contrairement à ce que peut laisser accroire une lecture rapide, la valeur est essentiellement un concept global. Elle a comme finalité de rendre visibles les interdépendances cachées qui relient objectivement les activités les unes aux autres, par-delà la séparation formelle des acteurs. Parce qu'il en est ainsi, elle est

1. Karl Marx, *Le Capital*, *op. cit.*, p. 88.

conduite à saisir l'économie comme un tout. Elle traite de la cohésion globale de l'ordre marchand et cherche à en élucider le principe. En conséquence, la valeur se donne à penser comme un fait collectif, comme une puissance qui, au-delà des actions individuelles, ordonne l'économie en une totalité équilibrée. On reconnaît ici l'idée de main invisible chère à Adam Smith et aux économistes : la valeur va au-delà des apparences pour identifier ce qui, à l'insu même des agents, guide leur conduite et produit l'harmonie des intérêts.

Cette dimension systémique apparaît sans ambiguïté dans les travaux consacrés à la détermination quantitative des valeurs. En effet, parce que l'estimation de la valeur d'un bien particulier suppose une réflexion sur les relations réciproques qui unissent ce bien aux autres biens, la valeur ne se détermine jamais isolément, mais toujours conjointement avec la valeur de toutes les autres marchandises. Pour ce faire, il faut expliciter de quelle manière ce bien réclame la présence des autres biens et de quelle manière il les affecte en retour. Autrement dit, la détermination d'une valeur élémentaire ne peut être faite qu'au sein d'un processus d'évaluation qui appréhende l'économie dans sa totalité. En cela, la valeur est un concept totalisant. On comprend, ce faisant, que cette détermination ne sera pas aisée puisqu'il s'agit, pour y réussir, de modéliser l'économie en son entier. Or il est un outil particulièrement adapté à cette tâche, un outil qui précisément a pour finalité la détermination simultanée d'un ensemble de grandeurs. Cet outil est de nature mathématique : les systèmes d'équations simultanées. Il permet d'expliciter les multiples liens réciproques qui unissent la valeur d'un bien aux valeurs des autres. À chaque équation correspond la valeur élémentaire d'un bien spécifique, analysée dans son rapport de dépendance aux autres biens. Si l'économie a n biens, le système a n équations et n inconnues, à savoir la valeur de chacun des biens. Ces *n* inconnues sont déterminées simultanément comme solutions du système que forment les *n* équations. Bien entendu, l'écriture explicite du système dépend de la nature spécifique des liens de dépendance considérés par la théorie. En conséquence, le système que propose la théorie de la valeur travail diffère de celui de la théorie de la valeur utilité. Mais tous deux ont en commun de recourir à un système d'équations simultanées. Sa seule présence formelle atteste à elle seule du caractère global de la valeur. Elle démontre que l'on ne peut déterminer la valeur d'un bien particulier qu'en connaissant la valeur de tous les autres biens.

Considérons d'abord l'approche classique. C'est essentiellement sous l'angle de la division du travail qu'elle aborde l'étude de la cohésion marchande. Les activités des uns et des autres sont reliées par le fait qu'elles s'insèrent dans une structure collective de production. Parce que l'économie classique appartient à une époque où les économistes n'utilisaient pas les mathématiques, on ne trouve pas explicitement, sous la plume des économistes classiques, de tels systèmes d'équations. Pourtant, l'idée que la valeur est un fait collectif, et non local, est bien présente dans leur pensée. On le voit chez Marx avec son concept de « travail socialement nécessaire » qui établit que la valeur dépend des conditions productives moyennes de l'économie. Il écrit : « Le temps de travail socialement nécessaire à la production des marchandises est celui qu'exige tout travail, exécuté avec le degré moyen d'habileté et d'intensité et dans des conditions qui, par rapport au milieu social donné, sont normales[1]. » Pour le calculer, il importe de déterminer ce que sont les conditions « normales » de production. Analyser l'évolution du travail socialement nécessaire suppose en conséquence, pour les marxistes, un point de vue qui saisit l'entièreté des

1. Karl Marx, *Le Capital*, *op. cit.*, p. 44.

conditions productives de l'économie de façon à pouvoir identifier celles qui peuvent être dites normales. Ainsi, la même marchandise produite par un producteur donné peut voir sa valeur se transformer sans que ce producteur ait modifié en quoi que ce soit sa façon de produire dès lors que les conditions normales de production se trouvent transformées, par exemple du fait de l'introduction de nouvelles machines chez ses concurrents.

Si les auteurs classiques ne recouraient pas aux mathématiques, il n'en est pas de même de leurs épigones modernes. Or ceux-ci, lorsqu'ils ont voulu prolonger les travaux antérieurs, ont tout naturellement eu recours à des systèmes d'équations simultanées pour modéliser les idées qu'ils contenaient, ce qui atteste leur nature totalisante. Ainsi en est-il des travaux de Piero Sraffa dans son livre *Production de marchandises par des marchandises*[1], écrit dans une perspective ricardienne. L'économie qu'il modélise possède *n* marchandises. Dans ce cadre néo-ricardien, la valeur de chaque marchandise dépend de la valeur des marchandises nécessaires à sa production, ainsi que du taux de profit et du taux de salaire que Sraffa considère comme identiques pour toutes les branches productives. Ces hypothèses le conduisent à écrire un système de *n* équations, une pour chaque marchandise. Ce système explicite, sous la forme d'équations, le tissu des interdépendances qui assurent la cohésion marchande. Dans la perspective de la valeur travail, ces interdépendances sont principalement de nature productive, mais pas uniquement. Sans concurrence élargie au capital et au travail, on ne pourrait pas supposer l'uniformité du taux de profit et l'égalité des taux de salaire dans les différentes branches, hypothèses qui jouent un rôle important. Il s'en déduit que les valeurs de toutes les marchandises sont déterminées simultanément. Michio Morishima adopte, pour ce qui est de Marx, une

1. Paris, Dunod, 1999.

démarche analogue à celle de Sraffa concernant Ricardo. Il cherche à modéliser la théorie marxienne de la valeur travail. Ceci le conduit à un système d'équations proche de celui proposé par Sraffa, à ceci près que, s'intéressant à une petite économie marchande, et non pas une économie capitaliste, la notion de profit n'est pas introduite. Parce que chez Marx, comme chez Ricardo, la valeur d'un bien dépend de la valeur des biens qui entrent dans sa production, on obtient un système où les valeurs sont étroitement interdépendantes. Morishima note : « Pour aucun secteur, la valeur du produit n'est déterminée de manière indépendante [...]. En conséquence, les valeurs sont déterminées socialement[1]. »

Parce qu'elle rejette la valeur travail pour lui préférer la valeur utilité, l'approche néoclassique aborde la question de la cohésion marchande d'une manière entièrement renouvelée. Celle-ci n'est plus principalement technique ou productive. La question du rapport individuel aux objets domine désormais la question strictement productive. En conséquence, ce qui importe, pour cette théorie, est la compatibilité entre la demande de biens et l'offre de biens, compatibilité qui, chez les classiques, ne jouait qu'un rôle périphérique. Il s'agit de s'assurer que les désirs individuels de marchandises n'entrent pas en conflit, de telle sorte qu'un accord entre acteurs marchands puisse émerger. Pour cette raison, la valeur se détermine lorsque tous les marchés sont à l'équilibre, ce qui signifie que l'ensemble des désirs de tous les acteurs se trouve simultanément satisfait. À l'évidence, l'idée d'une détermination individuelle de la valeur pour une marchandise n'a ici aucun sens. Dans un tel cadre, la valeur s'impose comme un fait collectif : l'accord de *tous* les acteurs quant à la répartition de *tous* les objets. En conséquence, ce sont toutes les valeurs de

1. Michio Morishima, *Marx's Economics. A Dual Theory of Value and Growth*, Cambridge, Cambridge University Press, 1974, p. 14.

tous les biens qui se trouvent déterminées dans un même mouvement. L'équilibre général walrassien[1], grâce aux travaux de Kenneth Arrow et Gérard Debreu au début des années 1950, nous en offre l'illustration la plus aboutie sous la forme d'un système de *n* équations à *n* inconnues dans lequel chaque équation élémentaire décrit l'égalité de l'offre et de la demande pour une marchandise particulière. Le fait que la valeur d'un bien dépende des valeurs des autres biens résulte du jeu des interdépendances que la théorie néoclassique prend en compte. Celles-ci sont bien plus complexes[2] que celles prises en compte dans l'approche de la valeur travail. Outre les dépendances techniques qui continuent d'être présentes par l'intermédiaire des fonctions de production, l'équilibre général intègre les effets de substituabilité présents du côté de la consommation et les effets liés au revenu. Par exemple, la valeur du bien *i* peut dépendre de la valeur du bien *j*, soit que ces deux biens sont substituables comme dans le cas du sucre blanc et du sucre brun, soit que certains consommateurs du bien *i* ont un revenu qui dépend de la valeur du bien *j*. Ainsi, la valeur des chaussures dépend-elle de la valeur de la viande parce que l'augmentation de la valeur de la viande accroît le revenu des bouchers et que les bouchers achètent des chaussures. Le chapitre II reviendra en détail sur l'équilibre général.

En conclusion de cette section, il apparaît que l'hypothèse substantielle construit une conception systémique de l'économie marchande. Cette caractéristique a certainement joué en sa faveur. L'énigme marchande originelle

1. Sous la plume des économistes français, on trouve le plus souvent « walrasien » et non « walrassien ». C'est là un barbarisme qui a pour origine le terme anglais « walrasian ». En français, le doublement du « s » s'impose, comme dans « maurassien », « jurassien », « circassien » ou « parnassien ».

2. Ce qui ne veut pas dire plus pertinentes. Ni moins pertinentes.

qu'affronte la pensée économique – « par quel processus la séparation marchande se trouve-t-elle surmontée ? » – y trouve une réponse des plus convaincantes. Sous l'apparence du désordre est mise au jour une puissance ordonnatrice, invisible, la valeur, qui tient ensemble les acteurs. À son origine, cette élaboration théorique a trouvé dans sa proximité conceptuelle avec la pensée newtonienne (loi de la gravitation) un élément supplémentaire de conviction. Cependant, cette approche « holiste » ouvre sur une nouvelle question : comment rendre cette approche globale compatible avec la nature fondamentalement décentralisée des économies marchandes ? N'y a-t-il pas là une difficulté ? Il semble bien que, dans les économies réelles, les prix et les individus ont une marge d'évolution locale importante dont cette analyse ne rend nullement compte. Cette interrogation sera reprise au chapitre IV.

Le fétichisme de la marchandise

Lorsque, à la lumière de tous nos résultats précédents, on examine l'hypothèse substantielle dans la globalité de ses déterminations, il apparaît nettement qu'elle avance une conception du monde marchand centrée sur les objets. Elle ne met qu'au second plan les rapports des acteurs entre eux dans la mesure où l'intelligibilité des faits économiques primordiaux, comme les prix et les volumes échangés, repose intégralement sur le calcul des valeurs. Pour désigner cette spécificité si forte, il sera dit que la tradition économique privilégie une « économie des grandeurs » au détriment d'une « économie des relations ». Cette manière de faire n'a rien de choquant *a priori*, dans la mesure où elle réfléchit un fait propre aux économies marchandes : les individus séparés y entrent en relation non pas directement mais par l'intermédiaire de la circulation des marchandises. C'est par le biais de l'objectivité des valeurs que les producteurs-échangistes font l'expérience du social. Ce faisant, la primauté des grandeurs, sous la forme du « combien », s'impose à la conscience de tous les protagonistes. De ce point de vue, la théorie de la valeur est fidèle à la manière dont les économies marchandes se présentent aux acteurs : la valeur et ses évolutions s'imposent à eux à la manière d'une puissance naturelle face à laquelle ils sont impuissants. « Ces [quantités de valeur] changent sans cesse, indépendamment de la volonté et des prévisions des producteurs aux yeux desquels leur propre mouvement social prend ainsi la forme d'un mouvement des choses, mouvement qui les mène, bien loin qu'ils puissent le diriger[1]. » Les théories de la valeur collent à l'expérience commune d'une valorisation objective qui échappe à la « volonté et aux prévisions ». La question se pose alors de savoir quel est le statut de cette représentation. Est-elle la vérité ultime des économies marchandes ?

Cette question trouve son analyse la plus fouillée chez Marx lorsqu'il introduit ce qu'il nomme le « fétichisme de la marchandise » dans le premier chapitre du *Capital*. Il s'agit précisément pour lui d'étudier la perception que les acteurs ont des marchandises, comme des « êtres indépendants, doués de corps particuliers, en communication avec les hommes et entre eux[2] ». À rebours de cette manière de voir commune aux individus marchands, Marx souligne que la valeur est un fait social, produit spécifiquement par la séparation marchande, et en rien une grandeur « naturelle ». Il écrit : « La forme valeur et le rapport de valeur des produits du travail n'ont absolument rien à faire avec leur nature physique. C'est seulement un rapport social déterminé des hommes entre eux qui revêt ici pour eux la forme fantastique d'un rapport des choses entre elles[3]. »

1. Karl Marx, *Le Capital*, *op. cit.*, p. 71.
2. *Ibid.*, p. 69.
3. *Ibid.*

Pour Marx, de la même manière que certains peuples considèrent faussement telle ou telle propriété comme appartenant en propre aux objets fétiches, les acteurs économiques considèrent que la valeur appartient en propre à la marchandise, comme une qualité naturelle. Les uns comme les autres ne perçoivent pas la nature exacte du phénomène qu'ils ont sous les yeux. Pour autant, nous dit Marx, cette manière de voir n'est pas une illusion. Elle est constitutive de la réalité marchande : la valeur avance masquée, sous la forme d'une grandeur objective, intrinsèque aux marchandises : « elle ne porte pas sur le front ce qu'elle est[1] ». Autrement dit, l'abstraction de la valeur est constitutive de la réalité marchande. C'est ce que veut dire Marx lorsqu'il écrit : « Les catégories de l'économie bourgeoise sont des formes de l'intellect qui ont une vérité objective, en tant qu'elles reflètent des rapports sociaux réels, mais ces rapports n'appartiennent qu'à cette époque historique déterminée, où la production marchande est le mode de production social[2]. » Ceci exprime parfaitement la position subtile de Marx. On trouve, chez Antoine Artous, une défense minutieuse d'un tel point de vue :

> « Pour Marx, les marchandises sont des choses "sensibles, suprasensibles", les formes de pensée ont une objectivité sociale et, somme toute, le rapport social ne tient pas debout sans les représentations qui l'accompagnent et le structurent. Dès lors, le phénomène du fétichisme ne relève pas d'une simple illusion de conscience – individuelle ou collective –, il ne renvoie pas seulement à l'apparence des rapports sociaux, à la surface des choses, il traduit le mode d'existence des rapports de production capitalistes, leur forme sociale objective[3]. »

1. *Ibid.*, p. 70.
2. *Ibid.*, p. 72.
3. Antoine Artous, *Le Fétichisme chez Marx*, *op. cit.*, p. 21.

Autrement dit, si l'objectivité de la valeur est constitutive de la réalité marchande, il importe, pour le théoricien, de ne jamais perdre de vue que cette objectivité est le produit historique d'une certaine structure sociale. La valeur n'est pas une grandeur naturelle même s'il « semble qu'il existe dans [les marchandises] une propriété de s'échanger en proportions déterminées comme les substances chimiques se combinent en proportions fixes[1] ». Le théoricien ne doit pas se laisser prendre à ces apparences. Il doit éviter de tomber dans l'illusion fétichiste et, pour ce faire, ne jamais oublier que la forme marchandise est le résultat d'un rapport social particulier, historiquement déterminé, la production marchande : les objets « ne deviennent des marchandises que parce qu'ils sont les produits de travaux privés, exécutés indépendamment les uns des autres[2] ». Cette thèse est également au cœur du présent livre car celui-ci a pour projet de construire un cadre conceptuel qui pense la valeur pour ce qu'elle est, non pas une substance, mais une institution sociale-historique : l'institution qui est au fondement de l'économie marchande. Cependant, contrairement à Marx, ce livre soutient que, pour être mené à bien, ce projet nécessite absolument de rompre avec l'hypothèse substantielle. Cette rupture est cruciale à nos yeux car elle nous apparaît comme la condition même pour sortir du fétichisme de la marchandise, c'est-à-dire pour penser la nature sociale de la valeur. Nous aurons l'occasion de préciser dans les chapitres à venir ce que cela signifie. Mais, avant de faire ceci, il importe de répondre à un argument de poids : Marx ne prouve-t-il pas la fausseté de ce projet en démontrant par son œuvre même qu'il est possible de faire tenir ensemble, et la critique du fétichisme, et l'hypothèse substantielle ? Nous voudrions montrer dans la suite de cette section

1. Karl Marx, *Le Capital*, *op. cit.*, p. 71.
2. *Ibid.*, p. 69.

qu'il n'en est rien : son adhésion à la théorie de la valeur travail conduit Marx, malgré lui, à des positions qui sont en contradiction flagrante avec son approche sociale-historique des rapports marchands, en particulier sa critique du fétichisme.

Démontrer ceci, c'est faire comprendre que la valeur substance et la valeur institution sont deux approches irréconciliables. Comment une substance, par nature éternelle, comme le travail et l'utilité, pourrait-elle donner accès à une conception sociale-historique de la valeur ? Il y a là une antinomie irréductible. Au contraire, ce qui est pleinement conforme à l'hypothèse substantielle est l'idée qu'il y a toujours eu de l'économie marchande, comme il y a toujours eu de la valeur économique : que ce soit par le fait du travail auquel les hommes ont toujours été contraints pour assurer leur existence, ou que ce soit par le fait des biens utiles dont les hommes ont toujours eu le besoin. Dans les deux cas, c'est une même conception « naturaliste » des rapports économiques qui s'impose au détriment d'une approche historique. Cette pensée « naturaliste » peut être défendue mais ce n'est pas celle de Marx. Aussi, comme Marx retient l'hypothèse substantielle, cela le conduit, dans certains passages, à s'opposer à lui-même lorsqu'il semble se faire le défenseur d'une interprétation transhistorique de la valeur travail. Cette dérive trouve dans la détermination quantitative de la valeur travail un terrain particulièrement propice : parce que le « temps de travail socialement nécessaire » est une quantité qui peut être calculée pour tout produit, quels que soient les rapports de production, c'est naturellement qu'on est conduit à le regarder comme étant une grandeur « naturelle », à savoir une grandeur vide de rapports sociaux. En effet, rien dans son calcul formel ne fait référence aux relations marchandes d'échange. D'ailleurs, de tels calculs ont été effectués pour des sociétés non marchandes. Chez Marx, la critique du fétichisme n'est pas articulée de l'intérieur à la détermination quantitative de la valeur travail. Elle apparaît comme un ajout qui vient spécifier cette dernière de l'extérieur à la manière d'une mise en garde.

Personne mieux que Cornelius Castoriadis[1] n'a mis en évidence cette contradiction du texte de Marx, oscillant entre deux conceptions antagoniques. Conformément à ce qui vient d'être écrit, il en repère l'origine dans la notion de substance, en ce qu'elle renvoie à une qualité « dotée d'une signification absolue », manifestant « ce qui était là toujours, depuis toujours et dans le toujours[2] ». Penser ainsi, c'est introduire l'existence de déterminations universelles, valides quels que soient les rapports sociaux considérés. Castoriadis écrit : « L'antinomie de la pensée de Marx est que ce Travail qui modifie tout et se modifie constamment lui-même est en même temps pensé sous la catégorie de la Substance/Essence, de ce qui subsiste inaltérable [...], ne se modifie pas, ne s'altère pas, *subsiste* comme fondement immuable des attributs et des déterminations changeantes[3]. » Pour illustrer son propos, Castoriadis rappelle que Marx lui-même montre Robinson, dans son île, procédant à une comptabilité de son temps de travail dans le but final d'établir une allocation de celui-ci entre ses diverses activités productives « selon la plus ou moins grande difficulté qu'il a à vaincre pour obtenir l'effet utile qu'il a en vue[4] » ; ce qui, en bon langage économiste, se traduit par : « maximiser son utilité ». Marx conclut à propos des calculs de Robinson : « Son inventaire contient le détail [...] du temps de travail que lui coûtent en moyenne des quantités déterminées de ces divers produits. [...] Toutes les déterminations essentielles

1. *Les Carrefours du labyrinthe*, Paris, Seuil, 1978.
2. *Ibid.*, p. 264.
3. *Ibid.*
4. *Le Capital*, *op. cit.*, p. 72.

de la valeur y sont contenues[1]. » Autrement dit, dans ce passage, la valeur travail se donne à voir comme une catégorie transhistorique s'imposant à Robinson comme à l'économie marchande. C'est même vrai, ajoute Marx, pour la société communiste à venir pour laquelle « [tout] ce que nous avons dit du travail de Robinson se reproduit, mais *socialement* et non *individuellement*[2] ». La dimension historiquement déterminée que revendique Marx pour la valeur, comme propre à la production marchande, dans de nombreux passages de son œuvre, est ici absente. Castoriadis multiplie les exemples de cette oscillation perpétuelle : « Marx peut penser la Substance Travail tantôt comme purement physiologique-naturelle, et tantôt comme pleinement sociale, tantôt comme transhistorique et tantôt comme liée spécifiquement à la phase capitaliste, tantôt comme manifestation de la réification de l'homme sous l'exploitation capitaliste et tantôt comme le fondement qui permettrait un "calcul rationnel" dans la société à venir[3]. » Il conclut en soulignant : « La vraie borne historique aussi bien d'Aristote que de Marx est la question de l'institution. C'est l'impossibilité pour la pensée héritée de prendre en compte le social-historique comme mode d'être non réductible à ce qui est "connu" ailleurs[4]. » C'est parce que l'approche substantielle est, en sa structure même, oubli de l'institution qu'elle se montre inapte à étayer un discours qui pense les faits économiques à la lumière des rapports sociaux historiquement constitués qui les ont produits. Il faut donc conclure qu'être fidèle à la conception sociale-historique de l'économie capitaliste impose de rompre avec l'hypothèse substantielle pour

1. *Ibid.*
2. Cité *in* Cornelius Castoriadis, *Les Carrefours du labyrinthe*, *op. cit.*, p. 265.
3. *Ibid.*, p. 269.
4. *Ibid.*, p. 314.

penser l'institution de la valeur. Il y a une contradiction entre l'hypothèse d'une substance, dont la validité est par nature universelle, et l'insistance à considérer la valeur comme une réalité spécifique à l'ordre marchand.

Pour clore cette réflexion sur Marx, il est un auteur passionnant à étudier, Isaak Roubine, précisément parce qu'il cherche à dépasser cette antinomie, à savoir articuler la théorie marxienne de la valeur travail et la théorie marxienne du fétichisme. S'il n'y réussit pas, sa réflexion n'en est pas moins remarquable car elle voit le problème là où de très nombreux lecteurs n'ont rien vu. Roubine comprend que la théorie du fétichisme est une critique de l'approche substantielle. Il s'ensuit un livre qui constitue certainement la présentation la plus fouillée qui ait jamais été consacrée à la théorie de la valeur chez Marx. Centrons-nous sur son analyse du travail abstrait. Ce concept constitue un enjeu crucial au regard de notre réflexion présente en ce que Marx avance précisément le concept de travail abstrait pour spécifier cette forme si particulière que prend le travail comme créateur de valeur en économie marchande. Autrement dit, le travail abstrait constitue la substance même de la valeur. Et l'on retrouve, en conséquence, notre question précédente : comment le travail abstrait, créateur de valeur, concept spécifiquement marchand, peut-il trouver sa détermination adéquate dans une substance générique comme le travail ? Comment articuler travail abstrait et ce que Castoriadis nomme le Travail/Substance ? En quoi le travail abstrait est-il encore du travail, même sous la forme de travail socialement nécessaire ? Roubine est conscient de ces difficultés. Il comprend parfaitement que « la théorie du travail abstrait est l'un des éléments fondamentaux de la théorie marxienne de la valeur[1] ». Pourtant, bien qu'il en

1. Isaak Roubine, *Essais sur la théorie de la valeur de Marx*, *op. cit.*, p. 179.

soit ainsi, il constate que le travail abstrait fait l'objet d'une profonde erreur d'interprétation : le concept de travail abstrait est pensé comme un concept « physiologique ». Roubine lutte contre cette interprétation « physiologique » du travail abstrait, qui peut encore être dite « matérielle » ou « technique ». Les raisons qu'il invoque sont si proches de celles qui ont été présentées que nous sommes tentés de citer Roubine longuement :

> « Marx a inlassablement répété que la valeur est un phénomène social, que "les valeurs des marchandises n'ont qu'une réalité purement sociale" et ne contiennent "pas un atome de matière". Il s'ensuit que le travail abstrait, créateur de valeur, doit être compris comme une catégorie sociale dans laquelle ne pénètre "pas un seul atome de matière". De deux choses l'une : ou bien le travail abstrait est une dépense d'énergie humaine sous une forme physiologique, et alors la valeur a aussi un caractère matériel réifié. Ou bien la valeur est un phénomène social, et le travail abstrait doit alors lui aussi être compris comme un phénomène social, lié à une forme sociale de production déterminée. Il est impossible de concilier une interprétation physiologique du concept de travail abstrait avec le caractère historique de la valeur que ce même travail crée. La dépense physiologique d'énergie en tant que telle se retrouve à toutes les époques, *et autant dire alors que cette énergie crée de la valeur à toutes les époques*. Nous en arrivons alors à l'interprétation la plus grossière de la théorie de la valeur, interprétation qui contredit nettement la théorie de Marx[1]. » [Je souligne.]

On ne saurait exprimer plus clairement le dilemme que pose le concept de travail abstrait à un marxiste qui se veut fidèle à la conception sociale-historique des rapports économiques. En défendant une telle conception, Roubine est nécessairement conduit à critiquer vivement ce qu'il

1. *Ibid.*, p. 184.

nomme l'approche « physiologique ». Or il n'est pas difficile de reconnaître, dans cette approche physiologique, l'hypothèse substantielle, à savoir une conception qui pense le travail abstrait sous la forme d'une substance éternelle, vide de rapports sociaux, en l'occurrence l'énergie dépensée dans l'acte productif. Elle est éternelle en ce qu'on la « retrouve à toutes les époques » et qu'elle crée « de la valeur à toutes les époques ». Or, cela ne se peut pas. Pour Marx, le travail abstrait est propre à la période marchande. Aussi, pour Roubine, la conception physiologique est-elle une trahison du marxisme, « l'interprétation la plus grossière de la théorie de la valeur », écrit-il. Notons qu'il reconnaît cependant que, dans de nombreux passages, Marx lui-même n'est pas clair. Ses énoncés peuvent donner prise à l'interprétation physiologique[1]. Il faut, sur ce point, admettre que la pensée de Marx est intrinsèquement déficiente. Sinon comment expliquer que tant d'auteurs aient suivi ce (mauvais) chemin, comme le constate Roubine[2] ? Il nous semble ici que cette déviation trouve ses racines dans l'inadéquation de l'hypothèse substantielle elle-même qui, spontanément, tend à faire prévaloir une interprétation naturaliste du travail abstrait, à savoir un travail « dépouillé de tout élément social et historique [...]

1. « En fin de compte, toute activité productive, abstraction faite de son caractère utile, est une dépense de force humaine. La confection des vêtements et le tissage, malgré leurs différences, sont tous deux une dépense productive du cerveau, des muscles, des nerfs, de la main de l'homme, et en ce sens du travail humain au même titre » (*Le Capital*, *op. cit.*, p. 47). Ou encore : « Tout travail est d'un côté dépense, dans le sens physiologique, de force humaine, et, à ce titre de travail humain égal, il forme la valeur des marchandises » (*ibid.*, p. 49).

2. « Si même des marxistes définissent couramment le travail abstrait comme une dépense d'énergie physiologique, il n'est pas étonnant que cette conception soit largement répandue dans la littérature antimarxiste » (Isaak Roubine, *Essais sur la théorie de la valeur de Marx*, *op. cit.*, p. 180).

qui existe dans toutes les époques, indépendamment de telle ou telle forme de production[1] ». Roubine s'efforce de montrer qu'une autre voie est possible. C'est le cœur de son travail[2]. Suivons-le, même s'il n'y réussira pas, car, ce faisant, il ouvre des pistes qui ne demanderont qu'à être explorées.

Dans le but d'échapper à la dérive naturaliste, Roubine se propose d'expliciter ce qui fait la spécificité marchande du travail abstrait. Il s'ensuit une longue analyse dans laquelle de nombreuses citations de Marx se trouvent mobilisées. Cette analyse et ces citations convergent vers un même élément, la mise en exergue de l'acte d'échange : « Marx souligne que cette réduction des formes concrètes du travail à du travail abstrait s'accomplit définitivement dans le procès d'échange[3] », écrit-il. Nous sommes ici en plein accord avec Roubine et Marx. L'échange doit être mis au centre de l'analyse : « Le travail abstrait apparaît et se développe dans la mesure où l'échange devient la forme sociale du procès de production, donnant à ce dernier la forme de la production marchande[4]. » C'est l'échange qui est central et, parce que l'approche de la valeur travail le sous-estime grandement, elle perd la capacité à saisir le travail abstrait comme une grandeur spécifique à la production marchande. C'est la prise en compte de l'échange et de ses déterminations spécifiques qui, seule, ouvre une perspective entièrement nouvelle. Cependant, deux manières de concevoir l'échange sont

---

1. *Ibid.*

2. Par ailleurs, il est frappant de constater que ce projet va de pair avec le rétablissement de la théorie du fétichisme au centre de la réflexion et non pas « comme une entité séparée et indépendante, que seul un lien ténu rattachait à la théorie économique de Marx [...], comme une intéressante digression littéraire et culturelle qui accompagne le texte fondamental de Marx » (*ibid.*, p. 35).

3. *Ibid.*, p. 193.

4. *Ibid.*, p. 194.

possibles : comme le lieu où la valeur est créée ou comme le lieu où la valeur est révélée. Roubine de nouveau est conscient de la difficulté :

> « Certains critiques pensent que notre conception peut conduire à la conclusion que le travail abstrait n'a son origine que dans l'acte d'échange, ce qui entraînerait que la valeur tient elle aussi son origine uniquement de l'échange. Or, selon le point de vue de Marx, la valeur et donc aussi le travail abstrait doivent déjà exister dans le procès de production. Nous touchons ici à une question très sérieuse et délicate, celle des rapports entre la production et l'échange. Comment résoudre ce problème ? D'une part, la valeur et le travail abstrait doivent déjà exister dans le procès d'échange et, d'autre part, Marx dit à plusieurs reprises que le travail abstrait présuppose le procès d'échange[1]. »

Comment concilier deux thèses contradictoires. D'une part, l'échange révèle une valeur qui est produite antérieurement dans le procès de production et, d'autre part, la valeur est intrinsèquement liée à l'échange. Ces deux thèses, pourtant, coexistent chez Marx : la première, au nom de l'hypothèse substantielle et la seconde, au nom de l'historicité de la valeur marchande. On note, à ce propos, combien le terme de « travail » est ici stratégique car si, conformément à la seconde thèse, le travail abstrait se trouvait produit par l'échange, au travers des actes de valorisation, on serait alors en droit de se demander en quoi il est du « travail » plus qu'autre chose, par exemple de l'utilité. Sa fidélité à la valeur travail conduit Roubine à choisir la première voie : l'échange révèle la valeur ; par quoi il retombe, à son corps défendant, dans l'hypothèse substantielle. En effet, comme il le reconnaît lui-même explicitement dans la citation suivante, les déterminations

1. *Ibid.*, p. 197.

essentielles de la valeur travail ne peuvent être autre chose que d'une nature matérielle-technique et physiologique : « Nous voyons que la détermination quantitative du travail abstrait est *conditionnée de façon causale* par une série de propriétés qui caractérisent le travail sous ses aspects matériel-technique et physiologique dans le procès de production direct, antérieurement au procès d'échange et indépendamment de celui-ci[1]. » Certes, Roubine fait une place plus large à l'échange mais sans que cela affecte sérieusement l'analyse. Comme Marx au fond, la théorie du fétichisme chez Roubine gardera le statut d'une mise en garde externe, d'un ajout, faute d'avoir pu être articulée de l'intérieur à la conception du « travail socialement nécessaire ».

Conclusion

Le présent chapitre a cherché à démontrer que l'hypothèse substantielle est le concept adéquat permettant d'identifier ce qui fait la singularité du discours économique, par lequel se constitue une tradition de pensée originale en rupture avec les autres sciences sociales. Alors que d'ordinaire les valeurs sont affaire de jugement, la valeur marchande telle que la pense la tradition économique se distingue radicalement des autres valeurs sociales, morales, esthétiques ou religieuses, par le fait qu'elle se présente comme une grandeur objective et calculable, en surplomb des acteurs et de leurs relations. C'est une conception sans équivalent dans les sciences sociales : pour comprendre les hommes, peu importent leurs opinions ou leurs croyances, ce qui compte, c'est l'évolution quantifiable de la valeur des biens, ce qu'il faut nommer une « économie des grandeurs ». Cette analyse nous a conduits à une conclusion

1. *Ibid.*, p. 208.

quelque peu paradoxale : l'approche économique laisse peu de place aux échanges proprement dits. Ce désintérêt à l'égard des transactions réelles se retrouve dans les quatre spécifications qui ont été mises en avant : que l'on rejette les transactions monétaires pour leur préférer le troc, qu'on néglige l'influence propre aux circonstances de l'échange, ou qu'on considère l'économie marchande comme un système global, c'est toujours à une mise entre parenthèses du marché réel qu'on assiste. En écrivant cela, nous sommes parfaitement conscients de la nécessité où nous sommes, pour rendre cette conclusion crédible, de procéder à une prise en compte de la théorie néoclassique bien plus en profondeur que ce que nous avons fait jusqu'à maintenant. En effet, *prima facie,* tout dans l'approche orthodoxe semble contredire ces conclusions : comment peut-on dire que la théorie néoclassique néglige les échanges alors que l'analyse walrassienne fait jouer un rôle central aux marchés de concurrence parfaite ? Tout le chapitre suivant sera consacré à cette question.

Cependant, nous ne pouvons clore cette réflexion consacrée à l'hypothèse substantielle en général sans souligner à quel point il s'agit d'une construction d'une grande puissance. Assurément, elle saisit une part de la réalité des relations marchandes, l'objectivité de la valorisation, et nous comprenons aisément le puissant attrait qu'elle peut exercer sur les meilleurs esprits. Par sa volonté d'aller au-delà des apparences pour saisir la commensurabilité dans ce qu'elle a de plus fondamental, la valeur substance est un concept d'une grande témérité. Elle réorganise la vision de l'observateur pour dégager, par-delà la surface des échanges concrets, les forces objectives qui façonnent la réalité économique. Ce faisant, elle donne à voir un processus d'abstraction proche de celui que pratiquent les sciences de la nature. Tout au long de notre travail, nous nous sommes efforcés d'en présenter la logique de la manière la plus rigoureuse. Lorsque nous serons amenés à critiquer l'hypothèse substantielle, ce ne sera pas pour des raisons logiques, mais parce que cette approche, par ailleurs parfaitement cohérente, ne fournit pas, selon nous, une bonne description des faits économiques. Elle n'est pas adéquate à la réalité. Ou encore, pour le dire d'une manière plus précise et rigoureuse, *elle ne saisit pas cette réalité dans sa totalité*, elle laisse de côté des éléments essentiels. Selon nous, c'est la question des échanges qui est centrale et, plus précisément, des échanges monétaires. Son exclusion interdit une compréhension en profondeur de la séparation marchande. Comme on l'a vu, Marx également tombe dans ce piège. Sa position est particulièrement intéressante car, par ailleurs, il est le théoricien le plus attaché à prendre en compte les rapports sociaux de production comme l'illustre sa critique du fétichisme. Marx insiste à juste titre sur le fait que l'objectivité de la valeur n'est pas un fait naturel, ahistorique, mais bien l'expression d'une certaine structure sociale, l'économie marchande. Cependant, parce qu'il adhère à l'hypothèse substantielle, il se trouve plus d'une fois conduit, sur ce point, à se contredire. En conséquence, « l'économie des relations » que nous cherchons à fonder comme alternative à « l'économie des grandeurs » de la tradition économique, si elle trouve dans Marx un cadre global d'intelligibilité et des concepts importants, doit cependant rompre avec la valeur travail. Il est clair qu'une rupture d'une telle ampleur ne signifie pas autre chose qu'une refondation du marxisme. Cela sort amplement du cadre du présent travail. Il importe maintenant d'en venir au plat de résistance : la théorie néoclassique de la valeur.

Chapitre II
L'objectivité marchande

La théorie néoclassique de la valeur a le même point de départ que celui de Marx au début du *Capital* : découvrir ce qui fonde la commensurabilité des marchandises, ce qui fait que les individus échangent des biens. Pour ce faire, elle propose une réponse formellement identique : la mise en avant d'une « substance » sociale. Cependant, cette substance, qui est à l'origine de l'échangeabilité, ce n'est plus le travail comme chez les classiques, c'est l'utilité des biens. Les biens s'échangent parce qu'ils sont utiles. La construction de cette valeur utilité passe par l'élaboration d'un cadre conceptuel qui appréhende l'individu sous l'angle de sa relation aux biens. C'est là un point décisif qui, dans la pensée classique, ne jouait qu'un rôle secondaire. L'*Homo œconomicus* de la théorie néoclassique est d'abord un individu qui recherche les objets pour leur utilité. Cette manière si particulière de définir l'acteur est au fondement de cette approche. Elle en est l'hypothèse de base : pour l'économiste néoclassique, la relation aux objets prime sur la relation aux autres individus ou à la société. L'économie, dans son principe, est pensée comme ayant pour finalité ultime de répondre aux besoins des consommateurs. C'est la recherche perpétuelle de satisfaction par les biens consommés qui justifie l'existence des économies marchandes comme leur dynamisme. L'équilibre général walrassien illustre à la perfection cette manière de penser. On y voit *n* individus luttant pour obtenir le panier de marchandises qui leur apportera la satisfaction la plus grande. Contrairement à l'approche classique qui la met au centre de son dispositif conceptuel, la production ne joue ici qu'un rôle secondaire. Elle est envisagée, comme une boîte noire, sous un angle exclusivement technique : élargir la gamme des objets disponibles conformément aux capacités productives existantes. Elle n'implique pas, comme chez Marx, de rapports sociaux spécifiques qui demanderaient une étude particulière. Pour le producteur, il s'agit d'acheter les inputs nécessaires, y compris la force de travail, pour ensuite les vendre. En conséquence, c'est le marché qui s'impose comme le rapport social primordial en tant qu'il règle la répartition des marchandises entre les individus. C'est uniquement par son entremise que les individus-en-relation-aux-objets font l'expérience des autres. Telle est la conception néoclassique de la séparation marchande : des individus en lutte pour des objets utiles.

Pour rendre intelligible cette relation aux objets, constitutive de l'individu marchand et de la séparation marchande, la théorie néoclassique avance le concept de « préférences individuelles » : il est fait l'hypothèse que tout individu est capable de classer les divers paniers de biens qui lui sont offerts, par ordre de préférence croissante[1]. Dire que l'individu préfère le panier *A* au panier *B* signifie que la consommation du panier *A* lui procure une satisfaction supérieure à celle du panier *B*. En conséquence, toutes choses égales par ailleurs, l'individu s'efforcera d'acquérir le panier *A* plutôt que le panier *B*. Soulignons que la préférence s'élabore dans un strict face-à-face mettant aux prises le consommateur et les objets. Ce qui signifie que la préférence ne dépend en rien de ce que font

1. Cette propriété, jointe à celle de « transitivité », conduit à faire de la relation de préférence ce qu'en mathématiques on nomme un « préordre complet ».

les autres : ni de ce qu'ils consomment, ni de ce qu'ils désirent. S'affirme, ce faisant, la nature strictement individualiste jusqu'au solipsisme de ce cadre conceptuel. Le rapport aux marchandises tel que l'appréhende la pensée néoclassique est un rapport purement privé où l'individu séparé est confronté directement aux marchandises : il estime, par introspection, l'effet sur lui-même de leur consommation. L'évaluation qui en résulte est également exclusivement individuelle. Le plus souvent, ces préférences sont représentées à l'aide d'une fonction, dite « fonction d'utilité », qui, à chaque panier de biens, associe la satisfaction qu'il procure, encore appelée « utilité ». Dans un tel cadre, chaque individu possède ses propres préférences individuelles formalisées par une fonction d'utilité spécifique. En conséquence, de manière indifférente, on dira, soit : l'individu préfère le panier *A* au panier *B*, soit : l'utilité subjective que le panier *A* procure à l'individu est supérieure à celle que lui procure le panier *B*. Dans cette approche, la recherche par tous les individus d'un accroissement de leur satisfaction est la force fondamentale qui met en mouvement l'économie marchande par le biais des échanges. Elle est au fondement de sa théorie de la valeur.

Le rapport utilitaire aux objets et l'accord walrassien

Pour avancer, centrons-nous sur l'équilibre général walrassien qui offre la formulation la plus rigoureuse de la théorie de la valeur utilité et qui, pour cette raison, reste aujourd'hui le modèle de base autour duquel se structure la pensée économique. Cette modélisation est très intéressante puisqu'elle soutient non seulement que la concurrence permet à l'économie marchande d'accéder à l'équilibre mais, qui plus est, que l'équilibre concurrentiel ainsi obtenu serait « optimal » au regard de l'allocation des ressources rares[1]. C'est donc une démonstration très puissante. Cette analyse[2] donne à voir une économie pacifiée dans laquelle tous les agents, les consommateurs comme les producteurs, voient leurs désirs pleinement satisfaits. En conséquence, ils ne souhaitent plus modifier leur situation parce qu'elle leur procure déjà le maximum de ce qu'ils peuvent espérer, au niveau de prix proposé. Comment un tel miracle est-il possible ? D'où vient que la lutte concurrentielle permet l'autorégulation du système de marchés ? Répondre à ces questions suppose de revenir sur les hypothèses mobilisées par la théorie néoclassique de la valeur et, en premier lieu, sur celles qui ont trait aux désirs des acteurs et à la manière dont ces désirs entrent en concurrence.

Une première hypothèse joue un rôle central dans l'obtention de l'accord walrassien : l'objectivité des préférences[3]. En imposant que jamais le désir des acteurs ne s'écarte de ce que dicte le calcul de l'utilité, cette hypothèse a pour effet d'introduire un puissant facteur de modération dans la lutte concurrentielle : ce faisant, la violence acquisitive se trouve *de facto* étroitement encadrée. La montée aux extrêmes, caractéristique des processus agonistiques, qui pousse certains à miser plus,

---

1. Sans entrer dans des détails par trop techniques, notons cependant que cette « optimalité » est une optimalité particulière, nommée « optimalité parétienne », du nom de Vilfrid Pareto, grand économiste. Il s'agit d'un critère faible au regard du sens commun.

2. Elle a déjà fait l'objet d'une brève présentation au chapitre précédent. Cette analyse associe à chaque bien son marché et montre qu'il existe une situation où tous les marchés sont simultanément à l'équilibre, à savoir que l'offre s'y égalise avec la demande. Se reporter au paragraphe intitulé « Une conception totalisante ».

3. Techniquement, nous appelons « objectivité » le fait que les préférences sont exogènes et qu'elles ne dépendent pas de la situation des autres acteurs.

ou hors de propos, pour s'emparer de ce que les autres désirent ou possèdent, y est strictement interdite. Autrement dit, la fixité des préférences forme un ancrage objectif qui vient contraindre puissamment les rivalités acquisitives. Celles-ci doivent, à tout instant, se conformer à ce que le calcul des utilités impose. Elles ne sauraient sortir de ce cadre rigide. Que le désir pour un bien puisse s'accroître à proportion du fait que les autres le possèdent – ce qu'on nomme « jalousie » ou « envie » –, voilà ce qui ne saurait être, ce qui est tout simplement exclu d'emblée. À l'évidence, cette hypothèse qui implique que les stratégies individuelles ne sont jamais affectées par la volonté de l'emporter à tout prix correspond à une situation de violence totalement dominée. Ou même, pour mieux dire, à une absence de violence, puisque jamais la rivalité envers autrui ne vient instiller dans le cœur des échangistes un quelconque sentiment d'hostilité ou de revanche qui viendrait perturber la perception utilitaire du monde. Dans l'échange walrassien, les protagonistes restent froids et imperturbables en toutes circonstances, dépourvus d'affects autres que leur intérêt pour les biens utiles. Cela atteste d'une conception de la séparation marchande poussée à ses plus extrêmes limites. Les individus sont séparés, non seulement en tant que chacun est un centre de décision autonome, mais également au sens où chaque individu se révèle parfaitement indifférent à l'égard des autres : ce que les autres acteurs font ou possèdent ne l'affecte en rien ; il reste totalement imperméable à leur regard, à ce qu'ils pensent de lui. Seule importe sa relation aux biens ; les autres ne comptent pas. La satisfaction que procurent les biens consommés est sa passion exclusive, son unique intérêt, son seul affect.

Cependant l'hypothèse d'objectivité à elle seule ne suffit pas à assurer l'existence de l'équilibre général. Il est aisé de le comprendre : si jamais les préférences individuelles, bien qu'objectives, étaient par trop antagoniques, il ne serait pas possible de trouver un accord entre les échangistes. Par exemple, imaginons que tous les acteurs veulent uniquement d'un même bien. S'il en était ainsi, aucun accord ne pourrait être trouvé. Pour qu'un équilibre existe, il faut que les préférences objectives des acteurs soient suffisamment flexibles, autrement dit qu'elles ne soient ni trop exagérées, ni trop exclusives. C'est ce que recouvre l'hypothèse technique dite de « convexité des préférences » mise en avant par Arrow et Debreu comme une condition nécessaire pour qu'existe un équilibre. Les préférences « exagérées » sont du type : « plus j'en ai, plus j'en veux », et les préférences « exclusives » sont du type : « un seul bien m'intéresse », les deux aspects étant étroitement liés. L'hypothèse de convexité exclut d'emblée les préférences exagérées puisqu'elle suppose une saturation progressive de la satisfaction à la manière de ce qu'on ressent lorsqu'on consomme un produit alimentaire. Aussi délicieux et raffiné soit-il, le désir d'en manger encore plus diminue au fur et à mesure que la quantité déjà consommée croît. Techniquement, on dit que l'utilité marginale est décroissante : lorsque l'individu accroît sa consommation d'un bien, son utilité augmente mais, pour chaque unité supplémentaire du bien, la satisfaction marginale apportée diminue, en conséquence de quoi son désir pour le bien diminue. La convexité interdit également l'exclusivité des préférences en imposant que l'individu « aime les mélanges[1] ». Autrement dit, elle suppose que l'accroissement de la diversité produit un accroissement de la satisfaction, toutes choses étant égales par ailleurs[2]. En conclusion, on peut dire que l'hypothèse de convexité, en excluant du champ de l'analyse tous les

1. Bernard Guerrien, *La Théorie néoclassique*, tome I : *Microéconomie*, Paris, La Découverte, 1999, p. 16.

2. Techniquement, si deux paniers P_1 et P_2 procurant la même utilité sont combinés sous la forme $aP_1 + (1-a)P_2$, avec a compris

comportements monomaniaques, modélise un rapport de l'individu aux objets marchands particulièrement pacifié et raisonnable, totalement non névrotique. On comprend alors que, sous de telles conditions, un accord puisse émerger. Par construction, les acteurs ont été dotés de la flexibilité qu'il faut vis-à-vis des objets pour qu'il en soit ainsi. On serait même tenté de dire que les acteurs walrassiens sont indifférents aux objets en tant que tels. Essayons de comprendre comment cela est possible.

D'abord commençons par noter que de telles préférences n'ont rien de naturel. Il serait erroné de considérer une telle conception comme représentative de la manière dont, de tous temps et en tous lieux, les hommes se sont comportés. Le consommateur néoclassique, si tant est qu'il existe, doit bien plutôt être pensé comme résultant d'un travail prolongé de la société sur la subjectivité humaine aux fins de la rendre parfaitement adéquate au monde marchand. Pour s'en persuader, il n'est que de considérer, par exemple, ce que sont les goûts d'un amateur d'art. On y observe, le plus souvent, un attachement obsessionnel à certaines œuvres allant de pair avec une dévalorisation, non moins excessive, pour ce qui n'est pas ces œuvres. Si l'amateur d'art se comporte ainsi, c'est parce qu'il appréhende l'œuvre dans son individualité, dans ce qui fait sa radicale singularité. Il l'apprécie avec passion parce qu'elle n'est semblable à nulle autre. L'objet en tant que tel lui importe au plus haut point. Par contraste, il apparaît que, pour l'*Homo œconomicus*, tous les biens se ressemblent peu ou prou. Il n'éprouve aucun attachement spécifique. Tout est affaire de quantité. Il est toujours prêt à troquer l'un pour l'autre. C'est d'ailleurs ce pour quoi la théorie néoclassique l'apprécie tant. Cela fait de lui un parfait échangiste. S'il en est ainsi, c'est

---

strictement entre *0* et *1*, cela entraîne un accroissement de l'utilité obtenue.

parce que l'*Homo œconomicus* regarde par-delà les biens eux-mêmes, à travers eux, devrait-on dire : ce qui compte pour lui, ce n'est pas leur individualité, mais l'*utilité* qu'ils sont aptes à lui procurer. Telle est la solution à l'étonnant et paradoxal « détachement » qu'éprouve le consommateur néoclassique à l'égard des marchandises. À ses yeux, tous les biens ne sont que des déclinaisons d'une même substance générique : l'utilité. C'est celle-ci qu'il poursuit. L'hypothèse de convexité des préférences s'en déduit. Elle est la traduction d'un rapport strictement utilitaire aux objets. Les objets ne comptent pas ; seule leur utilité importe.

Cette interprétation du modèle du consommateur trouve dans la théorie des caractéristiques de Kelvin Lancaster un puissant appui. En effet, cette théorie soutient qu'il est possible d'identifier les sources de l'utilité, par-delà les biens, dans ce que Lancaster nomme « propriétés » ou « caractéristiques », comme par exemple la caractéristique nutritionnelle ou calorique[1]. Selon cette approche, les consommateurs ne sont pas intéressés par les biens en eux-mêmes mais par les caractéristiques qui les composent et qui sont à l'origine de l'utilité. Ces caractéristiques sont une réalité objective, identique pour tous les individus. Il s'ensuit que les biens disparaissent en tant qu'objets spécifiques pour ne plus être appréhendés que comme des paniers de caractéristiques[2]. Avec ce modèle, l'utilité d'un bien se voit définie comme une grandeur objective multidimensionnelle qui peut être mesurée indépendamment de la subjectivité des acteurs :

---

1. Kelvin Lancaster, « A New Approach to Consumer Theory », *Journal of Political Economy*, vol. 74, n° 2, avril 1966, p. 193.

2. On comprend alors pourquoi l'introduction de la « singularité » conduit à un profond réaménagement de la théorie néoclassique, comme l'a démontré Lucien Karpik (dans *L'Économie des singularités*, Paris, Gallimard, 2007).

> « [...] les caractéristiques possédées par un bien sont les mêmes pour tous les consommateurs et, une fois les unités de mesure définies, sont en même quantité, de telle sorte que l'élément personnel dans le choix de consommation porte seulement sur le choix entre des ensembles de caractéristiques, non dans l'allocation des caractéristiques aux biens[1]. »

Il n'en reste pas moins que les préférences demeurent subjectives au sens où les consommateurs diffèrent dans leur intérêt pour les caractéristiques. En résumé, le travail de Lancaster a consisté à introduire entre les préférences individuelles et le bien un élément objectif : le panier de caractéristiques, qu'on pourrait également nommer « l'utilité objective » du bien pour la distinguer de l'utilité subjective. En ce sens, dans le cadre de cette réinterprétation des préférences individuelles, les objets ne comptent pas ; seule leur utilité est pertinente aux yeux des consommateurs.

L'ensemble de ces réflexions nous permet de mieux comprendre ce qu'est l'équilibre général et, par voie de conséquence, d'estimer avec justesse la portée de ses résultats. Il est apparu que l'équilibre général donne à voir une économie dans laquelle la médiation par les objets est poussée à ses extrêmes limites. Les acteurs n'ont aucun lien direct les uns avec les autres. Seul compte à leurs yeux le rapport aux biens tel qu'il s'exprime dans l'évaluation subjective des utilités. En conséquence, la valeur utilité impose une parfaite indifférence aux autres. Seule importe la satisfaction que procurent les objets. Comme la relation de chacun aux objets est d'une nature strictement utilitaire, sans exclusive, ni exagération, un accord émergera aisément. On ne voit pas ce qui pourrait y faire obstacle. Tout ce qui aurait pu poser problème a été mis

1. Kelvin Lancaster, « A New Approach to Consumer Theory », art. cit., p. 134.

de côté : la jalousie, l'envie ou la violence d'un désir exclusif. Pratiquement, l'accord walrassien est obtenu par l'intermédiaire des prix[1]. On peut donc dire que, dans ce modèle, les prix et les biens absorbent toute la substance sociale : le seul rapport aux prix suffit à déterminer complètement la position de chacun des individus sans qu'il soit nécessaire pour eux d'entrer en relation directe avec les autres agents, ou même de s'y intéresser.

Le tâtonnement walrassien et la médiation par les prix

À ce moment de l'analyse, le lecteur sceptique sera tenté de faire valoir que, si la position des acteurs économiques peut se définir seulement grâce aux prix, sans faire intervenir directement les autres acteurs, cette analyse trouve ses limites naturelles lorsqu'on prend en compte l'échange lui-même qui introduit nécessairement des interactions entre les acheteurs et les vendeurs. Le marché n'est-il pas fondamentalement décentralisé ? En analyser le fonctionnement n'implique-t-il pas la prise en compte de relations directes entre acteurs ? Assurément, ceci est vrai dans le monde réel, mais pas dans l'approche walrassienne qui modélise un marché dans lequel les acheteurs et vendeurs ne se parlent ni ne se rencontrent jamais. C'est là un point si contraire à l'intuition qu'il mérite une analyse détaillée. Dans la conception retenue par les théoriciens néoclassiques pour penser la concurrence,

1. Dans la mesure où l'économie walrassienne est une économie sans monnaie, dans laquelle les marchandises s'échangent contre d'autres marchandises, ce sont des valeurs qui sont analysées. Pour nous conformer à l'usage, nous parlerons cependant de « prix », mais le lecteur ne doit pas perdre de vue la réalité de ce qui est analysé. Walras se contente de poser l'existence d'un numéraire (se reporter au chapitre I).

aucune place n'est faite aux interactions directes entre acheteurs et vendeur car tout passe *via* le « secrétaire de marché », encore appelé « commissaire-priseur ». C'est lui qui communique les prix aux agents économiques ; c'est lui qui les modifie en fonction des déséquilibres constatés entre offres et demandes ; c'est encore lui qui organise les échanges une fois l'équilibre trouvé. La nécessité d'une telle hypothèse si contraire à l'intuition trouve son origine dans la manière dont les économistes walrassiens conçoivent la concurrence, à savoir une configuration de marché dans laquelle les acteurs sont sans influence sur les prix. Dans un tel cadre, la concurrence se donne à comprendre comme un mécanisme purement abstrait, comme une force désincarnée, sur laquelle personne n'a prise, « un procès sans sujet ». Dans la mesure où les prix s'imposent aux acteurs, les individus sont dits des « preneurs de prix » (*price-takers*). Aucun n'est suffisamment important pour que son action puisse affecter le prix. Or, si chaque agent considère les prix comme des données hors de son contrôle, comment se forment les prix ? Qui les détermine ? Le secrétaire de marché est la réponse apportée par la théorie économique néoclassique à cette question essentielle. Elle se trouve chez Léon Walras qui, en la formulant, avait en tête l'organisation des marchés boursiers. Avec cette hypothèse, la formation des prix se donne à penser comme entièrement extérieure aux individus, comme un mécanisme parfaitement objectif.

Il s'ensuit un processus qu'on peut décrire de la manière suivante. Première étape : les acteurs prennent connaissance des prix criés par le secrétaire de marché, à savoir un prix p_i pour chaque bien i. Deuxième étape : sur la base de cette information, ils calculent quelles quantités de chaque bien il est optimal pour eux de détenir et ils communiquent le résultat de leur calcul au secrétaire de marché. Troisième étape : à partir de ces données, le secrétaire de marché calcule, pour chaque marché, la différence qui existe entre l'offre et la demande. Il peut alors constater quels marchés sont en équilibre et quels marchés sont en déséquilibre. Lorsque offres et demandes s'égalisent sur tous les marchés, l'équilibre général est obtenu et le processus de tâtonnement s'arrête. Tout est alors pour le mieux. Chaque agent est satisfait puisqu'il obtient le maximum d'utilité aux prix considérés. En revanche, si l'offre diffère de la demande pour certains biens, une nouvelle étape est nécessaire : le secrétaire de marché modifie les prix de ces biens en suivant ce qu'on appelle communément « la loi de l'offre et de la demande[1] » : à savoir augmenter le prix sur les marchés où la demande l'emporte sur l'offre, le diminuer dans le cas contraire. Par exemple, lorsque la demande l'emporte sur l'offre, le secrétaire de marché accroît le prix du bien de façon à en diminuer la demande et à en augmenter l'offre. Ce faisant, il peut alors espérer se rapprocher d'une situation d'équilibre. Les nouveaux prix ainsi formés sont alors communiqués aux agents et donnent lieu à un nouveau cycle. Ce processus d'évolution des prix est appelé le « tâtonnement walrassien ». Il se déroule jusqu'à ce qu'un prix d'équilibre pour chaque marchandise soit obtenu. Lorsqu'il en est ainsi, on se trouve à l'équilibre général de tous les marchés : pour les prix indiqués, chacun est à son optimum au sens où personne ne souhaite plus modifier sa situation. Qui plus est, les désirs de tous les acteurs économiques sont compatibles puisqu'offres et demandes sont, pour toutes les marchandises, égales. Aussi ne reste-t-il plus qu'à effectuer les échanges ! Cette dernière étape passe de nouveau par la médiation du secrétaire de marché qui opère à la manière d'une chambre de compensation en centralisant tous les

1. Se reporter à Frank Hahn, « Stability », *in* Kenneth J. Arrow et Michael Intriligator (dir.), *Handbook of Mathematical Economics*, vol. II, Amsterdam, North-Holland Publishing Company, 1982.

biens offerts et en les redistribuant aux demandeurs. Il s'ensuit que, comme le tâtonnement, les transactions ont lieu sans que les acteurs entrent en contact.

En conclusion, dans ce formalisme, les acheteurs et vendeurs ne se rencontrent jamais ni ne se parlent. Ce déficit de relations sociales a été souligné avec beaucoup de force par Albert Hirschman lorsqu'il écrit : « [sur de tels marchés] de nombreux preneurs de prix anonymes, acheteurs et vendeurs disposant d'une information parfaite, [...] fonctionnent, sans qu'il y ait de contact humain ou social, prolongé, entre les individus qui réalisent les échanges. En concurrence parfaite, il n'existe ni marchandage, ni négociation, ni contestation ou entente, et pour passer des contrats, les acteurs n'ont pas besoin d'avoir des relations répétées ou continues entre eux, qui les amèneraient, finalement, à bien se connaître[1]. » Cette interprétation est parfaitement conforme au modèle. Elle en souligne bien l'étrangeté : au cours du tâtonnement walrassien, les acheteurs et les vendeurs n'interagissent qu'avec le secrétaire de marché. Même les transactions ne mettent pas en présence les protagonistes puisqu'ils suivent une procédure rigoureusement centralisée autour du secrétaire de marché. Par ailleurs, ces « transactions », déjà si énigmatiques, n'ont lieu qu'*ex post*, une fois les prix d'équilibre découverts ! Elles ne font qu'entériner cette découverte et n'apportent aucune information nouvelle. Elles ne participent en rien à la détermination des prix d'équilibre. Cette sous-estimation des échanges n'est pas un accident. Elle répond à un projet parfaitement assumé. En effet, ce que recherche Walras est la mise au jour d'un mécanisme permettant l'expression la plus

1. Cité dans Mark Granovetter, « Action économique et structure sociale : le problème de l'encastrement », in *Le Marché autrement. Essais de Mark Granovetter*, Paris, Desclée de Brouwer, Paris, 2000, p. 79.

fidèle qui soit des préférences des acteurs, ce qui suppose de mettre hors jeu toutes les influences perverses qui viendraient en perturber l'expression sincère. Pour Walras, être libre, c'est « être quitte de tous les autres[1] ». En conséquence, il convient de neutraliser tous les canaux par lesquels transite la dépendance à l'égard d'autrui, ce qui suppose la mise à l'écart de ce que l'on peut appeler les « jeux marchands ». La rationalité walrassienne est entièrement non stratégique[2] : l'acteur walrassien formule sa demande de marchandises, en réponse aux prix que lui communique le secrétaire de marché, sans tenir compte des autres, comme si ces prix allaient effectivement se réaliser ; autrement dit, il fait abstraction de la situation concrète du marché, par exemple de l'existence de possibles déséquilibres. « À chaque fois, l'agent délibère et se décide comme s'il s'agissait de la première et dernière fois. Il n'a donc ni mémoire, ni attente, mais seulement la conviction toujours actuelle que chaque prix crié vaut toujours comme prix d'échange réel[3]. »

Pour nous résumer, il apparaît que le projet walrassien ne répond pas uniquement à une finalité descriptive, mais également à un objectif normatif en ce sens qu'il s'agit d'imaginer une procédure respectant l'indépendance rigoureuse des acteurs de telle sorte que le prix formé offre une synthèse non biaisée des choix privés. « C'est au nom de la morale, écrit Arnaud Berthoud, que les échanges connus dans la réalité empirique doivent être en quelque sorte dépouillés de toute qualification

1. Sur ce point, se reporter à Arnaud Berthoud (« Économie politique et morale chez Walras », *Œconomia*, n° 9, mars 1988), et Jean-Pierre Dupuy (« Le signe et l'envie », *in* Paul Dumouchel et Jean-Pierre Dupuy (dir.), *L'Enfer des choses*, Paris, Seuil, 1979).

2. Le qualificatif adéquat serait « paramétrique », mais il ne sera défini que dans la suite de ce chapitre.

3. Arnaud Berthoud, « Économie politique et morale chez Walras », art. cit., p. 82.

communautaire et transformés en machines s'interposant entre les individus pour les rendre libres les uns des autres[1]. » Le marché s'y donne à penser sous la forme d'un mécanisme automatique, absolument neutre, qui a pour fonction d'enregistrer les désirs individuels exogènes, sans les transformer. En conséquence, tout effet en retour du marché sur les positions individuelles est rejeté. L'idée que les interactions marchandes puissent être un lieu propice aux influences réciproques des uns sur les autres, qui pèseraient sur la formation des prix, est totalement rejetée. De tels phénomènes sont perçus comme faisant obstacle à l'évaluation « juste », à savoir une évaluation qui soit conforme à la réalité des désirs individuels. Il importe d'écarter tout effet parasite qui aurait pour origine la position privilégiée de tel ou tel acteur au moment des échanges, lorsque les prix sont négociés. La modélisation walrassienne pousse d'ailleurs très loin cette exigence puisqu'elle va jusqu'à bannir toute interaction entre les participants au marché ! En conséquence, toute « dérive » que pourraient produire les contacts entre individus au moment des échanges se trouve, par définition, rendue impossible. Ce faisant, le prix qui se forme sur la base d'une telle construction institutionnelle peut prétendre à l'objectivité la plus totale. Il est l'expression synthétique du rapport entre offres et demandes, une fois qu'ont été écartées toutes les « frictions » propres à la vie sociale et économique. Il en résulte que le prix walrassien est bien plus une règle d'évaluation abstraitement construite pour respecter scrupuleusement la liberté de chacun qu'une description de ce qui se passe réellement sur les marchés. Pour s'en persuader, il n'est que de mesurer l'écart existant entre le prix chez Walras et la description qu'en donne Max Weber dans *Économie et Société* : « Les prix [...] sont le résultat de luttes et de compromis ; autrement

1. *Ibid.*, p. 74.

dit, ils découlent de la puissance respective des parties engagées[1]. » Les luttes et les compromis qui forment la substance même des jeux marchands n'ont pas leur place dans l'analyse menée par Walras.

Ainsi comprise, la théorie walrassienne de la valeur peut se comparer à celle des classiques. Toutes deux sous-estiment grandement les relations d'échange et leur impact sur la réalité économique. On se souvient que les classiques voyaient dans la valeur, non pas le concept permettant de penser le prix immédiat tel que les forces du marché le façonnent à tout instant, mais bien la norme sous-jacente qui en règle l'évolution à long terme. L'analyse que propose Walras est d'une même nature : son prix d'équilibre a également la nature d'une norme. Le modèle walrassien ne cherche nullement à décrire la concurrence telle qu'elle est mais bien plutôt à en reconstruire le concept adéquat telle qu'elle devrait être. Ce qui intéresse Walras dans la concurrence, c'est son aptitude à fonder un ordre juste, c'est-à-dire à proposer un mécanisme qui laisse chacun libre de tous les autres. *A contrario*, les relations stratégiques ne l'intéressent pas, ni les rapports de force, qui se trouvent exclus de son analyse parce que Walras poursuit une finalité autre que descriptive. Le résultat est assurément d'une grande force. Comme l'écrit Berthoud : « L'Économie Politique Pure est l'élaboration analytique d'un modèle de justice. Le marché général est un moyen de préserver la liberté individuelle[2]. » Cette dimension normative ne devrait pas nous étonner. Elle est une conséquence nécessaire du projet que se donnent toutes les théories de la valeur : non pas penser le prix mais penser ce qui est « derrière » le prix, ce qui fonde

1. Max Weber, *Économie et Société*, tome I : *Les Catégories de la sociologie*, Paris, Plon, Pocket, 1995, p. 158.

2. Arnaud Berthoud, « Économie politique et morale chez Walras », art. cit., p. 65.

le prix, à savoir la valeur substance. Le fait de considérer une économie sans monnaie illustre pleinement jusqu'où cette exigence est poussée : elle vise à construire un point de vue en surplomb permettant d'appréhender les échanges de l'extérieur, à partir de l'explicitation de ce qui en constitue le principe.

Cette représentation walrassienne du marché concurrentiel a été critiquée par plusieurs économistes[1] qui lui reprochent son extrême centralisation alors même que le marché est présenté d'ordinaire comme l'archétype d'une structure sociale décentralisée. Il n'en reste pas moins qu'elle demeure jusqu'à aujourd'hui le modèle de référence, celui qu'on trouve dans tous les manuels de microéconomie. Il en est ainsi essentiellement parce que aucune modélisation alternative ne s'est imposée, malgré de nombreuses tentatives[2]. En effet, dès lors qu'on définit la concurrence comme une configuration de marché composée uniquement d'agents preneurs de prix, on est conduit nécessairement à faire reposer le mécanisme des prix dans les mains d'un agent extérieur, ce qui débouche sur un système d'échanges peu ou prou centralisé. Notons cependant que la centralisation n'est pas la seule faiblesse de ce modèle. Il en est au moins deux autres. D'une part, le tâtonnement walrassien, en la personne du secrétaire de marché, suppose la présence d'un individu « complètement bénévole [...] qui assume de lourdes tâches

1. Voir Bernard Guerrien, *La Théorie néoclassique,* tome I : *Microéconomie*, *op. cit.*, Franklin M. Fisher, *Disequilibrium Foundations of Equilibrium Economics*, Cambridge, Cambridge University Press, 1983, et Alan Kirman, « General Equilibrium », *in* Paul Bourgine et Jean-Pierre Nadal (dir.), *Cognitive Economics. An Interdisciplinary Approach*, Berlin-Heidelberg-New York, Springer-Verlag, 2004.

2. Voir les processus de non-tâtonnement chez Frank Hahn (« Stability », art. cit.) et Franklin M. Fisher (*Disequilibrium Foundations of Equilibrium Economics*, *op. cit*).

de coordination sans exiger la moindre rémunération. L'égoïsme absolu de tous ne peut donner un bon résultat que s'il existe au moins un altruiste absolu[1] ». C'est là un manquement manifeste aux règles élémentaires de l'individualisme méthodologique. Par ailleurs, toutes les analyses empiriques montrent *a contrario* l'importance des coûts associés à l'organisation d'un marché centralisé. La seconde faiblesse de ce modèle porte sur une question beaucoup plus importante, à savoir l'aptitude supposée de la flexibilité concurrentielle des prix à permettre la découverte de l'équilibre.

Ce qu'ont démontré les théoriciens néoclassiques des années 1950 est qu'il existe toujours au moins un équilibre général, à savoir une configuration dans laquelle les *n* marchés de biens sont simultanément en équilibre, dès lors que les hypothèses de convexité des choix sont satisfaites. Ce faisant, ils ont résolu ce qu'on nomme la « question de l'existence » de l'équilibre général. Quand celui-ci prévaut, chaque individu peut acquérir le panier qu'il désire, celui qui maximise ses préférences, aux prix considérés. Autrement dit, à l'équilibre général, tous les consommateurs sont parfaitement satisfaits. En conséquence, aucune force ne pousse à sa transformation ou à son évolution[2]. Cet état économique va perdurer, raison pour laquelle le terme d'équilibre est pertinent. Cependant, être capable de dire que telle configuration de prix

1. Bernard Guerrien, *La Théorie néoclassique,* tome I : *Microéconomie*, *op. cit.*, p. 45-46.

2. N'oublions pas cependant qu'on se situe dans un cadre théorique qui suppose que les prix échappent aux individus. Ceux-ci sont des preneurs de prix. En conséquence, ils se contentent de juger, compte tenu des prix tels qu'ils sont fixés par le secrétaire de marché, si le panier de biens obtenu leur convient. Dans un tel cadre d'analyse, les agents ne peuvent juger des prix eux-mêmes puisqu'ils ne relèvent pas de leur choix. Ils leur sont imposés par la concurrence, personnifiée par le secrétaire de marché.

est un équilibre ne nous dit absolument rien quant à la manière de l'obtenir. Il ne faut pas confondre la « question de l'existence » de l'équilibre général et la question des processus qui permettent de l'obtenir, qu'on nomme traditionnellement la « question de la stabilité » de l'équilibre général. Ce sont deux questions tout à fait distinctes. Si on a pu démontrer qu'il existe un vecteur de prix rendant les désirs de chacun compatibles, le processus économique permettant de le faire connaître n'a nullement été spécifié. Le tâtonnement walrassien a été proposé par la théorie néoclassique pour répondre à cette nouvelle question dite de la « stabilité ». Il s'agit d'introduire des prix flexibles, réagissant aux déséquilibres existant sur les marchés, aux fins d'examiner si cette flexibilité permet de réduire ces déséquilibres jusqu'à conduire l'économie à une situation d'équilibre. On comprend aisément l'importance de cette démonstration. À quoi servirait d'avoir prouvé qu'existe toujours un équilibre général si on ne montre pas que cet équilibre peut être atteint ? Qui plus est, lorsque l'opinion libérale défend les économies de marché, elle le fait, le plus souvent, en mettant en avant les propriétés régulatrices de la concurrence, par exemple lorsqu'elle soutient que « la flexibilité des prix permet de résorber les déséquilibres ». Cette efficacité supposée de la concurrence est au fondement des politiques dites de dérégulation. Or les théorèmes d'existence, à eux seuls, ne permettent en rien d'affirmer une telle proposition. Ils disent « simplement » qu'il existe des prix tels que tous les marchés sont à l'équilibre. Pour faire plus, il convient d'examiner comment l'économie se comporte hors de l'équilibre, de façon à prouver qu'elle y revient nécessairement sous l'action des forces concurrentielles. Telle est la question de la stabilité. Les économistes l'ont abordée en supposant que le tâtonnement walrassien constituait une approximation acceptable de la dynamique des prix hors équilibre. Or le résultat obtenu est très perturbant. En effet, il a été démontré que le tâtonnement walrassien ne converge pas nécessairement vers l'équilibre général. Autrement dit, l'idée selon laquelle tout déséquilibre peut être résorbé grâce à un ajustement suffisamment rapide des prix se révèle être fausse. En conséquence, il faut admettre que les économistes n'ont pas démontré qu'en toute généralité[1] la concurrence permet une coordination efficace des acteurs économiques. C'est là un grave manque dans l'édifice néoclassique, pour dire le moins. La proposition la plus étroitement associée à la position libérale, à savoir que la concurrence conduit l'économie vers une situation d'équilibre, est inexacte si l'on considère le tâtonnement walrassien comme une bonne description du comportement des prix hors équilibre. En conséquence, l'édifice néoclassique a, dans ses fondations, une grave déficience.

Soulignons que cette critique porte spécifiquement sur l'aptitude de la concurrence à ramener l'équilibre simultanément sur tous les marchés. C'est la question de l'équilibre général et de son obtention qui est alors posée. Pour autant, cette analyse ne remet pas en cause les capacités régulatrices de la concurrence dans le cadre d'un marché isolé. En effet, on peut démontrer que le tâtonnement walrassien appliqué à un marché unique fonctionne conformément à la thèse libérale dès lors que les hypothèses néoclassiques sont satisfaites : le prix du bien retourne nécessairement à son niveau d'équilibre. Lorsqu'on passe d'un marché unique à l'équilibre général, ce résultat se transforme parce que s'introduisent un très grand nombre de nouvelles interdépendances, en particulier *via* la formation des revenus, dont la logique n'a aucune raison *a priori* d'aller dans le sens d'une réduction des

1. Il est possible de démontrer que le tâtonnement walrassien converge vers l'équilibre pour des économies spécifiques, par exemple s'il y a substituabilité brute de tous les biens. Voir Bernard Guerrien, *La Théorie néoclassique,* tome I : *Microéconomie, op. cit.*

déséquilibres. Pour cette raison, la stabilité de l'équilibre général et la stabilité de l'équilibre partiel sont deux questions distinctes.

L'hypothèse mimétique

Même si elle a ses faiblesses et même si elle demande à être améliorée, l'analyse que propose l'équilibre général n'a pas à être rejetée. Sans conteste, elle décrit un aspect important des économies marchandes : la médiation par les objets dans le cadre d'une relation au monde strictement utilitaire. Cela exprime assurément une part de la vérité des économies développées. Elle nous fait comprendre ce qu'est la séparation marchande : une indépendance de chacun à l'égard de tous médiée par les objets et la concurrence. Cependant, d'autres aspects ont totalement été laissés de côté, et qui ne sont pas moins importants. Parce que cette théorie surestime l'autonomie des individus, à savoir leur capacité à exister indépendamment du regard des autres, elle manque quelque chose de l'âpreté des relations économiques. L'exemple du consommateur est emblématique de cette vision réductrice des choses. Il nous donne à voir un individu sachant parfaitement ce qu'il veut. Le lecteur familier des travaux de René Girard ne peut manquer de reconnaître dans cette théorie du consommateur une conception bien particulière du désir humain, à savoir une configuration dans laquelle l'individu est supposé maître absolu de ses désirs, capable d'élire, de par sa seule résolution, dans la masse indifférenciée des objets environnants ceux qu'il juge dignes d'être aimés. C'est bien ce même désir vécu sur le mode de la plénitude et de la transparence qu'on retrouve dans la théorie du consommateur[1]. Le consommateur néo-

1. Parce qu'il a la littérature pour objet d'étude, René Girard nomme cette conception, erronée à ses yeux, le « mensonge romantique ».

classique sait avec certitude ce qu'il veut, et sa maîtrise est telle que les autres sont sans influence sur ses choix. Son autonomie de décision est perçue comme complète. Il est important de souligner que cette hypothèse d'un individu souverain « sur sa propre personne, sur ses actions et sur sa propre propriété[1] » est un trait qui va bien au-delà du seul consommateur. Il est constitutif de l'individualisme libéral en général. Il ne faut donc pas être trop étonné de retrouver cette même conception dans la pensée néoclassique. L'idée de souveraineté de l'individu conduit à une vision extrême de la séparation marchande en ce que chacun y est perçu, non seulement comme juridiquement autonome en tant que propriétaire de ses biens, mais également intérieurement indifférent aux autres.

René Girard oppose à cette conception une critique radicale de la souveraineté individuelle en matière de désir[2]. Selon lui, l'individu ne sait pas ce qu'il désire. Il n'est pas maître de ses attirances. Ses préférences sont fluctuantes et indéterminées : l'individu souffre d'une infirmité du désir qui le pousse à chercher en autrui les références qu'il ne réussit pas à se donner à lui-même par un acte de pure souveraineté intérieure. Pour ce faire, il recourt à l'imitation d'un modèle. Aussi, la critique suivante que René Girard adresse à la psychanalyse freudienne s'appliquerait-elle tout aussi bien à la théorie économique :

> « En nous montrant en l'homme un être qui sait parfaitement ce qu'il désire, [...] les théoriciens modernes ont peut-être manqué le domaine où l'incertitude humaine est la plus flagrante. Une fois que les besoins primordiaux sont satisfaits, et parfois même avant, l'homme désire

1. Murray Rothbard, *Man, Economy, and State*, Auburn, Alabama, Ludwig von Mises Institute, 2004, chapitre X « Monopoly and Competition ».

2. Il la nomme « vérité romanesque » parce qu'on la trouve dans les grands romans.

intensément, mais il ne sait pas exactement quoi, car c'est l'être qu'il désire, un être dont il se sent privé et dont quelqu'un d'autre lui paraît pourvu. Le sujet attend de cet autre qu'il lui dise ce qu'il faut désirer, pour acquérir cet être[1]. »

À partir de cette hypothèse d'une nature mimétique du désir, il est possible de distinguer deux logiques d'interaction : la « médiation externe » et la « médiation interne ». La variable décisive pour rendre compte de cette dualité des régimes du désir imitatif est la distance existant entre le sujet et son modèle. Lorsque la distance entre les deux est si grande qu'elle interdit toute interaction entre le sujet et son modèle autre que l'imitation unilatérale du second par le premier, on est en présence de ce qu'on appellera la « médiation externe ». Dans cette configuration, le modèle est en surplomb et son désir est indépendant de celui du sujet. Il en est ainsi, par exemple, lorsque le modèle évolue dans un monde social différent de celui du sujet[2]. Dans le cadre d'une telle configuration, l'interaction imitative est des plus sommaires : l'imitateur se contente de suivre le modèle. Cette situation est *formellement* analogue à celle que décrit la théorie du consommateur dans la mesure où les préférences du sujet y apparaissent comme exogènes et fixes. Il en est ainsi, non pas parce que le sujet est souverain, mais parce que ses préférences procèdent d'un modèle en surplomb, extérieur aux interactions marchandes. Il s'ensuit que l'existence d'une fonction d'utilité exogène peut s'interpréter selon deux perspectives distinctes : soit comme la conséquence de préférences naturelles stables (hypothèse de souveraineté du sujet) ; soit comme la conséquence d'une imitation portant sur

1. René Girard, *La Violence et le Sacré*, Paris, Grasset, 1972, p. 204-205.

2. René Girard prend comme exemple don Quichotte ayant pour modèle Amadis de Gaule qui est un personnage de fiction.

un modèle en position de médiateur externe (hypothèse mimétique). Outre que cette deuxième interprétation nous paraît plus conforme aux faits, son intérêt vient de ce qu'elle indique clairement que l'utilité elle-même n'est en rien une donnée naturelle, intrinsèque à l'objet. La valeur d'usage comme la valeur d'échange sont un produit de la société. Parce qu'elle met en avant l'existence d'un processus d'apprentissage conduit sous l'autorité d'un ou plusieurs modèles, la médiation externe offre des outils permettant d'analyser cette réalité. Elle ne se contente pas de constater les préférences pour ce qu'elles sont ; elle ouvre des pistes permettant de comprendre comment elles se forment et évoluent. Dans un monde marchand où la qualité des biens est en perpétuelle mutation, cet intérêt n'est pas négligeable.

Cependant, si le profit à attendre de l'hypothèse mimétique se résumait à cette réinterprétation de l'hypothèse d'exogénéité des préférences, l'intérêt de son introduction resterait limité. En fait, la médiation externe ne constitue qu'un régime possible du désir imitatif. Il s'agit même d'un régime plutôt exceptionnel dans la mesure où, le plus souvent, le sujet et le modèle partagent un même monde et interagissent. Ces interactions peuvent alors devenir complexes dans la mesure où le modèle imité par un individu est lui-même un sujet qui imite un autre modèle. Cette proximité entre sujets et modèles modifie radicalement la dynamique des préférences : parce que les désirs des individus s'influencent les uns les autres, les préférences cessent d'être exogènes. Nous nommerons ce nouveau régime mimétique : la « médiation interne ». Dans une telle configuration, les préférences de *i* dépendent désormais de celles de *j* qui sont elles-mêmes conditionnées par celles de *k*, selon une chaîne de liens plus ou moins longue, plus ou moins stable, pouvant faire retour sur l'individu *i* lui-même. En conséquence, la médiation interne ouvre un large champ de possibilités, en fonction de la nature des liens mimétiques existant au sein de l'économie, si large qu'il ne saurait, dans le cadre de ce livre, faire l'objet d'une présentation systématique. Il est cependant possible d'en saisir la portée générale.

Pour ce faire, il importe d'abord de rappeler que la fixité des préférences n'est en rien une hypothèse secondaire pour le modèle walrassien. Tout au contraire, son rôle est crucial parce que la fixité des préférences, alliée à leur convexité et à la stabilité des relations techniques, construit une structure de liens objectifs qui contraint le prix, en cas de chocs, à retourner à son niveau d'équilibre. L'objectivité des préférences fait obstacle à la dérive des prix. C'est très précisément ce que la théorie de la valeur néoclassique explicite. Si, par exemple, le prix d'un bien A augmente temporairement au-dessus de sa valeur d'équilibre, toutes choses égales par ailleurs, les consommateurs vont alors se reporter sur les marchandises substituables devenues moins chères relativement au bien A[1]. Il s'ensuit une baisse de la demande du bien A qui va ramener son prix à sa valeur d'équilibre. C'est ce mécanisme qu'on appelle traditionnellement la « loi de l'offre et de la demande ». Cette loi est au cœur de la conception libérale. La possibilité d'une régulation marchande sans intervention extérieure, par le seul jeu des intérêts privés, y trouve son fondement. Or, une des conditions pour que cette autorégulation concurrentielle fonctionne est que les appréciations subjectives restent fixes[2], conformément à l'hypothèse de souveraineté de l'individu libéral réinterprétée dans le cadre de la médiation externe. Cette fixité

1. Techniquement, il s'agit de comparer le prix relatif de A par rapport à B au rapport des utilités marginales, encore appelé « taux marginal de substitution entre A et B ».

2. Sans entrer dans des détails techniques, la fixité dont il est question ici porte sur la *fonction* d'utilité. Dire que la fonction est fixe signifie qu'elle est indépendante du comportement des autres.

est à l'origine des forces de rappel qui ramènent le prix à l'équilibre. Si *a contrario* l'augmentation du prix du bien A affectait les préférences des agents, en intensifiant leur goût pour A, il en irait tout à fait autrement. On se trouverait alors projeté dans un univers conceptuel très différent dans lequel le rôle stabilisateur de la concurrence par les prix serait remis en cause[1]. En effet, dans ces conditions, la « loi de l'offre et de la demande » n'est plus valide : l'augmentation du prix, loin de faire décroître la demande, la rend plus forte, ce qui conduit à une nouvelle augmentation du prix, l'éloignant encore plus de son niveau d'équilibre. En conséquence se met en branle une dynamique perverse du prix et de la demande qui, si elle n'est pas stoppée à temps, peut mettre en danger la totalité du système économique. On mesure, dans ces conditions, à quel point la question de la fixité des préférences est stratégique. Ce n'est rien de moins que l'aptitude de la concurrence à stabiliser l'économie qui se trouve remise en question, et donc le résultat qui est à la base même de l'édifice néoclassique.

Pour bien comprendre ce qui est en jeu ici, commençons par nous demander à quelles conditions une augmentation du prix peut provoquer une augmentation de la demande. Comment un tel phénomène est-il possible ? Lorsque le prix d'un bien s'accroît, l'individu rationnel n'est-il pas nécessairement conduit à l'abandonner pour des produits moins onéreux ? Cela est vrai, toutes choses égales par ailleurs, si ses préférences sont fixes et convexes. Si on introduit des comportements mimétiques, il en va tout autrement : l'augmentation du prix, dans la mesure où elle traduit un accroissement du désir des autres à l'égard du bien considéré, peut provoquer, chez le sujet imitatif, une intensification de son propre désir. Une première

1. Notons, pour mémoire, que même dans le cas classique la stabilité n'est pas toujours obtenue.

illustration d'un tel mécanisme nous est donnée par les biens qui sont soumis aux influences de la mode. Il apparaît alors que l'attraction qu'exercent ces biens, au moins dans une première phase du mécanisme[1], s'accroît avec le nombre d'acheteurs. Plus le produit est répandu, plus il est « à la mode », plus son acquisition est souhaitée. Comme l'accroissement du nombre d'acheteurs va de pair avec une augmentation du prix, on constate un lien positif entre demande et prix. Ce phénomène diffère fondamentalement du modèle néoclassique par le fait que l'objet est convoité, non pour lui-même, mais en tant qu'il est désiré par les autres, pour son prestige. Ce faisant, la logique mimétique donne à voir un mode de relation à l'objet radicalement différent du rapport utilitaire. Certes, il est toujours possible de décrire le comportement des acteurs dans une telle situation comme étant motivé par l'utilité du bien, mais à condition de préciser que l'utilité en question n'est plus fixe mais dépend positivement du nombre des acheteurs. Le recours au même terme ne doit pas masquer l'écart existant entre un bien dont l'utilité est intrinsèque, déterminée sur la base du seul rapport de l'individu à l'objet, et un bien dont l'utilité est fonction du comportement des autres. Ce sont là deux structures aux propriétés divergentes qui doivent être distinguées.

À titre d'illustration, considérons les biens ou les techniques dont le rendement est d'autant plus grand que le nombre de personnes qui les ont adoptés est grand. Les économistes parlent de « rendements croissants d'adoption[2] ». Cette croissance du rendement a des sources multiples, par exemple : une plus large diffusion rend la technique plus attractive parce qu'elle rend plus aisée la communication avec le reste du groupe ; ou bien encore :

---

1. Lorsqu'un tel bien est trop répandu, il cesse d'être « à la mode ».

2. En anglais : « *increasing returns to adoption* ».

la généralisation de son adoption favorise la production de nouveaux usages qui accroissent grandement l'intérêt de la technique[1]. Brian Arthur, le spécialiste de ces questions, nous propose pour illustrer ces points l'exemple de la technologie VHS. Il écrit : « Plus le nombre d'usagers est grand, plus il est probable que le nouvel acquéreur de VHS bénéficiera d'une plus grande disponibilité et d'une plus grande variété de produits enregistrés sous VHS[2]. » Pour ces raisons, ces techniques à rendement croissant nous offrent une illustration exemplaire de produits dont l'utilité est croissante avec le nombre d'acquéreurs. Les analyser va nous permettre d'évaluer à quel point l'abandon de l'hypothèse de convexité modifie l'analyse walrassienne. Pour ce faire, considérons ce qui se passe lorsque de telles techniques sont mises en concurrence.

Les résultats mis en avant par Brian Arthur sont impressionnants. Ils donnent à voir une dynamique en tout point opposée à celle que construit la loi de l'offre et de la demande. Pour aller à l'essentiel, dans le cas standard, lorsqu'un choc fait dévier le marché de sa position d'équilibre, émergent des forces de rappel qui vont dans le sens contraire du choc, ce qu'on appelle des « rétroactions négatives » (*negative feedbacks*). Autrement dit, comme on l'a déjà souligné, la concurrence est stabilisante : elle fait obstacle à la dérive des prix. Si le choc a propulsé le prix au-dessus de son niveau d'équilibre, la demande diminue et l'offre augmente, ce qui pousse le prix à la baisse. On dit que le système rétroagit négativement ; ce qui signifie qu'il s'oppose au choc. Dans le cas analysé

1. Pensons aux nombreuses applications qui multiplient l'intérêt d'un ordinateur ou d'un iPhone.

2. Arthur W. Brian, « Competing Technologies : An Overview », *in* Giovanni Dosi, Christopher Freeman, Richard Nelson, Gerarld Silverberg et Luc Soete (dir.), *Technical Change and Economic Theory*, Londres, Pinter Publishers, 1988, p. 591.

par Brian Arthur, les rétroactions sont, à l'inverse, positives (*positive feedbacks*) : loin de faire obstacle au choc, les forces que la concurrence libère accentuent encore l'écart initial. Elles poussent dans le sens d'une dérive encore plus grande. Pour le voir, supposons que la situation initiale donne un petit avantage à la technique A au détriment de la technique B. Ce petit avantage va alors attirer de nouveaux acheteurs qui auront pour effet d'accroître encore le rendement de la technique A, puisque celui-ci est une fonction croissante du nombre des acquéreurs, de telle sorte que l'avantage initial, loin d'être résorbé, se trouve accentué par l'effet de la concurrence. On est donc face à une dynamique cumulative, typique du mimétisme : plus grande est l'attirance que le produit exerce, plus grand est le nombre d'acheteurs, plus forte est l'intensité du désir de l'acquérir, plus sa diffusion progresse. Une telle situation peut conduire à des phénomènes d'unanimité et de blocage (*lock-in*) sur une seule technique : chacun imitant le choix majoritaire, les décisions individuelles de l'ensemble des membres du groupe finissent par converger vers un même choix. Le système se trouve alors bloqué mais stable. Arthur montre qu'il peut exister plusieurs équilibres de cette sorte : la technique collectivement élue peut être n'importe laquelle des techniques en compétition. Elle est indéterminée. Pour nous faire comprendre, prenons l'exemple hypothétique du choix d'une langue.

La langue est typiquement un « produit » qui présente des rendements croissants d'adoption : plus il y a d'individus dans le groupe qui parlent la langue X, plus il est intéressant, pour n'importe quel membre de ce groupe, de choisir cette même langue puisqu'elle lui permettra plus aisément de se faire comprendre. Supposons que le groupe ait à choisir entre la langue X et la langue Y, que se passera-t-il ? Si nous prenons la situation où la moitié du groupe parle X et l'autre moitié Y, il est clair que les deux langues ont la même utilité, à savoir que toutes deux permettent de communiquer avec la moitié du groupe. Aucune des langues ne fait mieux que l'autre. Cependant une telle configuration ne saurait perdurer en raison des rétroactions positives. En effet, dès lors que survient le plus léger choc en faveur d'une des deux langues, ce choc va rendre cette langue plus performante que l'autre par le fait qu'elle permet de communiquer avec plus de la moitié du groupe[1]. En conséquence, les membres du groupe qui avaient choisi l'autre langue sont défavorisés puisque leur aptitude à communiquer est moindre que celle des autres. Ils seront alors conduits à modifier leur choix et à suivre l'opinion en faveur de la langue dominante. Du fait des rétroactions positives, ce processus imitatif continuera jusqu'à ce que tout le groupe ait convergé sur une même langue. Notons que cette convergence mimétique peut se faire aussi bien sur la langue X que sur la langue Y. Ces deux situations d'unanimité sont toutes deux des équilibres. Lorsque tout le groupe a choisi une langue, l'irruption d'un petit groupe parlant l'autre langue ne remet pas en question l'équilibre existant parce que la capacité à communiquer de ce petit groupe est extrêmement restreinte. Si ce groupe représente, par exemple, 1 % de la population, ses membres ne peuvent communiquer qu'une fois sur cent, alors que les autres locuteurs communiquent quatre-vingt-dix-neuf fois sur cent[2].

---

1. Mathématiquement, on dit que l'équilibre est instable. C'est le cas d'une pyramide posée sur son sommet. Le moindre souffle de vent suffit à la faire tomber.

2. Il en est ainsi parce qu'on suppose que les individus se rencontrent au hasard. Comme ils sont perdus dans la masse, du fait de l'aléa des rencontres, ils ne sont mis en contact avec quelqu'un ayant choisi la même langue que très rarement. Il en serait différemment si les membres du petit groupe décidaient de ne parler qu'entre eux. Pour une présentation complète, se reporter à Robert Boyer et André Orléan (How do Conventions Evolve ? », *Journal of Evolutionary Economics*, vol. 2, 1992, et « Persistance et changement des conventions », *in* André Orléan (dir.), *Analyse économique des conventions*, Paris, PUF, 1994).

Notons à cette occasion un nouveau résultat important. Supposons que les deux langues en compétition n'aient pas la même capacité intrinsèque à communiquer. Supposons que la langue X soit plus concise et plus précise, de telle sorte que, pour le même temps et le même effort, elle véhicule plus d'informations que la langue Y. Dans ces conditions, l'équilibre sur la langue Y ne va-t-il pas disparaître ? Ne risque-t-il pas d'être détruit dès lors que les membres du groupe prennent conscience qu'une langue plus performante est disponible ? Il n'en est rien. En effet, un individu qui comprend que la langue X est plus efficace que la langue Y n'aura néanmoins aucune incitation à en changer dès lors que la langue X n'est parlée que par un nombre très restreint d'individus. En effet, à quoi bon choisir une langue performante si personne ne la pratique ? Il est rationnel pour lui de conserver le choix majoritaire qui lui apporte une utilité bien plus grande. Il en irait différemment si une proportion importante d'individus décidait collectivement de changer de langue. Mais une telle décision collective ne peut se produire si, comme c'est notre cas, les individus sont supposés séparés et prendre leur décision de manière indépendante, sans contact avec les autres, sur la base de leur seul intérêt privé. Un changement coordonné requerrait impérativement une organisation collective, centralisée, de grande ampleur[1]. En conclusion, lorsque l'hypothèse de convexité est abandonnée, l'équilibre obtenu ne correspond plus nécessairement à un usage efficace des ressources disponibles.

Pour illustrer ce phénomène, Paul David a proposé l'exemple du clavier QWERTY qui est l'homologue de

---

1. Notons que, même dans ce cas, il n'est pas facile de changer une convention. Pensons au passage au système métrique pour les Anglais.

notre clavier AZERTY pour la langue anglaise. Il observe que ce clavier ne propose nullement une combinaison performante des lettres de l'alphabet. Par exemple, il est largement surpassé, en termes de vitesse de frappe, par le clavier DSK (*Dvorak Simplified Keyboard*[1]). Pourtant, malgré cette inefficacité évidente, il demeure la convention dominante en la matière. L'analyse précédente permet d'expliquer cette situation : c'est une conséquence des rétroactions positives. Il n'est dans l'intérêt de personne de promouvoir un clavier plus performant tant que le groupe des adopteurs est trop faible. Qui achèterait aujourd'hui un clavier DSK ? En conséquence, la convention QWERTY perdure malgré ses carences. Cet exemple est également illustratif du rôle que jouent les petits événements dans la détermination du résultat final. En effet, la disposition des lettres que propose le clavier QWERTY trouve son origine dans une péripétie fort ancienne, liée à certaines difficultés très particulières, propres à la technologie utilisée pour les premières machines à écrire, aujourd'hui parfaitement obsolète et totalement oubliée. Le problème alors rencontré venait du fait que les tiges porte-caractères se coinçaient quand on les utilisait de façon rapprochée. La solution a été de choisir un ordre des lettres sur le clavier qui éloigne celles qui sont le plus fréquemment utilisées. L'objectif n'était donc pas de maximiser la vitesse de frappe mais au contraire de la ralentir. Son inventeur, Christopher Sholes, ayant pris conscience que ce clavier produisait un ralentissement de la vitesse de frappe, avait d'ailleurs

1. Ce résultat a depuis fait l'objet de nombreux débats. Se reporter au numéro spécial « Les claviers » de la revue *Réseaux* qui leur est consacré (n° 87, janvier-février 1998). Pour une synthèse, voir *Histoire économique. La révolution industrielle et l'essor du capitalisme*, de Jean-Yves Grenier (Palaiseau, Éditions de l'École polytechnique, 2010, p. 67-68).

voulu le modifier. Cependant, Remington, le premier industriel à commercialiser la machine à écrire, satisfait de ses ventes, n'a rien voulu savoir. Une fois habitué au standard, personne n'a souhaité en changer. Aussi a-t-il été conservé jusqu'à aujourd'hui, malgré son inefficacité. Il est possible de montrer que cette influence des petits événements est tout à fait générale. Autrement dit, lorsqu'on est en présence de rétroactions positives, l'histoire du processus influe sur le résultat final. Les économistes, pour qualifier ce phénomène, parlent d'une « dépendance par rapport au chemin » (*path-dependency*). Quand le système « dépend du chemin », cela signifie qu'il ne suffit pas de connaître son point de départ et les facteurs qui déterminent objectivement le niveau des rendements pour être capable d'en inférer avec certitude le point de convergence. De petits chocs dus au hasard, sans aucune pertinence au regard des données fondamentales du problème, sont capables d'orienter la dynamique à long terme en favorisant la sélection d'un équilibre spécifique. Typiquement, l'économie des grandeurs ne fonctionne plus. Il ne suffit pas de connaître les rendements des options pour savoir celle qui va l'emporter. Pour le comprendre, il faut lui substituer une économie basée sur les relations, qui s'intéresse aux rencontres entre acteurs et aux hasards qu'elles ont produits.

L'ensemble de ces propriétés (unanimité, multiplicité des équilibres, indétermination, inefficacité, dépendance par rapport au chemin, non-prédictibilité) démontre à l'évidence à quel point la concurrence mimétique est éloignée de la concurrence walrassienne. Ce résultat n'est pas une découverte. Depuis Arrow et Debreu, les économistes savent que, en présence de rendements croissants, les propriétés walrassiennes ne sont plus valides. Pour que celles-ci soient pertinentes, l'utilité individuelle ne doit pas dépendre des choix des autres. Dans le jargon des économistes, on dit qu'il ne doit pas y avoir d'externalités[1]. Autrement dit, la marchandise ne joue pleinement son rôle walrassien qu'en tant qu'elle est une médiation parfaite entre les acteurs, à savoir un tiers qui absorbe toutes les relations directes sans laisser de reste : lorsque l'individu estime l'objet marchand, seuls comptent l'utilité subjective éprouvée par l'acteur et le prix proposé par le secrétaire de marché, les autres acteurs sont sans importance[2]. Toute notre analyse rejoint la pensée walrassienne pour souligner combien une telle médiation est cruciale. Elle est au fondement de la régulation concurrentielle. Elle tire sa force du fait qu'elle supprime les comparaisons interpersonnelles directes. Ce faisant, elle permet de rompre avec les emballements mimétiques. Elle transforme une logique instable, à *feedbacks* positifs, en une logique autorégulatrice, à *feedbacks* négatifs[3]. Cependant, notre point de vue diffère de l'analyse néoclassique par le fait que les individus n'y sont pas considérés comme étant souverains par nature. La « souveraineté » n'est que le résultat transitoire d'une structuration spécifique des interactions mimétiques lorsqu'elles se polarisent sur un modèle extérieur aux acteurs. Autrement dit, l'individu-en-relation-aux-objets, tel que la théorie de la valeur néoclassique le donne à voir avec ses préférences exogènes, ne constitue pas la forme élémentaire, indépassable, de la rationalité économique individuelle. Ce modèle décrit un régime particulier du rapport mimétique, que nous avons

1. On nomme « externalités » les situations dans lesquelles l'utilité d'un individu dépend directement de l'action des autres.

2. Cette forme particulière de rationalité, dite « paramétrique », sera présentée et étudiée dans la section suivante, consacrée aux asymétries d'information.

3. Rappelons, comme nous l'avons déjà indiqué, que la question de la stabilité n'a pas été entièrement résolue par la pensée néoclassique. Autrement dit, il n'a pas été démontré, en toute généralité, que la flexibilité concurrentielle des prix conduisait nécessairement à l'équilibre, même lorsque prédomine la médiation externe.

nommé « médiation externe », qui s'impose lorsque le rapport aux objets s'est structuré autour de préférences stabilisées, c'est-à-dire lorsque les buts sociaux à poursuivre ont été fixés sous la forme d'une liste de biens désirables. Il ne s'agit nullement d'en nier la pertinence, tout au contraire. Il s'agit plutôt de se demander à quelles conditions la médiation externe émerge comme forme possible du lien économique.

Lorsque les préférences ne sont pas stabilisées, le désir pour les objets devient fluctuant, en fonction de la position de chacun à l'égard des autres. L'affect individuel n'est plus capté par un modèle en surplomb. En conséquence, le mimétisme cesse d'être routinier, répétitif, pour devenir stratégique. Chacun, à la recherche du bon modèle, anxieux de découvrir quelles sont les clefs de la plénitude, se tourne vers les autres et scrute leur comportement. Alors que le monde néoclassique est un monde où la valeur des choses est fixée, dans le monde de la médiation interne, la valeur devient fondamentalement incertaine, différents points de vue s'opposant quant à sa détermination exacte. Les points de repère sont brouillés, sujets à caution. Le mimétisme stratégique est la forme que prend la rationalité dans une telle configuration, lorsque les agents ne savent plus exactement ce qu'il faut désirer et se tournent vers les autres pour le déterminer. Imiter l'autre est une stratégie d'exploration visant à découvrir qui, chez les autres, possède la réponse correcte. En conséquence, comme le désir individuel se construit à partir du désir des autres, la demande que connaît un bien s'impose comme une mesure de sa désirabilité intrinsèque. Plus elle est grande, plus le bien est recherché. Dans ces conditions, le libre jeu de la concurrence conduit à des mouvements cumulatifs de prix aux effets perturbateurs.

La force de l'hypothèse mimétique, comme l'ont montré ces premières réflexions, tient à sa capacité à penser une grande variété de régimes d'interactions dans un cadre théorique unifié. Autrement dit, l'imitation est fondamentalement polymorphique. Elle est source de stabilité lorsque, d'une manière répétitive, elle se polarise sur un même modèle extérieur aux interactions, dont la légitimité n'est pas mise en question. Cependant, lorsque le modèle perd sa position d'extériorité, le mimétisme cesse d'être routinier pour devenir stratégique et producteur de dynamiques contagieuses. Du fait de ce polymorphisme, l'hypothèse mimétique permet, dans un même cadre conceptuel, de penser à la fois la stabilité et l'instabilité, et les transitions de l'une à l'autre. C'est sa grande force.

Avant de continuer cette analyse de l'hypothèse mimétique dans les chapitres qui suivent, il nous a paru important de nous arrêter un instant pour présenter la théorie des asymétries d'information dans la mesure où cette approche partage avec la nôtre de nombreux points communs. D'une part, elles ont un même point de départ, à savoir souligner le rôle central que joue le rapport aux marchandises dans l'obtention de l'équilibre concurrentiel. D'autre part, elles adhèrent à une même thèse centrale : si jamais ce rapport se trouve perturbé de telle sorte que la médiation externe ne fonctionne plus, le prix peut perdre son caractère autorégulateur. Il en est ainsi lorsque les acteurs économiques ne savent plus exactement ce qu'ils veulent, lorsque leurs désirs deviennent dépendants de l'action des autres. Dans la théorie des asymétries d'information, cette incertitude de l'évaluation subjective dérive de l'incertitude sur la définition des objets eux-mêmes : leur qualité n'est plus déterminée parfaitement. Ce faisant, on se trouve face à une configuration formellement identique à celle considérée par la théorie mimétique : l'individu a besoin des autres pour savoir ce qu'il recherche ; même si cet effet est obtenu indirectement, au travers de l'incertitude sur les qualités, et non directement par l'imitation du désir. La théorie des asymétries d'information démontre que, dans une telle configuration, l'équilibre walrassien disparaît.

Le mécanisme concurrentiel ne fonctionne plus parce que la demande devient une fonction croissante du prix. On retrouve ainsi ce qui nous est apparu comme la propriété fondamentale de la médiation interne.

Asymétries d'information et conventions de qualité

Tous les manuels de microéconomie commencent leur présentation des économies marchandes en décrivant la liste des *n* biens susceptibles d'être échangés. Cette hypothèse initiale s'analyse comme la description d'une nature que les individus trouvent présente devant eux avec l'évidence de ce qui est. C'est sur la base de cette nature déjà là que se construit l'activité économique d'échange et de production. Carlo Benetti et Jean Cartelier ont proposé le terme d'« hypothèse de nomenclature[1] » pour la désigner. Nous retiendrons désormais le terme d'« hypothèse de nomenclature des biens » pour des raisons qui deviendront bientôt évidentes. Le plus souvent, cette hypothèse a été perçue comme parfaitement anodine, ne faisant que prendre acte du fait que les marchandises, parce qu'elles sont des « choses », peuvent faire l'objet d'une description objective « naturelle » avant même que les échanges aient lieu. Il revient aux théoriciens des asymétries d'information (George Akerlof, Michael Spence et Joseph Stiglitz) d'avoir montré à quel point cette interprétation était erronée. Ils ont montré que cette hypothèse est essentielle et qu'elle

1. « L'hypothèse de nomenclature revient à supposer possible une description d'un ensemble de choses, qualifiées de biens ou de marchandises, antérieurement à toute proposition relative à la société. En d'autres termes, les formes sociales spécifiques (échange, production…) s'édifient sur un substrat neutre : la nature ou le monde physique dont il est possible de parler en premier lieu », *in* Carlo Benetti et Jean Cartelier, *Marchands, Salariat et Capitalistes*, Paris, François Maspero, 1980, p. 94.

doit être interprétée de manière très restrictive : chaque bien soumis à échange doit avoir une qualité homogène, parfaitement définie et connue de tous les agents au sens technique du « savoir commun » ou « *common knowledge* », encore noté CK. C'est à cette condition que le mécanisme des prix peut fonctionner conformément aux analyses walrassiennes. En effet, la possibilité de pouvoir parler d'un prix noté p_i suppose une opération de catégorisation donnant sens sans ambiguïté à ce qu'est le marché du bien *i* pour tous les intervenants. Lorsqu'il en est ainsi, chaque agent conçoit de la même manière le bien *i* et, lorsque le prix se modifie, il en comprend sans ambiguïté la signification, à savoir quels biens sont concernés par cette modification et comment il convient d'y réagir. Cette configuration est très particulière. Pour la qualifier, nous parlerons d'une « médiation parfaitement objectivée ». L'objectivité renvoie à l'idée d'une référence échappant aux manipulations stratégiques des agents, extérieure à tous, qui s'impose comme un fait reconnu unanimement par le groupe. Évidemment, les faits naturels sont des faits objectifs, mais certains faits sociaux peuvent également être dits objectifs au sens précédent. C'est la notion technique de « savoir commun » ou encore « connaissance commune » qui spécifie de la manière la plus adéquate ce qu'est cette connaissance collective objectivée des qualités. Cette notion pousse très loin la communauté des esprits puisqu'elle stipule non seulement que chacun connaît la qualité, mais également que chacun sait que les autres la connaissent, et cela jusqu'à l'infini des savoirs croisés. En conséquence, le savoir commun modélise une situation de parfaite transparence. Aucune suspicion d'aucune sorte ne demeure quant au fait qui est supposé de savoir commun : chacun est sûr de son savoir et, surtout, chacun est sûr du savoir des autres. Aussi est-ce le concept approprié pour penser l'objectivation réussie d'un fait social ou d'une règle, à savoir son extériorité par rapport aux acteurs. Comme le remarque Jean-Pierre Dupuy, il existe cependant une contradiction latente entre le degré infini de convergence des points de vue que ce concept subsume et le fait que, dans l'univers walrassien, les acteurs économiques sont considérés par ailleurs comme étant séparés : « Le CK voudrait être ce qui totalise et unifie un ensemble de consciences radicalement séparées[1] », écrit-il. Ainsi, dans l'univers walrassien, la référence du bien *i* est-elle si précisément déterminée que chaque agent peut acheter ou vendre ce bien, sans se préoccuper de ce que font les autres, dans la mesure où tous sont sûrs qu'ils partagent une même définition du bien *i*. Au moment de l'échange, il n'y aura pas de mauvaises surprises. La définition socialement acceptée des valeurs d'usage fait médiation entre les acteurs de par son objectivation. Dupuy ajoute : « Au cœur même du modèle walrassien du marché, ou théorie économique de l'équilibre général, on trouve cette médiation par un tiers en surplomb, cette extériorité de l'objet collectif par rapport aux acteurs individuels. » Cela est écrit en pensant au commissaire-priseur walrassien, mais cette même analyse peut également s'appliquer à l'hypothèse de nomenclature des biens. C'est sur la base de cette extériorité sans ambiguïté de la qualité des biens que peut s'édifier un ensemble de préférences individuelles parfaitement définies, autrement dit, c'est là un élément essentiel de la « médiation externe ».

L'expression la plus synthétique de ce rôle médiateur de la qualité des produits est à lire dans le fait que la rationalité des acteurs walrassiens est de type « paramétrique ». Les économistes utilisent ce concept pour souligner que les acteurs se préoccupent uniquement des prix et des quantités, et non de ce que font les autres acteurs.

---

1. Jean-Pierre Dupuy, « Convention et *Common knowledge* », *Revue économique*, vol. 40, n° 2, mars 1989, p. 370.

Ainsi, la position de chaque individu s'apprécie-t-elle sans ambiguïté au travers d'une fonction d'utilité individuelle ayant pour uniques arguments les quantités des *n* biens que l'acteur a acquis, le comportement d'autrui n'y apparaissant pas. Pour les consommateurs, il s'agit de déterminer en quelle quantité les divers biens seront consommés pour que soit maximisée leur utilité sous la seule contrainte que les dépenses ne dépassent pas les recettes. Pour les producteurs, il s'agit de déterminer les quantités des inputs et des outputs de façon à maximiser leur profit sous la seule contrainte du respect des exigences techniques. Dans les deux cas, la logique est formellement identique : les individus ne se préoccupent en rien des décisions des autres pour ne considérer que le niveau des prix. La rationalité paramétrique s'est substituée à la rationalité stratégique : tout ce que les agents ont à savoir sur la manière dont les autres agissent est intégralement contenu dans les prix[1]. On peut donc dire que, dans le modèle walrassien, les prix constituent une médiation parfaite au sens où ils font parfaitement écran entre les hommes.

Il en est ainsi en raison du savoir commun des qualités (dans l'hypothèse de nomenclature des biens) qui impose une qualification des marchandises parfaitement déterminée et connue de tous. Grâce à cette hypothèse, les acteurs peuvent ne se préoccuper que des prix. Le comportement des autres leur est parfaitement indifférent. Cependant, ce rôle médiateur des qualités n'est en rien une donnée naturelle, une « substance neutre », que les acteurs trouveraient toute prête à l'emploi. Le savoir

1. C'est ce qui distingue l'économie walrassienne de la théorie des jeux, puisque la théorie des jeux est, quant à elle, centrée sur la dimension stratégique des interactions. On comprend que la théorie des jeux soit apparue initialement comme une critique de la microéconomie.

commun est une construction institutionnelle qui repose sur l'adhésion collective des acteurs économiques. En conséquence, s'il peut sembler que les acteurs walrassiens sont coupés les uns des autres, sans représentations collectives, exclusivement préoccupés par l'appropriation d'objets aux prix variables, c'est parce que antérieurement ils se sont mis d'accord sur la qualité des objets et leur définition. Si chacun peut agir localement de manière parfaitement indépendante des autres, c'est parce qu'au centre est supposée une institution, productrice de savoir commun. On peut prendre ici l'exemple du feu rouge. Si chaque automobiliste peut s'en remettre entièrement à la couleur du feu pour déterminer son action, sans s'occuper du comportement des autres (rationalité paramétrique), ce n'est nullement parce que les choix des autres lui sont indifférents, mais bien parce que le feu étant unanimement respecté, sa seule observation suffit à définir la bonne action. Elle fournit à chacun toutes les informations nécessaires concernant le comportement des autres. On est ici dans le cas d'une médiation institutionnelle parfaitement objectivée à la manière du marché walrassien. Mais cela est vrai de toutes les conventions qui finissent par être considérées comme des secondes natures, masquant le travail social qui leur a donné sens : dans l'esprit des acteurs, la puissance de la société disparaît derrière les automatismes individuels.

Pour le comprendre, il n'est pas de meilleur moyen que d'analyser ce qui se passe lorsque la référence cesse d'être partagée, lorsque le savoir commun disparaît et que l'objectivation est remise en cause. Quand la règle du feu rouge n'est plus suivie automatiquement, chaque conducteur ne peut plus s'en tenir à la seule observation de la couleur du feu. Il doit alors s'interroger directement sur les intentions des conducteurs qui se trouvent au croisement. La nature stratégique de la rationalité réapparaît en pleine lumière parce que la médiation institutionnelle ne joue plus son rôle. C'est à cette même conclusion qu'aboutissent les théoriciens des asymétries d'information lorsqu'ils considèrent des situations où la qualité i n'est plus déterminée objectivement mais est soumise à incertitude. Ils montrent que, dans ces conditions, la variation du prix p_i devient sujette à interprétation. Plus spécifiquement, ils ont analysé des situations où les vendeurs connaissent parfaitement la qualité de ce qu'ils vendent mais où l'acheteur ignore partiellement la qualité des marchandises qu'il trouve sur le marché, d'où le terme : « asymétrie d'informations ». Dans ces conditions, le prix offert n'est plus pour l'acheteur une variable suffisante dès lors que lui manque la connaissance de la qualité des biens ; le prix ne construit plus une médiation parfaite. Il s'ensuit une conséquence d'une grande portée : les acheteurs sont conduits à prendre en compte le comportement des vendeurs car c'est de celui-ci dont dépend désormais la qualité du bien offert. Ce faisant, on assiste à un retour de la rationalité stratégique, signe que la médiation externe ne fonctionne plus. On constate alors que l'existence de l'équilibre n'est plus assurée, preuve *a contrario* du rôle décisif de l'hypothèse de nomenclature des biens et du savoir commun des qualités dans l'obtention de l'accord walrassien.

Cette configuration est proche de la médiation interne présentée antérieurement, mais elle en diffère par le fait que ce qui devient incertain n'est pas tant les préférences individuelles elles-mêmes que la qualité des objets. En effet, l'introduction des asymétries d'information ne revient pas sur l'exogénéité des préférences. Notons à ce propos qu'il est très rare, voire exceptionnel, que la théorie économique considère des préférences variables ou endogènes. Cependant, de manière indirecte, c'est un résultat très voisin qui est obtenu : l'indétermination de la qualité conduit l'acheteur à s'intéresser aux décisions du vendeur car c'est d'elles que dépend désormais la qualité du bien proposé sur le marché. Il s'ensuit une configuration dans laquelle, comme dans la situation mimétique, les préférences de l'acheteur deviennent dépendantes des choix du vendeur. Dans ces conditions, les propriétés d'autorégulation concurrentielle, dont on a vu qu'elles faisaient jouer un rôle stratégique à la fixité des préférences, se trouvent mises en cause. Notons que le vendeur reste, lui, parfaitement souverain. Ses choix ne sont pas dépendants des choix de l'acheteur, ni des autres vendeurs.

Pour en savoir plus, examinons le cas paradigmatique des voitures d'occasion étudié par George Akerlof[1]. Il fait l'hypothèse que la catégorie « voiture d'occasion » recouvre désormais un ensemble de voitures hétérogènes. La qualité d'une voiture offerte sur ce marché n'est plus définie de manière déterministe, sans ambiguïté. Elle peut varier entre des voitures d'occasion qui sont de bonne qualité et d'autres, de mauvaise qualité. Aussi, lorsqu'on lui propose une voiture d'occasion au prix p, l'acheteur ne peut-il être sûr de sa qualité. Pour connaître cette qualité, le seul label « voiture d'occasion » ne suffit plus. Il lui faut désormais s'intéresser directement aux vendeurs qui ne sont plus interchangeables. Sont-ils propriétaires d'une voiture de bonne ou de mauvaise qualité ? C'est là le point fondamental : on sort de la rationalité paramétrique parce que la qualité n'est plus de savoir commun. Elle est variable et dépend désormais des stratégies suivies par les offreurs. Dans cette configuration, ce sont eux qui déterminent la qualité des voitures offertes. De quelle manière ? Pour le préciser, il faut connaître leurs motivations. Akerlof suppose qu'eux également cherchent à maximiser leur utilité, en l'occurrence leur profit : plus

1. « The Market for "Lemons" : Quality Uncertainty and the Market Mechanism », *Quarterly Journal of Economics*, vol. 84, n° 3, août 1970.

le prix offert est élevé, plus seront mises sur le marché des voitures de bonne qualité. On note, en conséquence, que la qualité n'est plus fixe mais devient une variable qui dépend du prix : plus le prix est élevé, plus la qualité des voitures offertes s'améliorera. Cela est naturel. Ceux qui sont en possession de voitures de bonne qualité ne s'en sépareront que pour un prix élevé. Akerlof suppose que les acheteurs ont à leur disposition toutes ces informations. Ils ont une parfaite connaissance des motivations des vendeurs (hypothèse d'anticipation rationnelle). Dans ces conditions, une fois le prix de marché annoncé, ils sont capables de déterminer quelles voitures seront mises en vente. En conséquence, le prix devient, pour les acheteurs, un indicateur de la qualité moyenne des produits offerts. C'est là un effet nouveau qu'ignorait totalement l'analyse walrassienne puisque, pour celle-ci, la qualité était fixée antérieurement aux échanges. Cet effet qualité modifie en profondeur l'analyse traditionnelle. En effet, avec lui, c'est un lien *positif* entre le prix du bien et la demande pour ce même bien qui se trouve introduit dans les mécanismes marchands : plus le prix est élevé, plus le produit offert est de bonne qualité, et plus la demande, toutes choses égales par ailleurs, est élevée. C'est là une violation flagrante de la fameuse « loi de l'offre et de la demande ». Il s'ensuit de graves conséquences : les propriétés régulatrices traditionnellement associées aux prix flexibles se trouvent remises en cause. Plus précisément, dans le cas des voitures d'occasion, Akerlof démontre qu'aucun échange ne peut avoir lieu bien que des échanges mutuellement avantageux existent : le marché n'arrive pas à se constituer. Généralisant ce résultat, Joseph Stiglitz[1] a montré que, en cas d'asymétrie d'informations, des situa-

1. Dans « The Causes and Consequences of the Dependence of Quality on Price », *Journal of Economic Literature*, vol. 25, mars 1987.

tions de rationnement pouvaient également être observées. Dans tous les cas, qu'il y ait absence de transactions ou rationnement, c'est donc une logique de marché fort éloignée de celle que considère l'analyse walrassienne qui prévaut. Le théorème d'existence de l'équilibre n'est plus valide, ni l'optimalité parétienne.

Dans la situation classique considérée par le modèle walrassien, conformément à la « loi de l'offre et de la demande », l'augmentation des prix a pour conséquence d'accroître l'offre et de baisser la demande de telle sorte que, si initialement le bien considéré était en quantité insuffisante, cette situation de pénurie relative disparaît. Comme on l'a déjà noté, tel est le fondement du rôle régulateur des prix. La flexibilité des prix permet de gérer efficacement la rareté des biens. Dans le cas où la qualité n'est plus déterminée *ex ante*, la fonction de demande connaît une transformation radicale : au lieu de dépendre exclusivement du prix, la demande dépend désormais également de la qualité moyenne offerte, puisque celle-ci est devenue endogène et variable comme l'est le prix. Notons que la dépendance à l'égard de la qualité moyenne est positive : lorsque celle-ci augmente, la demande augmente à son tour. Or, pour déterminer cette qualité moyenne, les acheteurs, comme on l'a vu, se tournent vers le comportement des vendeurs. À cette occasion, les acheteurs découvrent que la qualité est endogène et qu'elle est une fonction croissante du prix de marché.

Il s'ensuit que la demande dépend désormais du prix par deux canaux : le canal habituel qui fait que la demande baisse lorsque le prix augmente, et un canal entièrement nouveau qui fait que la demande *augmente* lorsque le prix augmente parce que la qualité moyenne offerte augmente elle-même. D'où deux effets contradictoires : l'effet rareté et l'effet qualité. Lorsque l'effet qualité l'emporte sur l'effet rareté, on perd le lien négatif entre prix et demande qui était au fondement de la régulation concurrentielle par les prix. En conséquence, l'équilibre disparaît, et l'on observe soit du rationnement, soit une absence de transaction. En résumé, dans cette configuration d'asymétrie d'informations, on exige trop des prix. On leur demande de gérer à la fois la rareté des biens et leur qualité. Or ces deux missions sont incompatibles. Dans la situation walrassienne, la qualité fait l'objet d'une détermination exogène aux marchés, ce qui permet de restreindre l'usage des prix à la seule gestion de la rareté. Telle est la condition pour qu'un équilibre soit obtenu, ce que nous avons nommé « la médiation externe ».

Akerlof finit son article en notant que de « nombreuses institutions émergent pour contrecarrer les effets de l'incertitude[1] » et permettre le fonctionnement des marchés. Il s'agit de créer « artificiellement », c'est-à-dire en mobilisant des institutions visibles, ce qui était supposé déjà là « naturellement » dans le modèle walrassien, à savoir une qualité exogène au marché faisant l'objet d'un savoir commun. Cette opération nous livre alors le secret de l'hypothèse de nomenclature des biens, le dévoilement de sa vraie nature : une hypothèse simplificatrice qui dissimule un travail sophistiqué d'estampillage des qualités en le donnant à voir au moment où il est totalement achevé et réussi. Au titre de ces institutions productrices de la qualité, Akerlof cite les garanties, les marques, les chaînes de restaurants et d'hôtels et les licences (avocats, médecins, barbiers). Et il en est bien d'autres. Lorsque la mémoire des processus de qualification s'est estompée, l'hypothèse de nomenclature s'impose de nouveau et donne à voir des biens toujours déjà présents.

Résumons les résultats obtenus par les théoriciens des asymétries d'information. Ils démontrent clairement que l'accord walrassien requiert pour être obtenu que, au

1. George Akerlof, « The Market for "Lemons" : Quality Uncertainty and the Market Mechanism », art. cit., p. 21.

préalable, les agents s'accordent sur la qualité des biens échangés, ce que nous appellerons une « convention de qualité[1] ». Celle-ci doit être parfaitement définie et de connaissance commune pour tous les échangistes, au sens technique du savoir commun. Le lien ainsi postulé est donc très fort. Il correspond à une transparence poussée de l'espace social : chacun connaît la qualité, sait que les autres la connaissent, sait que les autres savent que tous la connaissent et ainsi de suite jusqu'à l'infini. C'est ce que nous avons nommé « médiation externe ». Dès lors qu'il en est ainsi, l'espace des quantités s'impose comme un espace commun sur lequel la rationalité paramétrique peut trouver à s'exercer. Si l'acteur n'a pas à se soucier du comportement des autres, c'est parce qu'il sait que la qualité est une donnée qui, par hypothèse, échappe aux comportements stratégiques. Interprétée de cette manière, l'objectivité des marchandises apparaît comme le résultat d'un puissant travail d'authentification sociale et de contrôle. En conséquence, l'équilibre général ne peut plus être pensé, conformément à la conception traditionnelle, comme étant le fruit spontané des échanges tels qu'ils résulteraient de la libre rencontre d'individus parfaitement étrangers les uns aux autres. Tout au contraire, il suppose que les acteurs économiques partagent un certain nombre de références communes avant de prendre part aux transactions. Cette analyse est absolument générale comme l'illustre le fait que tous les marchés sont concernés : biens ordinaires, services, travail, assurances, crédit ou

1. Sur cette question, il faut se reporter à l'approche théorique nommée « économie des conventions ». Voir le numéro spécial de la *Revue économique* (vol. 40, n° 2, mars 1989), qui en présente les axes directeurs (Jean-Pierre Dupuy, François Eymard-Duvernay, Olivier Favereau, André Orléan, Robert Salais et Laurent Thévenot). Voir également André Orléan, « L'économie des conventions : définitions et résultats », préface à *Analyse économique des conventions*, Paris, PUF, 2004, p. 9-48.

actifs financiers[1]. Dans tous les cas, l'objectivation des qualités est absolument requise pour que fonctionne la régulation concurrentielle. Il est vrai cependant que chaque marché a ses caractéristiques propres et diffère dans sa capacité à produire, sur des bases stables, l'objectivation marchande. Dans certains cas, la marchandisation se fait sans difficulté mais, dans d'autres cas, le processus trouve face à lui l'opposition d'importants intérêts. Par exemple, au Royaume-Uni, les luttes autour de la marchandisation de la terre, ce qu'on a appelé les « *enclosures* », ont été d'une grande violence parce que de nombreux paysans refusaient énergiquement l'appropriation privée de la terre, condition *sine qua non* de sa marchandisation. De même, ce qu'on nomme aujourd'hui les « nouveaux marchés du vivant » suscitent de fortes résistances dans la mesure où ils heurtent nombre de conceptions éthiques auxquelles sont profondément attachés de larges secteurs de la société. La force de travail est également un exemple intéressant. L'objectivation de la qualité du travail sous la forme de compétences collectivement reconnues n'a rien d'évident. C'est un processus hautement conflictuel qui oppose les employeurs aux salariés, sur fond d'une évolution constante des techniques. Il demande constamment à être recommencé. Les pratiques de marquage des monnaies étudiées par Viviana Zelizer[2] montrent également que des objets parfaitement standardisés, les monnaies fiduciaires, peuvent faire l'objet de stratégies individuelles de différenciation qui en modifient radicalement les conditions d'usage et les qualités. Ces quelques situations indiquent clairement que l'objectivation marchande est un processus complexe qui demande à être étudié au cas par cas. Il est des situations où l'objectivation trouve face à elle des

1. Se reporter à Joseph Stiglitz, « The Causes and Consequences of the Dependence of Quality on Price », art. cit.
2. *La Signification sociale de l'argent*, Paris, Seuil, 2005.

rapports sociaux s'opposant radicalement à la logique marchande.

Incertitude et monnaie

L'ensemble des analyses menées dans le présent chapitre s'est efforcé de saisir ce qui fait la spécificité de l'approche néoclassique en examinant sa réponse à la question économique par excellence : d'où vient l'ordre marchand ? Comment la séparation marchande se trouve-t-elle surmontée ? Il nous est apparu que la réponse avancée par la théorie de la valeur néoclassique consiste à supposer l'existence d'un principe de cohésion qui, à l'insu même des acteurs économiques, vient structurer leurs conduites et leurs désirs : la valeur utilité. Pour ce faire, le modèle walrassien suppose des individus ayant un rapport exclusivement utilitaire au monde par le biais des marchandises. Parce que ce rapport aux objets s'exprime dans des préférences parfaitement stabilisées et objectivées, indépendantes du choix des autres (médiation externe), tout en étant suffisamment flexibles (hypothèse de convexité), on a pu démontrer qu'il existait un vecteur de prix rendant compatibles toutes les décisions individuelles. Tel est le résultat obtenu par les théoriciens de l'équilibre général. Dans un tel cadre, par construction, l'infini du désir est rejeté. L'adhésion généralisée à l'utilité comme valeur fondamentale construit un encadrement rigoureux qui interdit tout dérapage. Au fond, ce qui frappe dans l'équilibre général, c'est la sérénité des acteurs, leur modération. Ils semblent assurés de leur existence comme de leur reconnaissance par autrui. La seule relation aux objets est apte à les calmer. Cette puissance du lien objectal à l'origine de la médiation externe est ce sur quoi nous avons insisté jusqu'à maintenant comme caractérisant la manière dont la pensée néoclassique modélise la séparation marchande. Pour s'en convaincre à nouveau, considérons deux phénomènes importants qui ont été, jusqu'à présent, laissés de côté, à savoir l'incertitude et la monnaie, et examinons quelles modélisations sont proposées pour en rendre compte. Nous allons voir que, dans les deux cas, les modèles proposés par la pensée néoclassique rejettent l'hypothèse mimétique parce qu'ils font jouer un rôle central à l'objectivité marchande sous la forme de la médiation externe. Commençons par la question de l'incertitude et considérons la version intertemporelle de l'équilibre général, encore nommée « équilibre Arrow-Debreu ».

Dans cette nouvelle version du modèle d'équilibre général, on introduit la durée. Désormais, les individus vivent, produisent et consomment sur plusieurs périodes, alors que, dans le modèle précédent, tout se déroulait sur une seule période. Dans la réalité des économies marchandes, la relation au futur est source d'incertitudes et de risques pour l'individu. Pour cette raison, sa prise en compte affecte fortement l'analyse. « De quoi demain sera-t-il fait ? » et « Comment me protéger contre des aléas trop défavorables ? » sont, en effet, les nouvelles et difficiles questions que l'acteur est amené à se poser. En conséquence, l'individu perd une partie de sa sérénité car il doit désormais se protéger contre une prise de risque excessive. La pensée néoclassique aborde la question du rapport au futur en postulant qu'il est possible d'effectuer une énumération objective de tous les scénarios susceptibles de se réaliser à l'avenir ; ce qui permet de réduire l'incertain à une liste probabilisable d'événements définissables *a priori*. C'est ce que nous appellerons « l'hypothèse probabiliste[1] ». L'incertitude se trouve représentée sous la forme d'une liste exhaustive d'événements exogènes ou états du monde, censée décrire

1. Se reporter au chapitre V qui lui est consacré.

tout ce qu'il est pertinent de connaître pour un agent économique. Pour chacun de ces états du monde, l'individu détermine les marchandises lui permettant d'obtenir une satisfaction optimale, par exemple, s'il pleut, l'acteur achètera un parapluie et, en cas de sécheresse, de l'eau. Dans ces conditions, si on suppose l'existence de marchés à terme contingents permettant l'achat aujourd'hui de ces marchandises pour le moment futur où ces événements sont supposés se produire, alors les agents peuvent aujourd'hui s'assurer de manière absolument parfaite contre les effets de l'incertitude. Quel que soit l'événement futur qui se produira, l'acteur aura accès à son panier de biens optimal. Aucun risque résiduel ne subsistera. Le point remarquable est que ce résultat est obtenu sans qu'il soit besoin de faire appel à des moyens d'assurance spécifiques, par exemple, financiers ou monétaires. *L'hypothèse probabiliste préserve la toute-puissance de la marchandise face au futur et à ses incertitudes.* Ce qui est visé par cette pensée est la conception idéaltypique d'une société qui serait de bout en bout régie par le seul rapport aux biens, une société sans lien personnel parce que entièrement médiée par les objets. Cela est vrai en synchronie comme en diachronie : dans les deux cas, le rapport aux marchandises suffit à coordonner les individus séparés. Il faut d'ailleurs souligner fortement l'étroite homologie existant entre l'hypothèse probabiliste et l'hypothèse de nomenclature des biens. *L'hypothèse probabiliste exerce, pour ce qui est du rapport à l'incertain, la même fonction que celle dont est en charge l'hypothèse de nomenclature des biens par rapport aux qualités, à savoir produire une représentation collective objectivée là où spontanément on s'attendrait à trouver un ensemble d'évaluations subjectives.* De même que l'hypothèse de nomenclature des biens suppose que la liste exhaustive des biens est de connaissance commune, de même l'hypothèse probabiliste suppose que la liste exhaustive des événements incertains est de connaissance commune pour tous les acteurs de l'économie. Pour souligner cette homologie fonctionnelle, nous nommerons également cette dernière « hypothèse de nomenclature des états du monde ». Dès lors, chaque individu n'a plus à se préoccuper du comportement des autres : la seule connaissance des aléas potentiels suffit. Ce faisant, l'hypothèse probabiliste permet de construire une médiation objective entre les acteurs économiques en matière de risque de la même manière que l'hypothèse de nomenclature l'avait fait en matière d'utilité. Dans les deux situations, la même logique est à l'œuvre : séparer les hommes.

Pour conclure, venons-en à la question monétaire. L'analyse complète du rapport monétaire faisant l'objet du chapitre IV, limitons-nous, dans le cadre du présent chapitre, à quelques réflexions liminaires. D'abord pour rappeler que l'équilibre général walrassien traite d'une économie d'où la monnaie est absente. Comme on l'a souligné, c'est là une caractéristique des approches qui adhèrent à une conception substantielle de la valeur : la théorie de la valeur donne les clefs de l'échange sans qu'il soit nécessaire de prendre en considération la monnaie. Celle-ci ne s'introduit que secondairement pour faciliter les transactions sans que cette introduction n'adultère en rien les lois intrinsèques de l'échange marchand. Pour rendre intelligible le passage de l'économie de troc à l'économie monétaire, plusieurs approches sont disponibles. Celle proposée par Don Patinkin a joué un rôle majeur. Elle a donné à voir, dans les années 1950, une fois démontrée l'existence de l'équilibre général, une première « intégration de la théorie monétaire et de la théorie de la valeur[1] ». Ce fut là un grand pas pour la théorie néoclassique qui disposait ainsi désormais d'un

1. Don Patinkin, *La Monnaie, l'Intérêt et les Prix*, Paris, PUF, 1972, p. 16.

cadre adéquat pour penser les économies marchandes dans leur totalité. L'idée directrice qu'a suivie Patinkin pour réussir ce coup de force s'analyse aisément à partir de nos hypothèses. Il se propose de traiter la monnaie à la manière d'une marchandise comme les autres[1]. Pour ce faire, il lui faut démontrer que la monnaie possède une utilité *sui generis*, de telle sorte que l'on puisse penser le rapport des individus à celle-ci comme exclusivement motivé par la recherche de cette utilité, à la manière des marchandises ordinaires. Si cela est vrai, il est alors possible de faire entrer la monnaie dans la fonction d'utilité au même titre que les marchandises, ce qui rend légitime le recours aux techniques habituelles de maximisation pour déterminer les demandes individuelles de monnaie. Autrement dit, on reprend le modèle de la médiation externe qu'on applique à la nouvelle variable. Mais quelle est cette utilité propre à la monnaie ? Il ne s'agit pas de l'utilité indirecte qu'elle produit par le fait qu'elle permet d'acquérir des marchandises utiles. Comme il l'écrit : « Nous nous intéresserons à l'utilité de *détenir* de la monnaie et pas à l'utilité de la *dépenser*[2]. » En effet, aux yeux de Patinkin, la monnaie a une utilité directe, par-delà sa capacité à acheter des biens utiles. Selon lui, cette utilité intrinsèque découle de son aptitude à éviter les désagréments que cause la désynchronisation temporaire entre dépenses et recettes, désynchronisation qui se traduit par un manque provisoire de liquidité[3]. Dans

1. On trouve déjà cette idée chez Walras, *Éléments d'économie politique pure ou théorie de la richesse sociale*, *op. cit.*, section VI : « Théorie de la circulation et de la monnaie », p. 297-362.

2. Don Patinkin, *La Monnaie, l'Intérêt et les Prix*, *op. cit.*, p. 101.

3. Pour Patinkin, l'individu qui se trouve à court de liquidité a deux choix : « Il peut manquer temporairement à ses engagements [...] – acte qui est supposé lui causer certains désagréments ; ou bien il peut reconstituer ses encaisses en obtenant [...] le remboursement des titres qu'il détient – ce qui est supposé exiger de

cette optique, le service de la monnaie, ce serait donc la liquidité. Il s'en déduit que l'on peut décrire le choix individuel à partir de la maximisation d'une fonction d'utilité classique du consommateur, dès lors qu'on ne se restreint plus aux seules marchandises et qu'on étend les variables considérées aux encaisses monétaires[1]. Dans ce cadre conceptuel avancé par Patinkin, l'utilité de la monnaie est pensée comme étant totalement indépendante du comportement des autres individus. Il s'agit d'une caractéristique intrinsèque, propre à la monnaie, caractéristique dont l'évaluation dépend exclusivement des préférences particulières des individus, en l'occurrence de leur aversion plus ou moins grande à l'égard des désagréments qu'engendre l'illiquidité. On comprend la force de cette approche : elle fait de la monnaie un pur objet dont chacun peut appréhender les qualités sans tenir compte du regard d'autrui. On reconnaît le modèle de la médiation externe. En conséquence, la demande de monnaie résulte d'un calcul purement privé où chaque individu compare l'utilité marginale de la monnaie qu'il détient aux utilités marginales des autres marchandises. Il s'ensuit que le recours aux mêmes outils que ceux traditionnellement utilisés pour les marchandises permet d'analyser la demande de monnaie. Telle est la réussite ultime du travail de Patinkin. Il propose un cadre formel unifié dans lequel marchandises et monnaie font l'objet d'un traitement parfaitement symétrique : « Les propositions de ces deux théories [théorie de la valeur et théorie monétaire] sont déduites en appliquant les mêmes

---

sa part des démarches ennuyeuses. La sécurité que procurent les encaisses monétaires contre ces deux types d'inconvénients est ce qui est supposé leur conférer de l'utilité » (*ibid.*, p. 101).

1. Ce qui compte du point de vue des agents, c'est le pouvoir d'achat de l'encaisse monétaire. Aussi la variable considérée est-elle ce qu'on appelle « l'encaisse réelle », qui est égale à l'encaisse nominale divisée par le niveau général des prix.

techniques analytiques aux mêmes fonctions de demande sur les mêmes marchés[1]. »

Pourtant, ce résultat n'est pas sans poser de nombreux problèmes. Réduire la relation monétaire à la recherche individuelle d'une utilité intrinsèque, c'est refuser de voir que la monnaie est, d'abord, une relation entre acteurs économiques qui repose sur de la confiance, des représentations collectives et des attentes stratégiques. Autrement dit, il n'est pas vrai que, en toutes circonstances, l'utilité de la monnaie puisse être traitée comme une donnée exogène, indépendante du comportement des autres acteurs. À l'évidence, le choix de détenir de la monnaie est fortement conditionné par ce que pensent les autres : s'ils refusent d'accepter cette monnaie, alors celle-ci n'a plus aucune utilité. Elle cesse d'être liquide. C'est là un fait incontournable. Le nier n'est guère réaliste. Autrement dit, si je sais que telle monnaie sera refusée par tous les échangistes, alors je ne l'accepterai pas. Pour cette raison de fond, il est impossible de réduire, *en toute généralité*, le rapport à la monnaie à une relation purement privée, de type objectale, indépendante du choix des autres. Pour le dire autrement, la liquidité n'est pas une propriété intrinsèque à l'objet monétaire au sens où, par exemple, le lait possède en propre ses capacités nutritives.

Pour autant, l'approche de Patinkin n'est pas totalement fausse. Durant les périodes où la qualité de la monnaie est acceptée par tous, alors son aptitude à produire un service de liquidité s'impose à chacun, et le modèle de Patinkin fournit une approximation satisfaisante de la réalité économique. On retrouve ici un résultat déjà mis en avant pour les marchandises ordinaires. Le modèle de préférences exogènes correspond à un régime spécifique, local, celui observé lorsque la qualité s'est stabilisée et fait l'objet d'une connaissance commune, ce qui suppose

1. *Ibid.*, p. 16.

un certain contexte institutionnel, la convention de qualité, condition pour que la médiation externe prévale. Cela est vrai également pour la monnaie avec le codicille supplémentaire important que les conditions institutionnelles conduisant à une stabilisation de la qualité monétaire sont beaucoup plus restrictives du fait de la nature même de la monnaie. On sait, par exemple, que les innovations financières conduisent à une instabilité chronique de la demande de monnaie. Comme on l'a déjà noté à la fin de la section précédente consacrée aux asymétries informationnelles, les conditions de l'objectivation marchande dépendent étroitement de la marchandise considérée et des rapports sociaux qu'elle met en jeu. Pour la monnaie, elles sont particulièrement drastiques.

Le regard que nous portons sur le modèle de Patinkin nous conduit à ne pas adhérer aux critiques que lui adresse Frank Hahn dans son fameux article de 1965[1]. Dans cet article, Hahn montre, en substance, que Patinkin ne réussit pas à prouver que l'économie qu'il considère est bel et bien une économie monétaire, autrement dit que la monnaie mise en avant par Patinkin s'y trouve effectivement acceptée par tout le groupe[2]. Ce point est indéniable mais notre propre interprétation nous conduit à distinguer nettement les modèles qui supposent l'objectivation acquise des qualités (médiation externe) et ceux qui s'intéressent aux conditions de formation de cette objectivation (médiation

1. « On Some Problems of Proving the Existence of an Equilibrium in a Monetary Economy », *in* Frank Hahn, *Equilibrium and Macroeconomics*, Oxford, Basil Blackwell, 1984.

2. Techniquement, il s'agit de prouver que, dans le modèle que propose Patinkin, la monnaie a bien un prix strictement positif, autrement dit qu'il s'agit bien d'une vraie économie monétaire. Si le prix de la monnaie s'avérait nul, l'économie considérée par Patinkin ne serait monétaire qu'en apparence. En fait, ayant un prix nul, la monnaie ne serait pas demandée par les acteurs et elle ne jouerait aucun rôle.

interne). Les configurations d'interaction qu'ils étudient, parce qu'elles ont des logiques distinctes, renvoient à des problématiques séparées. Le modèle qui analyse la création d'une institution est différent de celui qui analyse les effets de cette institution, une fois qu'elle a été créée. Ainsi, personne ne reproche à l'équilibre général de ne pas expliquer d'où viennent les marchandises dont il analyse les prix concurrentiels. De même, le modèle de Patinkin, parce qu'il établit les propriétés d'une économie dans laquelle la monnaie se trouve parfaitement objectivée, ne saurait répondre à la question : comment cette monnaie s'est-elle imposée ? Examiner le rapport entre ces deux types d'intelligibilité, ce qu'on a appelé la médiation interne et la médiation externe, fera l'objet du prochain chapitre. Cela demandera que soit élaborée une théorie de l'émergence des institutions, question que l'équilibre général a pris soin de ne pas aborder pour se concentrer sur les propriétés en régime de l'économie marchande. En conclusion, Hahn a raison de dire que le modèle de Patinkin n'explicite pas les raisons qui font que la monnaie est adoptée par tous les sociétaires mais, pour autant, cela n'invalide en rien l'aptitude de ce modèle à penser correctement le fonctionnement d'une économie monétaire. Ce sont là deux problèmes distincts[1].

1. Autrement dit, l'économie que propose Patinkin peut fonctionner formellement avec un prix nul de la monnaie, mais de la même manière que le modèle walrassien peut fonctionner avec un prix nul des ordinateurs. Le fait qu'il existe une économie marchande sans ordinateur n'invalide pas la possibilité de décrire celle-ci avec les outils de l'équilibre général.

Objectivité marchande et modélisation idéaltypique

L'analyse menée tout au long du présent chapitre nous permet de mieux comprendre comment la théorie de la valeur néoclassique appréhende et résout la question de la coordination marchande. Elle le fait en supposant un monde si fortement objectivé que chaque agent est capable de déterminer ce qu'il doit faire uniquement sur la base des prix. Nulle autre connaissance n'est exigée, en particulier nulle autre connaissance quant au comportement des autres individus. Comme dans l'exemple du feu rouge, la dimension stratégique disparaît car le rapport aux institutions suffit entièrement à déterminer la position de chacun. En conséquence, chaque individu semble n'avoir plus à se préoccuper que de la satisfaction personnelle que lui procurent les objets marchands. Seule cette relation importe pour lui. Il est difficile d'imaginer une expression plus radicale de la séparation marchande. Le modèle néoclassique donne à voir une économie d'individus parfaitement indifférents les uns à l'égard des autres, qui n'entrent en relation que superficiellement, par le biais du secrétaire de marché. Personne ne s'intéresse à personne, et personne ne rencontre personne. Dans ce monde de l'isolement total, la relation essentielle est celle que les individus entretiennent avec les valeurs d'usage. Ceci doit être à nouveau souligné. La théorie néoclassique considère des individus qui ne recherchent qu'une seule chose, ne sont mus que par un seul affect : consommer. *In fine*, tout se ramène à cela. Aux yeux des théoriciens néoclassiques, la valeur ultime est à trouver dans la satisfaction que procurent les marchandises quand elles sont consommées : l'utilité. Soulignons que cette satisfaction elle-même exclut la présence de tiers puisqu'elle est pensée comme le résultat d'un strict tête-à-tête de l'individu avec les biens. Le regard d'autrui est supposé n'avoir aucune influence. Ainsi, par exemple, se trouve écartée l'idée d'une consommation ostentatoire qui aurait pour but une quête de prestige. Autrement dit, le rapport aux biens se conçoit sur un mode strictement utilitaire, au sens d'une utilité renvoyant à des finalités exclusivement pratiques comme se nourrir, se loger ou s'habiller. Le marché s'impose, dans un second temps, une fois les utilités individuelles déterminées, comme le mécanisme social qui permet de répartir les biens rares entre les consommateurs, mais sans que ce mécanisme n'affecte en retour les finalités privées, ni ne les déforme.

Cette étonnante vision de la séparation marchande repose sur quatre puissants processus institutionnels de formatage du monde social, que nous nommerons désormais : « l'objectivité marchande », à savoir : un ensemble de biens connus de tous les acteurs (hypothèse de nomenclature des biens) ; une représentation commune de l'incertitude (hypothèse de nomenclature des états du monde) ; une reconnaissance collective de ce qu'est le mécanisme de prix (hypothèse du secrétaire de marché) ; l'adoption par tous les acteurs d'une conception strictement utilitaire des biens marchands (hypothèse de convexité des préférences). Dans un tel cadre institutionnel, les individus n'ont plus besoin de se rencontrer, ni de se parler. Leur attention porte seulement sur les mécanismes objectifs (qualités et prix) qui absorbent toute la substance sociale. On peut dire que, dans le monde de l'équilibre général, les objets constituent une médiation parfaite entre les acteurs. Ils ne laissent plus aucune place aux interactions stratégiques. On reconnaît ici la forme spécifique de ce que nous avons nommé médiation externe. Cette interprétation tire son originalité du fait qu'elle perçoit des institutions là où le plus souvent les économistes ne voient que des présences naturelles propres au contexte considéré. La nécessité d'introduire du « savoir commun » à leur sujet est la preuve manifeste que nous sommes face, non à des faits naturels, mais à des formes institutionnelles ayant pour finalité la coordination entre individus. Il s'ensuit, dans la perspective de cette interprétation, tout un ensemble de questions visant à expliciter par quels processus l'objectivité marchande se trouve produite, questions que la pensée walrassienne ignore totalement.

Assurément, « l'objectivité marchande » telle que nous venons de la définir formalise une dimension fondamentale de nos économies : le rôle des objets. La lutte pour leur appropriation est bien au cœur des rivalités concurrentielles qui déchirent les économies marchandes. Cependant, la modélisation qu'en propose la théorie néoclassique encadre si étroitement cette lutte, dans des institutions si puissantes, qu'elle nous en livre une version fortement édulcorée. Les hypothèses d'objectivité marchande qui ont été retenues excluent du champ des rivalités à la fois la définition des marchandises (hypothèse de nomenclature des biens), l'élaboration des préférences individuelles (hypothèse de convexité des choix), la représentation de l'incertitude (hypothèse de nomenclature des états du monde) et les échanges eux-mêmes (hypothèse du secrétaire de marché). En conséquence, c'est une économie totalement pacifiée qui est proposée à l'analyse. Cette manière si particulière de concevoir la séparation marchande est intimement liée à l'hypothèse de souveraineté individuelle : au fait que les acteurs n'ont aucun doute quant à ce qui doit être recherché. Certes, l'action des autres sujets peut rendre plus difficile l'obtention de ce qui est désiré, par exemple en augmentant le prix de telle ou telle marchandise, mais fondamentalement ces actions sont sans effet sur la manière dont l'individu évalue ce qui mérite d'être acheté. Ce point est fondamental : *dans l'univers néoclassique, les choses ont une valeur objective, indépendante des interactions marchandes*. Cette valeur trouve son origine dans les préférences individuelles supposées exogènes.

Le prix d'équilibre walrassien en donne l'explicitation la plus complète et la plus pure.

En résumé, ce qui frappe dans cette analyse, c'est l'absence surprenante de toute dimension mimétique. Les individus y sont radicalement coupés les uns des autres ; jamais ils ne se comparent, ni ne se copient. Par sa systématicité même, cette absence est révélatrice de ce qui fait la puissance des institutions walrassiennes : neutraliser l'imitation et ses dynamiques déstabilisantes. Il est clair que le rejet de tout lien direct (hypothèse du secrétaire de marché) participe de cette entreprise antimimétique. Mais l'hypothèse utilitaire joue, en la matière, un rôle tout aussi fondamental. En effet, réduire la marchandise à sa seule utilité vise à la rendre inoffensive, inerte ; elle n'est plus objet de désir mais réponse à des besoins objectifs limités. Il s'agit de faire en sorte qu'elle échappe à l'emprise mimétique et ses dérives. L'utilité doit être interprétée comme une forme dégradée du désir et de l'intérêt. L'observation des économies concrètes montre cependant combien la réduction utilitaire n'est pas aisée à mener à son terme. Si le rapport aux biens ne se comprenait que sous l'angle des besoins, il est probable que le dynamisme de la demande s'en ressentirait fortement. Comme le prouvent les pratiques du marketing et de la publicité, la motivation mimétique s'affirme comme une dimension essentielle du rapport des individus aux marchandises. Au-delà de l'utilité, la consommation répond aussi à une quête de prestige et de statut social. C'est là une réalité qu'en son temps Thorstein Veblen avait déjà fortement mise en avant mais qui a disparu totalement du modèle walrassien.

Cette conception antimimétique de la séparation marchande structure en profondeur toute la pensée des économistes. Elle est le modèle de base à l'aune duquel toute situation, réelle ou théorique, est mesurée. Elle donne à voir une économie marchande sans aucune violence, ni emballements cumulatifs, ni montée aux extrêmes. Il en est ainsi du fait même que, par hypothèse, les marchandises comblent entièrement les besoins des acteurs, sans laisser de reste. Dominés par une vision strictement utilitaire du monde social, les individus trouvent dans les objets de quoi les satisfaire parfaitement. Les interactions se font sans heurt entre des protagonistes qui partagent une même vision des objets et une même absence de passion, dans le cadre d'institutions solides considérées par tous comme légitimes. On ne peut imaginer ordre mieux agencé : la course aux objets a remplacé la course aux honneurs. La valeur utilité s'est substituée aux autres valeurs sociales. L'intérêt majeur de cette analyse est de nous montrer que les rivalités interpersonnelles peuvent être maintenues dans de strictes limites. Mieux encore, elle donne à voir les conditions institutionnelles permettant d'encadrer la violence marchande en faisant obstacle aux surenchères mimétiques. Si ce modèle aide à comprendre le monde qui nous entoure, il le fait conformément à la méthode idéaltypique décrite par Max Weber : en accentuant certains aspects au détriment d'autres qui sont tout simplement laissés de côté. Le but recherché n'est pas de décrire la réalité économique telle qu'elle est, mais de reconstruire le tableau idéal, pur, de l'objectivité marchande et de ses conséquences. En cela, la construction walrassienne est très précieuse. Elle permet de comprendre cette dimension importante des économies marchandes : l'objectivité marchande et ses capacités autorégulatrices. Mais, pour cette même raison, il est dans sa nature de ne proposer qu'une analyse partielle de la réalité du fait que, par définition, elle laisse de côté tout ce qui n'est pas son objet d'étude : « Le type idéal est une saisie partielle d'un ensemble global[1]. » Ainsi le modèle walrassien ne

1. Raymond Aron, *Les Étapes de la pensée sociologique*, Paris, Gallimard, 2007, p. 519-520.

dit-il rien des processus qui président à la construction de l'objectivité marchande, en particulier celle des conventions de qualité, parce que ceux-ci sont mis hors champ. Par exemple, s'il permet de comprendre l'évolution des prix d'une marchandise donnée, ce modèle est absolument muet quant aux innovations de produit qui ont marqué les transformations de longue période du capitalisme, et cela bien que ces innovations aient joué un rôle majeur. Autrement dit, une partie essentielle des économies marchandes lui échappe. Pour cette raison, la construction walrassienne ne saurait être considérée comme une approximation du monde réel au sens où, par exemple, en physique, on dira que le gaz parfait est une bonne approximation des gaz naturels. La modélisation idéaltypique walrassienne vise à la stylisation de certaines tendances particulières, en l'occurrence l'impact des médiations objectivées faisant obstacle au mimétisme, et non à la saisie de l'économie dans sa globalité. Elle cherche à penser, non pas les comportements moyens, mais les comportements typiques, sous un certain rapport.

Il semble bien que Léon Walras ait été conscient, au moins jusqu'à un certain point, de la spécificité de son approche et, tout particulièrement, du fait qu'il ne convenait pas de la confondre avec la méthode expérimentale propre aux sciences de la nature. La citation suivante est, de ce point, sans ambiguïté :

> « La méthode mathématique n'est pas la méthode *expérimentale*, c'est la méthode *rationnelle*. Les sciences naturelles proprement dites se bornent-elles à décrire purement et simplement la nature et ne sortent-elles pas de l'expérience ? Je laisse aux naturalistes le soin de répondre à cette question. Ce qui est sûr, c'est que les sciences physico-mathématiques, comme les sciences mathématiques proprement dites, sortent de l'expérience dès qu'elles lui ont emprunté leurs types. Elles abstraient de ces types réels

des types idéaux qu'elles définissent ; et, sur la base de ces définitions, elles bâtissent *a priori* tout l'échafaudage de leurs théorèmes et de leurs démonstrations. Elles rentrent, après cela, dans l'expérience non pour confirmer, mais pour appliquer leurs conclusions[1]. »

Walras y insiste sur le travail d'abstraction par types idéaux. Ce travail part, dans un premier temps, du réel pour lui emprunter « des types d'échange, d'offre, de demande, de marché, de capitaux, de revenus, de services producteurs, de produits[2] ». Ensuite, dans un second temps, de ces types réels, il s'agit d'abstraire des types idéaux qui forment la base du modèle. Cette qualification d'idéaltypique est importante non seulement pour bien spécifier la nature de la conceptualisation walrassienne, mais également parce qu'elle permet de comprendre un phénomène crucial qui, sans elle, resterait énigmatique, à savoir l'utilisation des modèles économiques aux fins de réformer le réel en le rendant conforme à son concept. À l'évidence, un tel projet n'aurait aucun sens si nous avions affaire à une modélisation descriptive. On ne peut vouloir implanter ce qui est ! Mais précisément, parce que le modèle ne vise pas à décrire l'économie réelle mais à en styliser une forme exemplaire sous un certain rapport, il offre cette possibilité nouvelle : s'appliquer à la réalité, non pas en tant qu'il la décrit, mais en tant qu'il la rétablit dans la pureté de son concept. Depuis les travaux de Marie-France Garcia[3] jusqu'à ceux de Michel Callon[4], de nombreuses études ont montré combien ce rôle performatif

1. Léon Walras, *Éléments d'économie politique pure ou théorie de la richesse sociale*, *op. cit.*, p. 29.

2. *Ibid.*, p. 30.

3. « La construction sociale d'un marché parfait : le marché au cadran de Fontaines-en-Sologne », *Actes de la recherche en Sciences sociales*, n° 65, novembre 1986.

4. *The Laws of the Market*, Oxford, Blackwell, 1998.

était stratégique et jouait un rôle essentiel dans la pratique des économistes. On utilise les modèles comme guides aussi bien pour construire de nouvelles institutions que pour penser de nouvelles régulations. L'évolution de la sphère financière au cours des vingt dernières années en fournit une illustration exemplaire. Cet effet est spécifique aux sciences sociales. Et c'est certainement en économie qu'il est le plus flagrant et le plus significatif. Pour cette raison, la théorie économique joue un rôle immense dans nos sociétés développées. Elle est le discours qui indique comment les affaires humaines doivent être menées. C'est là une conséquence directe de son caractère idéaltypique. Or rappelons que, en son temps, Max Weber avait déjà mis en garde sur le fait qu'il convient de ne pas confondre l'idéaltype, construit par le savant pour rendre intelligible le monde social, et les idéaux qui, à un moment historique donné, sont poursuivis pratiquement par les individus en vue d'une transformation de leurs conditions de vie. Cette mise en garde s'imposait à ses yeux d'autant plus que, par leur contenu substantiel, l'un et l'autre pouvaient être très proches :

> « Il arrive qu'un idéaltype de certaines conditions sociales, qu'on obtient par abstraction de certaines manifestations sociales caractéristiques d'une époque, ait effectivement passé aux yeux des contemporains de celle-ci pour l'idéal qu'ils s'efforçaient pratiquement d'atteindre ou du moins pour la maxime destinée à régler certaines relations sociales – les exemples de ce genre sont même assez fréquents[1]. »

Cette mise en garde s'adresse tout particulièrement aux chercheurs qui peuvent être conduits à considérer l'idéaltype non plus comme un outil de connaissance

---

1. Max Weber « L'objectivité de la connaissance dans les sciences et la politique sociales », in *Essais sur la théorie de la science*, Paris, Plon, 1965, p. 187-188.

objective de la réalité présente, mais comme l'expression du « devoir-être » ; ce que Weber appelle la « confusion des problèmes[1] ». Le chercheur utilise alors l'idéaltype comme un instrument d'évaluation normative pour juger de ce qui devrait être. Il abandonne alors l'exigence de « neutralité axiologique », centrale aux yeux de Weber, et, en conséquence, sort de son rôle d'observateur objectif. Il en est ainsi des économistes libéraux lorsqu'ils attribuent à leur modèle idéaltypique de l'économie marchande la valeur d'une norme à atteindre :

> « Malheureusement la théorie économique a été elle aussi victime du phénomène typique de la "confusion des problèmes". En effet, la théorie purement économique en son sens "individualiste", politiquement et moralement "neutre", qui a été un moyen méthodologique indispensable et le restera sans doute toujours, fut conçue par l'école radicale du libéralisme comme [...] ayant le caractère d'un "devoir-être" ; autrement dit on lui a attribué la validité d'un idéal dans la sphère des valeurs au lieu d'un idéaltype à utiliser au cours d'une recherche empirique portant sur l'étant[2]". »

Cette dernière analyse illustre à nouveau la richesse du concept d'idéaltype dans son application à la modélisation économique. Il permet d'en saisir aussi bien la nature que les usages et les dévoiements. Grâce à lui, on prend la mesure de ce qui distingue les modèles économiques des modèles utilisés par les sciences de la nature. Clairement, ces divers discours relèvent d'épistémologies distinctes. Notons qu'on trouve chez François Simiand[3] une analyse similaire lorsqu'il souligne l'oscillation constante de

1. *Ibid.*, p. 471.
2. *Ibid.*, p. 471.
3. Dans « Un système d'économie politique pure », in *Critique sociologique de l'économie* (textes présentés par Jean-Christophe Marcel et Philippe Steiner), Paris, PUF, 2006.

la théorie économique entre analyse positive et analyse normative.

Pour clore ce chapitre, insistons sur une dernière spécificité de la théorie de la valeur néoclassique, par quoi l'approche économique se distingue radicalement des autres sciences sociales : l'absence de toute représentation collective. En effet, la puissance particulière de cette construction institutionnelle, que nous avons nommée « objectivité marchande », se mesure au fait que l'adaptation à des conditions nouvelles (nouvelles préférences ou nouvelles technologies ou nouvelles ressources) se fait par le jeu des prix sans qu'il soit nécessaire qu'aucun acteur ait une représentation globale du processus. On trouve une illustration exemplaire de cette analyse chez Friedrich Hayek[1] lorsqu'il met l'accent sur la capacité des prix à coordonner efficacement les acteurs séparés, sans qu'il y ait besoin de supposer un espace commun de représentation autre que celui des prix. Hayek prend comme exemple la manière dont une économie, confrontée soudainement à une rareté accrue de l'étain, évolue et s'adapte. Une telle modification produit une multiplicité d'actions locales visant à économiser cette matière première, et cela sans qu'il soit nécessaire que les agents connaissent les raisons qui ont rendu l'étain plus rare :

> « Ce qu'il y a de merveilleux dans un cas comme celui de la rareté d'une matière première, c'est que, sans qu'il y ait eu d'ordre initial, sans que plus qu'une poignée d'acteurs ait su la cause initiale, des dizaines de milliers de gens sont conduits à utiliser la matière première avec davantage de mesure, et que, ce faisant, ils agissent de façon adéquate[2]. »

---

1. « L'utilisation de l'information dans la société », *Revue française d'économie*, vol. 1, n° 2, automne 1986.
2. *Ibid.*, p. 130.

Les agents n'ont pas besoin de savoir ce qui a causé la hausse du prix de l'étain pour pouvoir prendre la mesure qui s'impose. Le modèle ainsi construit donne à voir un ensemble de voisinages individuels interconnectés grâce aux prix et conduisant à une adaptation globale de l'économie bien qu'aucun agent ne possède un savoir global du processus. Hayek écrit :

> « Cet ensemble joue comme un seul marché non pas parce que chacun de ses membres scrute l'ensemble de l'économie, mais parce que les champs de vision individuels se recouvrent suffisamment, de telle sorte qu'à travers de nombreux intermédiaires, l'information en cause est communiquée à tous[1]. »

L'objectivité marchande permet ce résultat en créant un ensemble intégré de références partagées. Ce faisant, elle autorise une fantastique économie de savoir et d'intelligence. C'est de là que les prix tirent leur qualité régulatrice essentielle. On peut en conclure que l'objectivité marchande joue, pour l'économie, le rôle que jouent les représentations collectives pour les sciences historiques[2]. Dans les deux cas, fondamentalement, ce qui est en jeu, c'est l'existence d'une croyance commune. C'est cette croyance commune (sur les qualités et sur les prix) qui permet la coordination. Simplement, dans le cas walrassien, cette croyance commune est cachée dans les hypothèses. Elle est, en quelque sorte, transfigurée. Cette transfiguration ne donne à voir qu'une relation entre choses, là où est présente une relation sociale entre individus, conformément à la définition marxienne du fétichisme : « un rapport

---

1. *Ibid.*, p. 128-129.
2. Au sens que leur donne Jean-Claude Passeron (dans *Le Raisonnement sociologique. L'espace non-poppérien du raisonnement naturel*, Paris, Nathan, 1991), à savoir anthropologie, histoire et sociologie.

social déterminé des hommes entre eux [...] revêt ici pour eux la forme fantastique d'un rapport des choses entre elles[1] ».

Cette construction sophistiquée met en scène une dimension importante de ce que sont les économies marchandes, comme des forces qui les animent. Pour cette raison, elle n'a pas à être rejetée. Si nous n'en contestons pas le bien-fondé, il nous est cependant apparu qu'elle n'exprime pas la totalité du fonctionnement de la sphère marchande. Elle donne à voir une économie fortement pacifiée, une économie où la place de chacun est durablement définie. Ce qui frappe est l'absence d'incertitudes, au sens où chacun sait exactement ce qu'il veut. Au fond, les échanges concurrentiels par eux-mêmes n'ont guère d'importance, une fois que les finalités stratégiques de chacun se trouvent déterminées sans ambiguïté. Ils prennent acte d'un rapport utilitaire au monde. Comme l'ont déjà remarqué divers analystes, l'économie de marché walrassienne ressemble fortement à une économie planifiée[2]. On a simplement remplacé le planificateur par le secrétaire de marché. Mais, pour le reste, on observe une même transparence et, fondamentalement, une même absence de conflits. Il s'agit maintenant de proposer une analyse plus générale de l'ordre marchand qui appréhende les conditions mêmes de sa stabilisation, qui aille au cœur de son énergie. Tel est le sens général de l'hypothèse mimétique.

Cette hypothèse affirme que les individus ne savent pas ce qu'ils désirent. La seule introspection ne leur en livre pas la clef. Pour déterminer ce qui mérite d'être acquis, ils regardent autour d'eux, cherchant dans l'expérience

---

1. Karl Marx, *Le Capital*, *op. cit.*, p. 69.

2. Se reporter à Oskar Lange, « On the Economic Theory of Socialism », *in* Benjamin E. Lippincott (dir.), *On the Economic Theory of Socialism*, Minneapolis, University of Minnesota Press, 1938, p. 55-143.

des autres un modèle à imiter. Cette conception s'oppose à l'hypothèse de souveraineté individuelle. L'individu mimétique est un être foncièrement social au sens où il est constamment plongé dans les interactions. Non seulement il n'est pas extérieur à elles, mais elles le façonnent. Ce faisant, le modèle mimétique inverse l'ordre des causalités : il recommande de partir des relations pour penser les évaluations individuelles. On ne saurait surestimer l'importance de ce renversement : l'échange est remis au centre du dispositif conceptuel. Loin d'être manipulé de l'extérieur par des valeurs objectives qui lui préexistent, à savoir les préférences individuelles, l'échange marchand apparaît comme le lieu véritable de constitution de la valeur, y compris de l'utilité. Tel est l'enjeu fondamental de l'hypothèse mimétique : proposer une économie des rapports et non des substances. C'est là une mutation théorique de grande ampleur.

Chapitre III
La rareté

La quête des biens pour leur seule utilité construit un monde marchand sans conflit, parce que sans enjeu véritable. Telle est l'économie que nous donne à penser le modèle d'équilibre général. Certes, la rareté demeure mais, du fait de l'hypothèse de convexité des préférences, elle se trouve fortement diminuée jusqu'à devenir parfaitement inoffensive : l'obtention d'une répartition des richesses acceptable par tous est rendue possible dès lors que chacun se montre absolument disposé à l'échange. Aucune préférence exclusive ni aucune revendication exagérée ne vient faire obstacle à un tel partage. C'est ce que formalise l'accord walrassien. Ce faisant, l'utilité néoclassique s'affirme comme un puissant baume, comme une substance capable d'apporter la paix aux sociétés en les détournant des luttes violentes que suscite l'appétit de pouvoir et de domination. Il en est ainsi parce que l'utilité isole les hommes en les enfermant dans leur vie pratique. Le consommateur walrassien ne s'intéresse pas aux autres, ni à ce qu'ils pensent, ni à ce qu'ils font. Son idéal de vie est dans la santé et le confort que seules les valeurs d'usage peuvent lui apporter. Il ne connaît pas d'autres intérêts. Parce qu'elle inhibe les réflexes mimétiques et met hors jeu la comparaison avec autrui, l'utilité néoclassique est au fondement d'un monde sans rivalité.

Dans la pensée néoclassique, cette hypothèse d'une relation utilitaire aux marchandises relève, pour une grande partie, du sens commun. Elle fait partie des évidences qui sont énoncées aux premières pages des manuels de microéconomie. Pourtant, que l'utilité puisse s'imposer comme la modalité exclusive du rapport aux objets est une hypothèse qui mérite d'être discutée. Comme le notait déjà Marx, pour ce qui est du désir d'objet, le prestige a certainement été une motivation bien plus forte, du moins si l'on considère les premiers stades du développement économique :

> « La première forme naturelle de la richesse est celle du superflu ou de l'excédent ; c'est la partie non immédiatement requise comme valeur d'usage, ou encore, c'est la possession de produits dont la valeur d'usage dépasse le cadre du simple nécessaire [...] ; ce superflu où cet excédent des produits constitue, à un stade peu développé de la production, la sphère proprement dite de l'échange des marchandises[1]. »

Cette même thèse se retrouve sous la plume de Thorstein Veblen. Pour cet auteur, l'objet est d'abord un trophée qu'on acquiert parce que sa possession confère de la puissance. Il s'agit, grâce à lui, d'affirmer sa supériorité[2]. Or, dans l'ordre marchand néoclassique, cette motivation a disparu ; elle n'a plus cours. Elle est même rejetée comme illusoire, voire irrationnelle. Ce qui compte pour l'individu walrassien, c'est son bonheur

---

1. Marx, *Contribution à la critique de l'économie politique*, Paris, Éditions Sociales, 1957, p. 92.

2. Veblen ne nie pas que, dans ces premiers stades, « il y eut des traces d'appropriation d'articles utiles. [...] toutefois la personne qui s'approprie et utilise ces objets ne se figure pas les posséder. Il s'agit là de biens sans importance, et cette habitude ne pose pas la question de la propriété » (Thorstein Veblen, *Théorie de la classe de loisir*, Paris, Gallimard, 1970, p. 17-18). Autrement dit, les biens utiles sont si bas dans la hiérarchie culturelle qu'on ne voit pas le besoin de s'en rendre propriétaire !

individuel qui ne peut venir que d'une consommation adaptée à ses goûts personnels, satisfaisant sa recherche d'utilité. Pour les théoriciens néoclassiques, les préférences individuelles s'expérimentent, hors de l'influence des autres, dans le cadre d'un strict face-à-face mettant en présence l'individu solitaire et les marchandises. En conséquence, point de public à qui donner spectacle de sa qualité ! La logique néoclassique parie sur l'intensité des bienfaits que procurent les valeurs d'usage pour détourner les individus des luttes mimétiques et, ce faisant, les transformer en acteurs walrassiens. C'est à cette source que l'objectivité marchande puise toute sa force, dans la reconfiguration des désirs humains désormais focalisés sur les seules valeurs du bien-être individuel et de l'aisance matérielle. C'est là une transformation sociale de grande ampleur, pluriséculaire, jamais achevée, dont les manifestations concrètes varient avec l'évolution du capitalisme et des techniques. Le modèle fordien, centré sur la voiture et l'équipement ménager[1], qui a prévalu durant les Trente Glorieuses, nous en offre une illustration exemplaire. Aujourd'hui, certains diagnostiquent l'émergence d'un nouveau modèle ayant pour cible l'être humain lui-même au travers de son éducation, sa formation, sa santé et ses loisirs, ce que Robert Boyer nomme le « modèle anthropogénétique[2] ». L'analyse historique met ainsi en évidence une série de standards de consommation qui se sont succédé depuis l'origine des sociétés marchandes jusqu'à aujourd'hui. Cependant, par-delà cette diversité, c'est toujours le même

---

1. Se reporter à Michel Aglietta (*Régulation et Crises du capitalisme*, Paris, Odile Jacob, 1997).

2. Se reporter à Robert Boyer, *La Croissance, début de siècle*, Paris, Albin Michel, 2002. La définition du modèle anthropogénétique occupe tout le chapitre VIII, intitulé « L'émergence d'un modèle anthropogénétique » (p. 163-192).

principe de marchandisation utilitaire, la même quête de fonctionnalité, qui est à l'œuvre. Il s'agit toujours d'améliorer les conditions matérielles de l'existence en prenant appui sur la science et ses progrès. L'historien Philippe Perrot en décrit admirablement la nature lorsqu'il met en avant « le souci croissant du bien-être et de la chaleur, l'obsession grandissante de l'intérieur et du familier, le goût du capiton et du rembourrage, de la doublure et du fourré, derrière la façade austère, voire ascétique, du "comme-il-faut[1]" ». Il s'agit de rompre avec la dépense ostentatoire qui produisait la supériorité en la manifestant : « À la charge symbolique, esthétique, sensuelle de l'objet somptueux, se substitue la valeur d'usage du produit ordinaire[2]. »

L'équilibre général walrassien, d'une certaine manière, tire les conséquences de cette évolution historique. Sur le mode de l'idéaltype, il formalise la marchandisation utilitaire par-delà la diversité de ses manifestations. Faisant l'hypothèse d'une société entièrement soumise à ce principe, il démontre que, dans un tel cadre, les acteurs peuvent toujours trouver à s'entendre sur un même vecteur de prix. C'est là un résultat d'une grande force. Il faut cependant regretter que la tradition économique considère que le mécanisme à l'origine de cet accord est la flexibilité concurrentielle des prix. Cette interprétation nous semble profondément erronée. La flexibilité des prix ne joue, dans ce modèle, qu'un rôle parfaitement secondaire. L'essentiel est dans la constitution d'un rapport aux objets de nature utilitaire. Ce rapport est à l'origine de l'équilibre général par le fait qu'il crée les conditions structurelles de l'accord entre des individus devenus des consommateurs raisonnables, c'est-à-dire n'ayant plus que des besoins à

1. Philippe Perrot, *Le Luxe. Une richesse entre faste et confort XVIIIe-XIXe siècle*, Paris, Seuil, 1995, p. 10.
2. *Ibid.*, p. 19.

satisfaire. C'est cette conception utilitaire du monde que l'équilibre général nous donne à voir.

Bien qu'elle ne manque pas de pertinence, cette analyse idéaltypique n'offre cependant qu'une vision tronquée de l'économie marchande. D'une part, même s'il était vrai que seule l'utilité des biens intéresse les acteurs économiques, la question des moyens permettant de les acquérir resterait posée. Elle fera l'objet du prochain chapitre. D'autre part, il n'est pas vrai que le rapport aux marchandises se réduise à l'utilité. Celle-ci ne donne à voir qu'une forme particulière de la relation marchande. Tout l'effort théorique que propose le présent livre vise précisément à ne plus considérer le rapport utilitaire aux biens comme la réalité ultime des économies marchandes. L'utilité n'est en rien une donnée exogène « évidente », tout comme le marché n'est en rien la rencontre d'individus constitués préalablement autour de préférences. Il faut considérer l'utilité et les préférences comme un régime particulier des échanges marchands, et non comme sa forme naturelle. L'utilité est une construction sociale qui vise, sans jamais y réussir totalement, à stabiliser la séparation marchande en faisant obstacle aux rivalités mimétiques. Pour mener à bien ce projet théorique, il est impératif d'aborder la relation aux objets dans un cadre plus large que celui imaginé par la conception utilitariste. Ce n'est qu'en sortant du modèle néoclassique qu'il sera possible d'en penser les conditions de validité. Pour ce faire, nous partirons du concept de rareté, non pas la rareté walrassienne précédemment définie, mais la rareté en tant qu'elle désigne la forme générique de la dépendance aux objets telle que la séparation marchande l'institue. La rareté ainsi conçue va bien au-delà des seuls besoins par le fait que, dans le cadre de la séparation marchande, l'accès aux objets s'impose comme la condition même de l'existence sociale. Il faut des conditions très particulières pour que le modèle utilitaire s'impose comme la forme dominante du rapport aux biens.

La dépendance à l'égard des objets

Il faut bien comprendre que la rareté n'est aucunement une donnée naturelle qu'on pourrait mesurer à l'aide d'indicateurs objectifs comme, par exemple, le niveau de vie moyen de la population considérée. De même, on commettrait une méprise en disant que plus une société est prospère et techniquement développée, moins la rareté y est présente. Il en va tout autrement. La rareté désigne une forme d'organisation spécifique, instituée par le marché, qui fait dépendre, dans des proportions inconnues des autres sociétés, le statut de chacun de sa seule capacité à acquérir des objets sans qu'il puisse attendre un secours d'autrui. Apparaît ici le fait que la liberté et l'indépendance par rapport aux autres qu'institue si puissamment la séparation marchande peut également prendre la forme de la solitude et de l'exclusion, où l'on voit l'ambivalence profonde des rapports marchands. Le manque, la pénurie ou la famine pour certains alors que d'autres bénéficient de bien plus qu'ils n'ont besoin, loin d'être considérés comme des scandales, y sont perçus comme l'expression de régulations sociales légitimes. Ce serait une réalité profondément étonnante, et même scandaleuse, aux yeux des peuples pré-marchands, habitués à valoriser l'identité sociale des êtres en tant que telle. Mais elle est au cœur de ce qu'est la rareté.

Marshall Sahlins, dans un ouvrage célèbre, analyse cette réalité. Étudiant les peuples de chasseurs-cueilleurs, c'est-à-dire une des sociétés les plus anciennes du globe puisqu'elle remonte au paléolithique, il montre que, paradoxalement, ils connaissent l'abondance au sens où « tous les besoins matériels des gens y sont aisément satisfaits[1] ». Il en est ainsi parce que ces populations ont su désirer peu[2]. La cause de cet état de fait n'est pas à chercher dans l'adhésion collective à une sagesse ascétique prônant l'abstinence. C'est la conséquence d'institutions particulières qui font en sorte que, dans ces sociétés, « aucune relation entre l'accumulation de biens matériels et le statut social n'a[it] été instituée[3]. » Toute l'organisation communautaire vise à « limiter la propriété des biens matériels », à encadrer rigoureusement les objets utiles de telle manière que « les quotités normales des biens de consommation soient, culturellement, fixées assez bas[4] ». Certes, le niveau de vie y est très modeste mais personne n'y meurt de faim[5], car la coutume du partage et de l'entraide y domine la vie sociale. C'est dans nos sociétés développées, dominées par la séparation marchande, que la rareté s'impose comme une puissance autonome, sans appel, qui règle la vie des individus, sans considération pour leur dignité sociale :

> « C'est nous et nous seuls qui avons été condamnés aux travaux forcés à perpétuité. La rareté est la sentence portée par notre économie, et c'est aussi l'axiome de notre économie politique… L'*Homo œconomicus* est une invention bourgeoise ; il n'est “pas derrière nous, disait Mauss, mais devant nous comme l'homme moral”. Les chasseurs-collecteurs n'ont pas bridé leurs instincts matérialistes ; ils n'en ont simplement pas fait une institution[6]. »

---

1. Sahlins Marshall, *Âge de pierre, Âge d'abondance. L'économie des sociétés primitives*, Paris, Gallimard, 1976, p. 38.
2. « Il y a deux voies possibles qui procurent l'abondance. On peut “aisément satisfaire” des besoins en produisant beaucoup, ou en désirant peu » (*ibid.*, p. 38).
3. Lorna Marshall citée *in ibid.*, p. 48.
4. *Ibid.*, p. 49.
5. Sauf si *tous* y meurent de faim, par exemple en cas de catastrophe naturelle.
6. *Ibid.*, p. 52.

L'analyse de Sahlins permet de nous déprendre de la conception économiciste d'une rareté définie arithmétiquement comme la différence entre des besoins naturels et des biens produits. La rareté est tout autre chose. Elle est un rapport social s'exprimant dans une certaine mise à distance structurelle des objets aux fins de les rendre sans cesse désirés. Pour ce faire, les objets ne doivent être ni trop près, ni trop loin ; ni trop aisément accessibles, ni trop difficilement atteignables. Les relations marchandes ne tolèrent ni l'extrême rareté, parce qu'elle engendre la violence et détruit le corps social, ni l'abondance, parce qu'elle ruine le pouvoir des objets et rend le calcul économique caduc. Paul Samuelson écrit : « Si les ressources étaient illimitées [...], il n'existerait pas de *biens économiques*, c'est-à-dire de biens relativement rares, et il n'y aurait plus guère lieu d'étudier l'économie [...]. Tous les biens seraient des biens gratuits[1]. » En conséquence, l'économie marchande est fondée sur une rareté relative, inlassablement recommencée. Ce phénomène est énigmatique et paradoxal en ce sens qu'il contredit l'intuition d'un besoin qui irait diminuant au fur et à mesure qu'il trouverait sa satisfaction. Tout au contraire, l'accroissement de la production en réponse aux besoins, loin d'élever la satisfaction des acteurs et de réduire l'écart entre offre et demande, provoque de nouvelles aspirations dirigées vers de nouveaux biens, ce qui reproduit la situation de rareté relative, et même quelquefois l'élargit. De cette manière, le pouvoir des objets sur les hommes se trouve continuellement reproduit. Nous voici perpétuellement sous leur dépendance. Comment est-ce possible ? Comme le souligne Paul Dumouchel dans un

---

1. Paul Samuelson, cité *in* Paul Dumouchel, « L'ambivalence de la rareté », *in* Paul Dumouchel et Jean-Pierre Dupuy (dir.), *L'Enfer des choses*, *op. cit.*, p. 146.

texte consacré à l'ambivalence de la rareté, l'économie marchande est confrontée à une causalité circulaire « où les besoins déterminent la quantité de biens nécessaires, et la quantité de biens produits détermine les besoins [de telle sorte] qu'il est impossible de réduire l'écart qui sépare les biens et les ressources accessibles des désirs [...]. La rareté n'est jamais réduite, elle est perpétuellement reconduite[1]. » À l'évidence, l'exogénéité des préférences ne permet pas de rendre intelligible un phénomène de cette sorte. Il faut tout au contraire se demander par quel processus l'économie marchande produit, sur longue période, une incitation constante à désirer toujours plus d'objets. Cette autoreproduction endogène de la propension à consommer n'est rien de moins que le moteur qui fait fonctionner les sociétés marchandes et il demande impérativement à être compris, surtout aujourd'hui où la dégradation de notre cadre naturel de vie appelle à son urgente transformation. Si l'approche walrassienne fait jouer un rôle primordial à la rareté dans sa compréhension de la valeur, elle s'en tient à une vision strictement mécaniste du rapport entre des besoins exogènes et une production visant à leur satisfaction. L'idée d'une rareté perpétuellement reconduite est absente. Or, parce que cette question est primordiale, sa non-prise en compte par la théorie néoclassique est le signe patent d'un échec[2].

---

1. *Ibid.*, p. 147.

2. Autrement dit, la question posée est celle de l'endogénéisation des préférences individuelles. Mais *une endogénéisation qui ait pour fondement l'échange lui-même*. En effet, le cadre walrassien peut parfaitement accueillir une transformation exogène des préférences. Il montrerait par exemple que, sous l'action d'une telle transformation, le prix de tel bien augmenterait ou diminuerait. Mais ce qui échappe à la pensée néoclassique est le fait que les préférences soient le *produit* des relations d'échange elles-mêmes. Ajouter ce lien causal modifie radicalement la logique de tout l'édifice théorique parce que l'exogénéité des préférences par

Très clairement, autre chose que l'utilité au sens strict est en jeu dans la consommation, et lui donne tout son dynamisme. Analyser cet aspect dans sa totalité dépasse le cadre du présent livre. Indiquons simplement que l'hypothèse mimétique offre des pistes intéressantes à la réflexion. Elle donne à voir un rapport aux objets plus réaliste, c'est-à-dire bien plus âpre et conflictuel que celui présent dans l'analyse marginaliste. Il n'y est pas simplement question d'utilité mais bien d'une lutte pour l'existence. C'est le cadre adéquat pour rendre intelligible ce qu'est la rareté.

Pour le dire simplement, la théorie mimétique prend pour point de départ de ses analyses la relation à autrui. Elle pose comme première hypothèse que l'action des individus est mue par la quête de satisfactions d'une nature essentiellement relationnelle : « Pour l'essentiel, il s'agit d'être reconnu, aimé par les autres[1]. » En conséquence, si les individus recherchent des objets, c'est en tant que ces objets sont des moyens qui permettent d'agir sur les autres : « Par les objets que nous acquérons […], nous disons aux autres qui nous sommes, nous leur signifions notre statut, notre position dans la société, notre pouvoir, notre attention[2]. » En un mot, l'individu recherche le regard approbateur des autres. L'estime d'autrui est le but poursuivi qui permet à celui qui en jouit de s'élever au-dessus de ses concurrents. Tel est le secret de la consommation ostentatoire chère à Thorstein Veblen : les biens consommés sont autant de signes qui donnent à voir la valeur de leur propriétaire. « La possession des

rapport aux relations d'échange est une hypothèse centrale de la théorie de la valeur utilité. Il est impératif que l'utilité préexiste à l'échange pour pouvoir prétendre à l'expliquer. C'est précisément cette hypothèse qu'il s'agit de lever.

1. Jean-Pierre Dupuy *in* Paul Dumouchel et Jean-Pierre Dupuy (dir.), *L'Enfer des choses*, *op. cit.*, p. 24.

2. *Ibid.*

richesses confère l'honneur[1] », écrit-il. Dans un tel cadre, l'utilité disparaît au profit de « l'effet de signe » comme le nomme Jean-Pierre Dupuy. Ce qui meut les consommateurs, c'est la recherche, non pas de l'utilité, mais de ce qu'on peut appeler génériquement le « prestige ». Ce faisant, la relation aux autres acteurs retrouve la première place dans l'analyse. Il faut partir des interactions pour rendre intelligible la dynamique de la consommation. C'est là une première piste pour endogénéiser les préférences individuelles.

Pour être développée, cette approche doit cependant répondre à une question préalable centrale : comment se trouvent déterminés les objets porteurs de prestige ? Quels sont-ils ? Pour y répondre, plusieurs stratégies sont possibles. La première consiste à examiner ce qu'il en est réellement du prestige dans la société considérée. Il faut alors se tourner vers l'anthropologie et la sociologie. Le concept de « groupe de référence » a précisément été proposé par ces dernières pour répondre à notre question. Par définition, le groupe de référence d'un individu est l'ensemble de personnes auquel cet individu se compare pour évaluer ses propres caractéristiques ou sa propre position sociale. Autrement dit, le groupe de référence sert de modèle à l'individu pour découvrir les conventions qui règlent la définition du prestigieux. Jean-Pierre Dupuy écrit : « Dans quelle direction le Sujet tourne-t-il ses regards pour apprendre les normes du convenable et de l'excellent, les moyens et les signes du prestige social ? C'est ce qu'en jargon sociologique on nomme la question du groupe de référence[2]. » On reconnaît dans ce type d'interaction mimétique ce que nous avons nommé la logique de la médiation externe, à savoir une configuration

1. Thorstein Veblen, *Théorie de la classe de loisir*, *op. cit.*, p. 19.
2. *In* Paul Dumouchel et Jean-Pierre Dupuy (dir.), *L'Enfer des choses*, *op. cit.*, p. 48.

dans laquelle la détermination du modèle échappe aux interactions mimétiques. L'analyse que propose Veblen nous en offre une illustration remarquable.

Le modèle de Veblen

Veblen considère une société de rivaux dans laquelle chacun s'efforce de monter d'un cran sur une échelle de prestige social qu'il suppose définie sans ambiguïté et connue de tous les sociétaires. Pour Veblen, le groupe de référence d'un individu est le groupe social qui lui est immédiatement supérieur, celui qu'il souhaite intégrer parce qu'il offre un gain de prestige tout en n'apparaissant pas comme trop inaccessible. « Toute classe [...] rivalise avec la classe qui lui est immédiatement supérieure dans l'échelle sociale, alors qu'elle ne songe guère à se comparer à ses inférieurs, ni à celles qui la surpassent de très loin. Autrement dit, le critère du convenable en matière de consommation [...] nous est toujours proposé par ceux qui jouissent d'un peu plus de crédit que nous-mêmes[1]. » Arrêtons-nous un instant à ce premier modèle et examinons ce qu'il nous dit de la rareté. Au fondement de cette approche, on trouve l'hypothèse d'acteurs en lutte pour la puissance. Pour Veblen, la propriété dérive directement de cette hypothèse : « Le motif qui se trouve à la racine de la propriété, c'est la rivalité[2] », écrit-il. Tel est le puissant aiguillon qui pousse à l'accumulation des richesses : se distinguer, « démontrer glorieusement [sa] puissance[3] » :

> « La propriété a pris naissance et s'est faite institution sur des bases qui n'ont aucun rapport avec le minimum vital.

1. Thorstein Veblen, *Théorie de la classe de loisir*, *op. cit.*, p. 69.
2. *Ibid.*, p. 19.
3. *Ibid.*, p. 18.

> Le grand aiguillon, dès le principe, c'est l'envie ; c'est elle qui s'attache à la richesse, et nul autre mobile, sauf exception momentanée, n'en a usurpé la primauté dans les stades ultérieurs de l'évolution [...]. Les possessions témoignent [...] de la prépondérance du propriétaire sur les autres individus de sa société [...]. La propriété tient toujours du trophée ; mais le progrès venant, ce trophée représente de plus en plus les points marqués dans le jeu de la propriété[1]. »

L'activité du consommateur est, dans son principe même, tournée vers autrui qu'il s'agit d'impressionner. Pour Veblen, la consommation a la nature d'un trophée ! Elle a pour enjeu le prestige, et pas l'utilité[2]. Telle est l'incitation qui pousse si vigoureusement les individus marchands à acquérir toujours plus de marchandises. Plus précisément, comme on l'a précédemment noté, les individus convoitent les biens de la classe qui leur est immédiatement supérieure dans l'échelle sociale car « l'esprit de comparaison provocante nous incite à laisser plus bas que nous les gens de notre condition[3] ».

Sur de telles bases, pour autant que les hiérarchies sociales conservent une certaine stabilité au cours du temps, se forment des habitudes de goût qui, à force de répétition, s'objectivent dans des conventions donnant à connaître directement ce qu'il convient d'acheter. L'usage établi prend la forme de normes extérieures dictant comment se conduire si on veut « s'épargner [des] remarques désobligeantes[4] ». C'est le règne de ce qu'on a nommé la médiation externe. Il peut alors sembler que les individus agissent désormais sans référence aux autres, ne

1. *Ibid.*, p. 20-21.
2. « Une fois que les biens accumulés sont devenus le signe distinctif de la valeur, la possession des richesses s'arroge le caractère d'un fondement indépendant et définitif de l'estime » (*ibid.*, p. 21).
3. *Ibid.*, p. 69.
4. *Ibid.*, p. 77.

prenant en considération que ce qu'ils pensent être sages de consommer, conformément aux codes en vigueur. L'influence exercée par les autres semble s'être évanouie. Les comportements d'achat se rapprochent alors de ceux décrits par la théorie néoclassique à l'aide d'un ordre de préférences ou d'une fonction d'utilité exogène. Ceci ne doit pas nous étonner, ni nous tromper. On a déjà noté que, dans le passage de la médiation interne à la médiation externe, l'imitation se conserve mais se transforme dans la mesure où le modèle change de nature en s'excluant des relations sociales ordinaires. Il acquiert sa stabilité en prenant l'apparence d'une fin en soi légitime, recherchée pour elle-même, exogène. Plus précisément, pour Veblen, cette norme de consommation qui, à une période donnée, vient structurer le rapport de l'économie aux objets, trouve son origine dans les « habitudes de comportement et de pensée en honneur dans la classe la plus haut placée tant par le rang que par l'argent [...]. C'est à cette classe qu'il revient de déterminer quel mode de vie la société doit tenir pour recevable ou générateur de considération[1] ». C'est elle, la classe dominante, qui, par une sorte de ruissellement du haut vers le bas, diffuse, dans toutes les couches inférieures de la société, la définition des biens prestigieux, et ce d'autant plus efficacement que la hiérarchie des rangs, n'étant pas fondée dans une différenciation absolue des statuts, se prête plus aisément à la contagion des opinions. Veblen parle à ce propos de « sociétés où les distinctions de classe sont moins nettes[2] ».

Il est clair qu'une telle conception du rapport aux biens marchands est aux antipodes de la pensée utilitariste[3]. La

1. *Ibid.*, p. 69.

2. *Ibid.*

3. Le regard d'autrui est essentiel « puisque le respect de soi se fonde sur le respect témoigné par autrui » (*ibid.*, p. 22). La logique est inverse de celle proposée par la théorie néoclassique.

lutte pour le prestige, et non l'utilité, y occupe la place primordiale. Le principe du « gaspillage ostentatoire » peut conduire les acteurs à rechercher des biens n'ayant qu'une faible utilité, voire pas d'utilité du tout. Veblen prend l'exemple des modes vestimentaires dont il nous dit qu'elles cherchent à séduire « en affichant quelque utilité prétendue[1] », mais que ce n'est qu'un « simulacre[2] ». Cependant, il faut souligner que le prestige et l'utilité peuvent tout à fait aller de pair. Il n'y a pas lieu de les opposer radicalement. Il faut plutôt considérer les objets marchands comme mêlant ces deux logiques, mais sans jamais perdre de vue que la dimension « honorifique » ou mimétique reste, en dernière instance, celle qui l'emporte. D'ailleurs, Veblen en convient parfaitement. Ainsi, à propos de la propriété des personnes qu'on rencontre essentiellement dans les économies primitives, écrit-il : « Pour acquérir ces sortes de biens, les hommes ont été stimulés par 1° la tendance à dominer et à contraindre ; 2° l'utilité [de ces biens] comme témoignage de la vaillance de leur possesseur ; 3° l'utilité de leurs services[3]. » L'utilité en tant que telle[4] n'est donc

1. *Ibid.*, p. 116.

2. D'où une théorie étonnante des « modes changeantes ». Selon Veblen, c'est le dégoût pour ces simulacres qui nous conduit à les rejeter, mais au profit d'autres qui obéissent aux mêmes lois de la futilité. Il écrit : « Cette valeur pratique pour rien, cette feinte dont nul n'est dupe, cette foncière vanité imposent si platement à notre attention les détails innovés qu'ils nous deviennent insupportables et que nous courons nous réfugier dans un autre style : un autre style qui obéit, lui aussi, aux injonctions de la prodigalité et de la futilité honorables » (*ibid.*, p. 116).

3. *Ibid.*, p. 37.

4. L'utilité renvoie à deux types de jugement différents : celui, objectif, de l'analyste qui juge de l'extérieur si une marchandise est profitable à la vie des hommes et à leur bien-être ; et celui, tout différent, subjectif, du consommateur qui désire tel objet et, en vertu de ce désir, le juge utile pour lui. Pour le consommateur,

pas absente de l'analyse, même si elle n'apparaît qu'en troisième position après l'exercice brut de la domination et le désir d'ostentation. Ce rôle de l'utilité est présent pour toutes les marchandises : « L'élément honorifique et l'élément de pure et simple efficacité ne se séparent pas dans l'appréciation du consommateur. Ils se combinent en un agrégat d'utilité qui ne s'analyse pas[1]. » Ce point doit être souligné. À rebours de Veblen, il faut même considérer qu'existe naturellement une certaine affinité entre utilité et prestige. L'aisance, le confort, la facilité d'action que procurent les biens utiles à leur propriétaire sont des traits qui se proposent assez naturellement à la valorisation du prestige en ce qu'ils donnent à voir des individus actifs et efficaces, qualités qui vont souvent de pair avec la puissance. Certes, on ne peut aller trop loin dans cette direction, car le prestige n'a certainement pas la nature d'une substance qui pourrait trouver à être définie abstraitement par des caractéristiques définissables *ex ante*. Il existe assurément des écarts significatifs entre la logique du prestige et celle de l'utilité pure, mais

---

« peu importe le type de dépense choisi, peu importe la fin qui dicte ce choix ; c'est la préférence même qui fait l'utilité » (*ibid.*, p. 66). S'il préfère le gaspillage ostentatoire, on dira simplement qu'il y « trouve relativement plus d'utilité que dans des formes de consommation sans gaspillage ». Tel est le point de vue de Veblen. Walras ne dit pas autre chose lorsqu'il remarque qu'un objet désiré est, par définition, utile, quels que soient par ailleurs les motifs de ce désir. « Qu'une substance soit recherchée par un médecin pour guérir un malade, ou par un assassin pour empoisonner sa famille, c'est une question très importante à d'autres points de vue, mais tout à fait indifférente au nôtre. La substance est utile, dans les deux cas, et peut même l'être plus dans le second que dans le premier » (Léon Walras, *Éléments d'économie politique pure ou théorie de la richesse sociale*, *op. cit.*, p. 21). Dans cet ouvrage, selon le contexte, nous employons l'une ou l'autre de ces deux acceptions.

1. Thorstein Veblen, *Théorie de la classe de loisir*, *op. cit.*, p. 103.

peut-être sont-ils moins cruciaux et systématiques que ne le croit Veblen.

Pour terminer, venons-en à la question de la rareté elle-même. Sur ce point, le modèle de Veblen est très séduisant. Il comprend parfaitement que la rivalité est « le plus puissant, le plus constamment actif, le plus infatigable des moteurs de la vie économique[1] ». La tendance à l'émulation exerce une forte pression sur les individus, toujours renouvelée. Il en est ainsi parce que, à quelque niveau qu'on soit, on peut toujours souhaiter en avoir plus[2], contrairement à l'idée d'utilité marginale décroissante. Cela est particulièrement vrai pour des sociétés comme les sociétés marchandes, marquées par une forte indifférenciation des individus, et dans lesquelles la possession de richesses concentre tous les désirs de prestige. Telle est la source de l'énergie qui irrigue l'économie marchande. Celle-ci a focalisé la lutte sociale[3] sur la production des objets. Veblen donne une forte description de ce désir insatiable propre aux rivalités pécuniaires :

> « On aurait beau distribuer avec largesse, égalité, "justice", jamais aucun accroissement de la richesse sociale n'approcherait du point de rassasiement, tant il est vrai que le désir de tout un chacun est de l'emporter sur tous les autres par l'accumulation de biens. Si, comme on l'a

1. *Ibid.*, p. 74.

2. « Au fur et à mesure qu'une personne fait de nouvelles acquisitions et s'habitue au niveau de richesse qui vient d'en résulter, le dernier niveau cesse tout à coup d'offrir un surcroît de contentement. Dans tous les cas, la tendance est constante : faire du niveau pécuniaire actuel le point de départ d'un nouvel accroissement de la richesse ; lequel met à son tour l'individu à un autre niveau de suffisance, et le place à un nouveau degré de l'échelle pécuniaire s'il se compare à son prochain » (*ibid.*, p. 23).

3. Dans ce livre, nous ne tenons pas compte des rapports de production qui opposent salariés et propriétaires des moyens de production. Nous ne considérons l'économie que dans sa dimension marchande.

> parfois soutenu [les économistes], l'aiguillon de l'accumulation était le besoin de moyens de subsistance ou de confort physique, alors on pourrait concevoir que les progrès de l'industrie satisfassent peu ou prou les besoins économiques collectifs ; mais, du fait que la lutte est en réalité une course à l'estime, à la comparaison provocante, il n'est pas d'aboutissement possible[1]. »

En conséquence, Veblen comprend que la consommation ostentatoire, par nature, ne peut jamais être satisfaite. La rivalité impose le « toujours plus » au fondement de la logique marchande. Ce qui implique en particulier que la production ne rencontrera aucune limite du côté des besoins individuels. La productivité peut croître sans qu'il s'ensuive une quelconque saturation du désir d'objets. Il en est ainsi parce que les objets n'ont pas pour finalité de satisfaire des besoins mais de produire de la différenciation, tâche qui demande à être toujours recommencée, quel que soit le niveau de développement. Il faut ici citer longuement Veblen :

> « Le besoin d'étaler des dépenses se trouvera toujours à point nommé pour répondre aux accroissements de la production et du rendement, et absorber le surplus des marchandises, une fois satisfaits les besoins les plus élémentaires [...]. Le rendement va augmentant dans l'industrie, les moyens d'existence coûtent moins de travail, et pourtant les membres actifs de la société, loin de ralentir leur allure et de se laisser respirer, donnent plus d'efforts que jamais afin de parvenir à une plus haute dépense visible. La tension ne se relâche en rien, alors qu'un rendement supérieur n'aurait guère eu de peine à procurer le soulagement, si c'était là tout ce qu'on cherchait ; l'accroissement de la production et le besoin de consommer s'entre-provoquent ; or ce besoin est indéfiniment extensible[2]. »

---

1. *Ibid.*, p. 23.
2. *Ibid.*, p. 74.

L'esprit de cette analyse est très proche de celui de Sahlins cité précédemment, qui nous mettait en garde contre les « travaux forcés à perpétuité » auxquels les acteurs des sociétés marchandes se sont eux-mêmes condamnés. Constamment, nous dit Veblen, le désir d'être conduit les individus marchands à rechercher de nouveaux objets, perçus comme les garants d'une capacité supérieure de vie. C'est là une course sans fin dont la tension ne se relâche jamais. Il en est ainsi parce que, dans le monde marchand, l'accomplissement individuel repose entièrement sur l'aptitude à contrôler les objets, à les accumuler, à en posséder toujours plus, pour que l'acteur affirme ainsi sa puissance à l'égard des autres. En ce sens, la rareté est bien un rapport social. Il trouve son fondement dans la nature des liens interpersonnels que l'économie marchande produit et exacerbe, à savoir la rivalité mimétique. On retrouve ici une idée avancée par Paul Dumouchel : « Nulle quantité de biens et de ressources disponibles, nulle parcimonie de la nature ne définit la rareté. La rareté est construite dans le tissu des relations interpersonnelles [...]. La rareté n'existe pas ailleurs que dans le réseau d'échanges intersubjectifs qui l'a fait naître. La rareté est une organisation sociale, et rien d'autre[1]. » Il est clair que le rapport marchand ainsi compris avait pour destin d'entrer en contradiction violente avec les limites du monde physique.

Le modèle de concurrence mimétique

Le modèle de Veblen fournit des éléments de réflexion essentiels pour qui cherche à prendre ses distances à

1. Paul Dumouchel, *in* Paul Dumouchel et Jean-Pierre Dupuy (dir.), *L'Enfer des choses*, *op. cit.*, p. 164.

l'égard du modèle utilitaire. Il démontre que le rapport aux marchandises peut répondre à d'autres motivations que la seule quête d'utilité : en tant que biens prestigieux, les marchandises sont l'objet d'âpres rivalités. Cependant, la conception de Veblen reste inachevée dans la mesure où il ne définit le prestige que dans le contexte d'une société déjà hiérarchisée, une société dans laquelle chacun sait reconnaître, sans ambiguïté, à quelle classe il appartient et quelles classes lui sont supérieures et inférieures. Dans ce contexte qui est celui de la médiation externe, les biens prestigieux sont les biens consommés par les classes supérieures selon une logique d'imitation verticale qui fait de la classe la plus haut placée le modèle de référence. C'est elle qui détermine les normes générales du bon goût et qui fait connaître ce que sont les biens prestigieux. Cette stratégie d'analyse permet de nombreuses avancées intéressantes mais elle reste prisonnière d'un point de vue qui « réifie » le prestige en l'identifiant à une définition particulière, fixée une fois pour toutes par la classe dominante. Au regard de cette perspective, il n'est de mouvement que vertical, le long de l'échelle sociale, soit vers le haut, soit vers le bas. L'incomplétude de cette logique verticale apparaît nettement dans le fait qu'elle ne sait rien dire sur le comportement de la classe dominante elle-même : n'ayant pas de modèle à copier, elle échappe au modèle rivalitaire. Aussi, pour caractériser les goûts de la classe oisive, Veblen procède-t-il autrement. Il recourt à une explicitation socio-historique de ses habitudes de pensée qui mobilise la notion de culture prédatrice et invoque les forces d'une « tradition qui ne s'est jamais éteinte[1]. » L'argument de rivalité ne vaut que pour l'analyse de la consommation des classes inférieures. Pourtant, la classe dominante n'échappe pas à la rivalité. Faut-il alors considérer qu'elle-même se scinde en plusieurs sous-groupes

1. Thorstein Veblen, *Théorie de la classe de loisir*, *op. cit.*, p. 27.

rivaux, eux-mêmes hiérarchisés ? Faut-il, en conséquence, introduire l'hypothèse d'un sous-groupe qui dominerait les autres sous-groupes et qui donnerait le *la* en matière de consommation à toute la classe dominante ? Il en serait ainsi qu'on serait reconduit à la même question pour ce qui est des penchants de ce sous-groupe dominant. À l'évidence, cette stratégie d'analyse mène à une impasse. Une autre perspective doit être adoptée. Il faut abandonner le modèle vertical de Veblen qui atteint ici ses limites pour se poser une question entièrement nouvelle : qu'en est-il de la rivalité pour le prestige au sein d'un groupe horizontal, c'est-à-dire un groupe qui n'est pas déjà hiérarchisé ? Il s'agit de comprendre comment, dans un groupe d'égaux, se forment les règles du prestige. La question est difficile par le fait qu'il n'est plus possible, comme dans le modèle de Veblen, d'y fixer *a priori* le modèle à imiter et d'en déduire les règles du prestige à partir de l'analyse socio-historique des habitudes de celui-ci.

Pour répondre à ce nouveau défi, notre point de départ demeure l'hypothèse mimétique selon laquelle *est prestigieux aux yeux du sujet ce qui est désiré par le modèle*. Mais, désormais, le modèle n'est plus déterminé par le critère exogène de la supériorité sociale, comme chez Veblen. Désormais, n'importe qui, dans le groupe, peut prétendre au rôle de modèle. Ce faisant, on passe de la médiation externe à la médiation interne, du groupe vertical au groupe horizontal. Il s'ensuit une modification en profondeur de la logique collective. Parce que le modèle n'est plus exogène, son désir n'est plus défini *a priori* : comme celui du sujet, il se déduit de l'imitation d'un modèle. Telle est la complexité du modèle mimétique.

Dans le cadre de cette interaction, une première propriété s'impose qui va jouer par la suite un rôle central, à savoir la nature autoréférentielle du prestige au sens où l'objet prestigieux que tous recherchent peut être absolument n'importe lequel. Le prestige ne renvoie à aucune qualité substantielle particulière, définissable antérieurement aux relations interpersonnelles, mais simplement à la logique mimétique des désirs. Autrement dit, « l'objet devient la création du désir[1] ». Il émerge de l'interaction qui le façonne entièrement à son image. Pour le comprendre, examinons le cas des doubles mimétiques, à savoir deux individus A et B parfaitement symétriques, chacun prenant l'autre comme modèle. Dans une telle structure, chacun épie le comportement de l'autre pour découvrir où se cache le désirable. Supposons, dans un premier temps, que l'individu A, sans raison, fasse un mouvement et que ce mouvement sans intention soit interprété faussement par l'individu B comme ayant pour visée de saisir l'objet X. Dans ces conditions, en réponse à la convoitise supposée de l'individu A, l'individu B, par imitation, se mettra, dans un second temps, à désirer effectivement l'objet X en question. Or un tel désir désormais manifeste ne manquera pas, dans un troisième temps, d'affecter en retour l'individu A qui voudra également posséder l'objet X désigné par son modèle comme étant désirable. Puis, quatrième temps, ce désir chez l'individu A viendra confirmer l'interprétation initiale de l'individu B : l'individu A est bien attiré par l'objet X et l'objet X est bien désirable. *In fine*, cinquième temps, émerge une situation où les deux individus désirent le même objet X, et ceci indépendamment de ce qu'est effectivement l'objet X. La désirabilité de X s'impose comme le résultat de l'interaction, parce qu'il est l'objet des désirs conjoints des deux protagonistes. Il faut en conclure que l'objet X est une pure création de l'interaction mimétique. « Chacun contemple la preuve absolue de la réalité et de la valeur de l'objet dans le désir de l'Autre[2]. » Le bien prestigieux a une nature purement auto-

1. Jean-Pierre Dupuy, *in* Paul Dumouchel et Jean-Pierre Dupuy (dir.), *L'Enfer des choses*, *op. cit.*, p. 74.
2. *Ibid.*, p. 70.

référentielle conforme à ce modèle : peu importe ce qu'il est réellement, ce qui compte est le fait d'être considéré par tous comme prestigieux et désiré comme tel. Comme l'objet X dans notre exemple, le bien prestigieux est une invention de l'interaction mimétique. Si chacun désire selon le désir de l'autre, n'importe quel objet est à même de les satisfaire dès lors que ce désir est partagé. Le fait même d'être partagé assure la désirabilité de l'objet considéré.

Une deuxième propriété essentielle de la dynamique mimétique découle directement de nos hypothèses : plus un objet est désiré par les autres, plus la rivalité à son endroit est forte, plus il est désirable. Aussi, dans un monde régi par le mimétisme, la rivalité s'impose-t-elle comme un marqueur de la valeur des choses. On a déjà rencontré cette propriété très paradoxale au chapitre précédent. Nous la rencontrerons encore. Elle joue un rôle crucial par le fait qu'elle introduit une profonde instabilité dans la logique concurrentielle. Contrairement aux désirs structurés par l'utilité, encore appelés besoins, le désir mimétique est créateur de rétroactions positives, ce qui peut le rendre terriblement déstabilisant et destructeur. Il peut conduire à un emballement mimétique, ayant pour apothéose l'unanimité de tous. Autrement dit, la logique du désir mimétique conduit à une valorisation paradoxale de l'obstacle pour lui-même : « [Le sujet] choisira donc ses modèles sur la base non de leurs qualités positives, mais de leur inaccessibilité. Le désir mimétique commence par transformer les modèles en obstacles, il finit en transformant les obstacles en modèles[1]. » Quelques auteurs ont exploré cette perspective d'analyse qui établit une dépendance positive entre désir et obstacle. C'est le cas en particulier de Georg Simmel qui en fait le fondement de sa théorie du désir : « Loin qu'il soit difficile d'obtenir les choses pour la raison qu'elles sont précieuses, nous appelons

1. *Ibid.*, p. 95.

précieuses celles qui font obstacle à notre désir de les obtenir. Le désir venant se briser ou se bloquer dessus, elles y gagnent une signification que jamais une volonté sans entrave n'aurait été incitée à leur reconnaître[1]. » En conséquence, il faut inverser la causalité des économistes qui faisaient de la rareté le point d'origine de la rivalité. S'il en était ainsi, une production plus grande diminuerait la rareté et atténuerait la rivalité. Comme on l'a vu, il n'en est rien. C'est bien la rivalité qui est première et c'est elle qui est au fondement de la rareté pensée comme rapport social. La rivalité recherche la rareté pour en faire un instrument de puissance. « C'est un progrès décisif par rapport à toute pensée économique que de faire de la rareté un fruit de la rivalité, et non de la rivalité un produit de la rareté[2]. » Il s'agit constamment de susciter de nouveaux désirs sur de nouveaux objets. L'hypothèse mimétique nous conduit directement au cœur de la rareté ; elle en explicite le principe bien mieux que la conception marginaliste.

Il découle de cette analyse que, dans un monde d'égaux en lutte pour le prestige, chacun est à l'affût des désirs de l'autre afin de découvrir les objets producteurs d'influence et de prestige. Comme l'illustrent les phénomènes de mode, n'importe quelle différence objectivement insignifiante peut se trouver soudainement investie, par la logique du mimétisme, d'une importance considérable. De même, les stratégies de distinction étudiées par les analystes du snobisme ont cette particularité de sans cesse faire émerger de nouvelles différenciations sur lesquelles convergent toutes les convoitises[3]. Plus généralement, le

1. Georg Simmel, *Philosophie de l'argent*, *op. cit.*, p. 32.

2. Jean-Pierre Dupuy, *in* Paul Dumouchel et Jean-Pierre Dupuy (dir.), *L'Enfer des choses*, *op. cit.*, p. 42.

3. « La nature de l'honneur est de demander des préférences et des distinctions », Montesquieu, *De l'esprit des lois*, livre III, chapitre VII (Paris, Classiques Garnier, 2011).

monde de la rivalité mimétique est un monde soumis à de perpétuelles innovations ayant pour finalité de se différencier des autres en modifiant les règles du prestige à son propre profit. De ce point de vue, le modèle mimétique se distingue du modèle walrassien par le fait qu'il traite d'une valeur qui ne s'est pas encore fixée, une valeur en gestation. Les rétroactions positives expriment cette dynamique de la valeur en procès. Dans le modèle walrassien, au contraire, la valeur est donnée dès l'origine dans les jugements personnels d'utilité ; elle préexiste aux interactions qui n'ont pour finalité que de la faire connaître. Le modèle mimétique cherche à rendre intelligible la lutte continuelle dont la valeur est l'objet. Il s'agit de décrire un monde de valeurs d'usage en perpétuel réaménagement sous l'impulsion des rivalités mimétiques.

Notons qu'on trouve, chez certains économistes spécialisés dans l'étude de la concurrence, des réflexions qui délaissent une stricte optique walrassienne pour s'intéresser aux stratégies de différenciation des produits. C'est le cas d'Edward Chamberlin. Son concept de « concurrence monopolistique » a pour point de départ une observation banale : il est dans l'intérêt du vendeur de différencier son produit afin d'être le seul à le proposer. De cette manière, « chaque vendeur a le monopole absolu de son produit[1] ». La création de « marques » est le moyen par excellence qu'utilisent les producteurs à cette fin. Pour autant, l'invention de marques ne supprime pas le jeu des forces concurrentielles car le vendeur reste « soumis à la concurrence des produits de substitution[2] » :

---

1. Edward Chamberlin, *La Théorie de la concurrence monopolistique. Une nouvelle orientation de la théorie de la valeur*, Paris, PUF, 1953, p. 7.

2. *Ibid.*, p. 7.

> « Le propriétaire d'une marque de fabrique ne possède évidemment pas un monopole ou un degré quelconque de monopole sur le domaine plus vaste où cette marque est en concurrence avec d'autres. Un monopole de "Lucky Strike" ne constitue pas un monopole des cigarettes, car il n'y a aucun degré de contrôle de l'offre des autres marques substituables[1]. »

Le recours à une marque vise à créer du prestige susceptible d'attirer les désirs des consommateurs. Chamberlin souligne « la valeur considérable de prestige de noms tels que : "Ivory", "Kodak", "Uneeda", "Coca-Cola", "Old Dutch" pour n'en citer que quelques-uns[2] ». Cette citation qui date de 1933 montre que certaines marques peuvent avoir une durée de vie extrêmement longue. Pour créer une marque, le vendeur utilise massivement la publicité. Celle-ci est, en son essence, de nature mimétique. Elle joue principalement sur la force irrépressible de l'envie : « L'envie pour l'autre *précède* et *détermine* le désir objectal, elle ne le suit pas[3]. » La présence de ces marques nous confronte à un phénomène nouveau, à savoir l'aptitude de certains à capter le désir mimétique[4] à leur profit. L'offreur qui a vu les désirs d'une partie des consommateurs converger mimétiquement sur son produit cherche, au travers de la création d'une marque, à pérenniser cette situation et à s'en rendre maître. Il s'agit d'instituer la marque comme attestant ce qu'il est convenable de consommer. Réussir une telle métamorphose constitue

1. *Ibid.*, p. 71.
2. *Ibid.*, p. 67.
3. Jean-Pierre Dupuy, *in* Paul Dumouchel et Jean-Pierre Dupuy (dir.), *L'Enfer des choses*, *op. cit.*, p. 47.
4. Sur la notion de capture du désir, se reporter à Frédéric Lordon, *Capitalisme, Désir et Servitude. Marx et Spinoza*, Paris, La Fabrique Éditions, 2010.

pour ceux qui y parviennent un formidable atout dans les rivalités concurrentielles. En assurant la perpétuation de la désirabilité de leur bien, les voilà qui échappent, pour un temps, aux incertitudes des luttes mimétiques. Cependant, comme le voit bien Chamberlin, cette situation ne saurait jamais être acquise pour toujours. Constamment, des concurrents offrent de nouveaux produits susceptibles de remettre en cause le statut acquis en produisant de nouveaux désirs et de nouvelles marques. Il s'ensuit une répartition constamment mouvante des désirs sans que jamais les rivalités ne s'éteignent.

Retour sur la valeur

Après les chapitres I et II consacrés à la critique des théories de la valeur, le présent chapitre s'est engagé dans une voie nouvelle, celle de la construction d'une conception économique alternative, libérée de l'hypothèse substantielle. Il s'est agi, dans un premier temps, de mettre en doute l'évidence d'un monde d'objets utilitaires à la disposition des individus. Pour ce faire, nous avons considéré que les individus marchands ne sont plus clos sur eux-mêmes, à la manière de l'*Homo œconomicus*, mais en rivalité avec les autres. Ils appartiennent à un groupe et cherchent, par l'achat des valeurs d'usage, à accroître leur prestige, c'est-à-dire leur puissance. Cette hypothèse transforme en profondeur notre compréhension du rapport aux marchandises. En plaçant la lutte pour le prestige au cœur des stratégies de consommation, cette interprétation nous conduit à considérer la possibilité d'une dynamique endogène de différenciation des valeurs d'usage, sans cesse renouvelée au fur et à mesure que les distinctions antérieures se révèlent obsolètes. Parce que ce processus repose sur des préférences endogènes, fonction des interactions mimétiques, il nous a été possible d'expliquer le phénomène d'une rareté perpétuelle, nécessitant de la part des acteurs une tension constante, un effort sans relâche dirigé vers l'acquisition de nouveaux signes de distinction. C'est à ce prix que les acteurs marchands se maintiennent dans l'échelle sociale.

Nous avons construit cette analyse sur la base d'un modèle dans lequel tous les acteurs se déterminent mimétiquement dans le cadre de relations strictement horizontales. Autrement dit, il n'y existe aucune puissance déjà constituée qui viendrait distordre l'isotropie des interactions. Seule la médiation interne y est prise en compte. Aucune différenciation sociale, qui viendrait fournir aux acteurs des repères exogènes, n'y est présente. Un tel modèle ne saurait se comprendre comme une description de ce qui est. En effet, par nature, la réalité sociale est faite de puissances, d'institutions, de références qui affectent fortement les acteurs dans leurs choix. Ce modèle est cependant très utile en tant qu'idéaltype permettant de dégager les propriétés générales du mécanisme imitatif. C'est ainsi qu'il faut l'utiliser, comme une abstraction qui nous a permis de comprendre la quête de différenciation des acteurs, d'autant plus forte que l'économie est faite d'égaux.

Pour aller plus loin dans l'analyse de la rareté, il est nécessaire d'introduire le rôle des institutions, ces puissances capables de produire des différenciations pérennes qui structurent le mimétisme, à la manière des marques ou des normes de consommation. C'est par elles qu'on peut rendre compte du passage de la médiation interne à la médiation externe. Tout au long du présent chapitre, c'est principalement la question de l'utilité qui a retenu plus particulièrement notre attention. L'utilité est l'institution néoclassique par excellence en ce qu'elle transforme en profondeur le rapport des individus aux marchandises. Par le biais de l'utilité s'institue une relation aux biens caractérisée par des rétroactions négatives (*negative feedbacks*), autrement dit apte à éviter les emballements mimétiques. Cette stabilité a pour fondement le fameux principe de l'utilité marginale décroissante qui nous dit que le désir d'objet diminue au fur et à mesure que croît la quantité acquise, ce qui assure à terme sa saturation. Cette hypothèse, dite de convexité des choix, est très largement retenue par la théorie néoclassique. Elle décrit un mécanisme important de stabilisation des comportements de consommation. Soulignons à nouveau que l'hypothèse de l'utilité et l'hypothèse mimétique ne sont, à nos yeux, nullement contradictoires. La recherche d'utilité ne signifie en rien une disparition du mimétisme mais simplement le fait qu'un certain modèle de consommation a acquis la force d'une norme. Aussi, désormais, est-ce elle qui indique aux acteurs quels biens il importe d'acquérir pour affirmer sa qualité sociale au regard de tous. Autrement dit, la motivation honorifique et la motivation utilitaire peuvent parfaitement aller de pair : le prestige peut s'investir dans l'utilité. Veblen néglige ce fait parce qu'il défend une conception étroite du prestige qu'il identifie unilatéralement à ce que la « culture prédatrice[1] » définit comme tel. Cette réification du prestige lui fait passer à côté de la nature essentiellement mimétique et changeante du prestige, ce qui veut dire avant tout contingente aux intérêts qui, à un moment donné, ont été en mesure de capter les désirs individuels. Ce faisant, il oublie une de ses leçons les plus essentielles : ce sont les intérêts dominants qui déterminent ce qui est digne, honorable, noble[2]. N'est-ce pas lui qui écrit : « Dans les faits qui

1. Dans son introduction à la *Théorie de la classe de loisir*, Raymond Aron note que, chez Veblen, la rivalité jalouse « exprime un penchant de l'homme occidental tel que l'ont fait des millénaires d'histoire, tel que le refont chaque jour les institutions chargées des manifestations symboliques des instincts prédateurs » (Thorstein Veblen, *Théorie de la classe de loisir*, *op. cit.*, p. XXXIII).

2. « Un acte honorifique, à y bien regarder, n'est pas grand-chose, ni même rien d'autre qu'un acte d'agression reconnu victorieux ; et

sont à notre portée, les traits qui ressortent, qui prennent de la réalité, sont ceux qu'éclaire l'intérêt dominant de l'époque. N'importe quelle base de distinction peut paraître irréelle à qui envisage ordinairement les faits d'un autre point de vue et les valorise pour d'autres fins[1]. » On ne saurait mieux exprimer la contingence de l'évaluation : derrière les normes du prestige et de la reconnaissance sociale, il y a des intérêts et des puissances capables de faire entendre ces intérêts en captant le désir d'autrui. Il importe maintenant d'aborder le cœur de notre analyse : le fait monétaire.

---

quand l'agression signifie conflit avec hommes et bêtes, l'activité honorifique, c'est surtout, c'est essentiellement la manière forte » (*ibid.*, p. 14).

1. *Ibid.*, p. 8.

Deuxième partie

L'INSTITUTION DE LA VALEUR

Chapitre IV
La monnaie

Par quel mécanisme l'ordre marchand accède-t-il à l'existence ? Telle est la question centrale à laquelle est confrontée la théorie économique. On en a déjà souligné toute la complexité. Dans une économie fondée sur la séparation marchande, c'est-à-dire sur l'autonomie des décisions privées de production et d'échange, comment est-il possible de rendre les actions des uns et des autres cohérentes ? Quel sens faut-il même donner à la notion de cohérence ? Il nous appartient maintenant de répondre à ces questions. La théorie économique néoclassique doit pour une large part sa réputation à la qualité des réponses qu'elle a apportées à ces mêmes questions. Ces réponses ont pour point de départ des individus en quête d'objets utiles. Dans un tel cadre, c'est par le biais de la notion clef d'équilibre que la théorie économique néoclassique rend compte de la formation de l'ordre marchand, à savoir l'existence d'un vecteur de prix tel que les désirs d'objets de tous les acteurs soient rendus compatibles : aux prix d'équilibre, la satisfaction de chaque agent est à son maximum[1] et l'offre est égale à la demande pour chaque bien. Rappelons que, dans la conception walrassienne de la concurrence, les acteurs sont preneurs de prix, ce par quoi il faut entendre qu'ils acceptent l'autorité du secrétaire

1. S'il s'agit d'un consommateur, sa satisfaction est mesurée par son utilité ; s'il s'agit d'un producteur, par son profit.

de marché dans la fixation de ceux-ci sans qu'eux-mêmes interviennent. Tous souhaiteraient que les prix des biens qu'ils achètent soient plus faibles et que ceux des biens qu'ils vendent soient plus élevés. Mais les prix échappent à leur juridiction. C'est le marché qui décide. À partir de ces présupposés, les théoriciens de l'équilibre général ont démontré que les intérêts privés pouvaient être rendus compatibles. La démonstration de ces résultats constitue une réussite remarquable : « L'idée selon laquelle un système social mû par des actions indépendantes en quête de valeurs distinctes connaît un état d'équilibre cohérent [...] est assurément la contribution intellectuelle la plus importante faite par la pensée économique à la compréhension générale des processus sociaux[1]. »

Les chapitres précédents se sont efforcés de rendre ce résultat moins étonnant en faisant apparaître en pleine lumière les puissantes institutions « cachées » sur lesquelles il repose, en premier lieu l'institution d'un rapport aux marchandises strictement utilitaire. Mais une autre institution doit maintenant être considérée avec attention : la centralisation du lien marchand autour du secrétaire de marché. En effet, rappelons que l'ordre marchand, tel que l'équilibre général nous le donne à comprendre, suppose l'action *simultanée* de tous les acteurs sous l'égide d'un mécanisme unique intégrant tous les marchés de biens. Ce cadre théorique interdit les actions isolées, circonscrites à certains marchés. Dans le chapitre I, le terme de « conception totalisante » a été proposé pour qualifier cette démarche si particulière : le secrétaire walrassien totalise en un lieu unique toutes les décisions à partir desquelles il produit une cohérence globale, qui appréhende simultanément tous les acteurs et tous les

1. Kenneth J. Arrow et Frank Hahn, *General Competitive Analysis,* San Francisco, Holden-Day, 1972 (cité chez Franz Hahn, *Equilibrium and Macroeconomics*, *op. cit.*, p. 64).

marchés. Cette manière de concevoir la régulation marchande s'oppose au sens commun qui *a contrario* voit la spécificité de l'ordre marchand dans son aptitude à autoriser des actions locales, sans concertation préalable avec autrui, ce par quoi les idées même d'autonomie individuelle et de séparation marchande prennent tout leur sens. C'est précisément sa capacité à accepter des stratégies innovantes, en rupture avec les comportements passés, sans crise majeure, même si ces innovations provoquent temporairement des déséquilibres, qui fait toute la puissance du rapport marchand, ce qu'on nomme généralement sa flexibilité. Certes, cette propriété est insuffisante pour caractériser à elle seule l'ordre marchand. Il faut lui ajouter l'existence de mécanismes de rééquilibrage faisant en sorte que ces déséquilibres locaux se résorbent et ne dégénèrent pas en une crise globale. Mais c'est bien dans l'articulation de ces deux processus que doit être cherchée la vérité de l'ordre marchand : liberté *ex ante* et équilibrage *ex post*. Sur ce point, la théorie néoclassique a échoué. Son cadre théorique ne lui a pas permis de produire une analyse satisfaisante des situations hors équilibre, ce qu'on appelle la question de la stabilité[1]. À notre sens, cette limite n'est pas due à une insuffisante habileté des économistes, mais à une faille conceptuelle fondamentale : l'exclusion de la monnaie. Pour les acteurs néoclassiques, la société n'a qu'un seul visage, celui des prix que le secrétaire de marché crie à tous les acteurs simultanément. C'est par leur intermédiaire exclusivement qu'ils font l'expérience de leur appartenance au groupe marchand. C'est sous l'égide du secrétaire de marché que se construit l'accord universel des individus, à partir de quoi l'existence sociale de chacun se trouve reconnue. À notre sens, cette vision hypercentralisée ne rend

1. Pour le traitement complet de cette question, se reporter au chapitre II.

pas compte de ce qu'est une économie marchande. Elle a d'ailleurs fait l'objet de nombreuses critiques[1]. Pour le dire schématiquement, la conception alternative que nous défendons substitue la monnaie au secrétaire de marché : ce qui rend socialement valide une action n'est pas sa compatibilité avec l'équilibre général calculé par le secrétaire de marché, mais l'utilisation de la monnaie. Il s'ensuit la possibilité d'une véritable décentralisation : chacun peut agir de manière individuelle, sans l'accord préalable des autres sociétaires, pour autant qu'il possède les moyens de paiement lui permettant de financer sa stratégie. Dans un tel cadre, l'existence d'actions localisées ne soulève aucune difficulté. Le rôle des marchés et de la concurrence est conservé mais comme un mécanisme de validation *ex post* permettant ou non la résorption des déséquilibres. En conséquence, la concurrence y apparaît comme un problème distinct de celui de la valeur. Dans le cadre de l'équilibre général, l'action d'un individu requiert impérativement la validation du secrétaire de marché. Dans la réalité, la monnaie y suffit. Examinons ces points.

Monnaie *versus* valeur : les éléments d'un débat

Dans notre approche, le rapport aux marchandises est toujours un rapport monétaire, suivant la très classique formule de Marx : M – A, où M représente la marchandise et A, l'argent. Ce qui revient à dire que, dans ce cadre théorique, la monnaie s'impose comme l'institu-

1. Au sein d'une littérature critique très vaste, signalons Philippe de Villé (« Comportements concurrentiels et équilibre général : de la nécessité des institutions », *Économie appliquée*, tome XLIII, n° 3, 1990, p. 9-34) sur la comparaison entre le secrétaire de marché et le Léviathan de Thomas Hobbes.

tion première des économies marchandes. *La monnaie fonde l'économie marchande*. Pour qu'un achat ait lieu, il faut et il suffit que l'acheteur possède la quantité de monnaie adéquate. Si les deux protagonistes en sont d'accord, la transaction se réalisera même si elle se fait à un prix distinct du prix d'équilibre walrassien. En conséquence, contrairement au modèle walrassien, il n'est pas nécessaire pour agir que l'action individuelle rencontre l'accord universel des sociétaires validé par le secrétaire de marché. Le sceau de la monnaie suffit à valider une action. Il s'ensuit, pour celui qui la possède en quantité suffisante, une très large autonomie stratégique. En ce sens, dans le cadre théorique qui est proposé, monnaie et séparation marchande se trouvent indissolublement liées.

Parce que les actions monétaires ne supposent pas l'équilibre, les échanges de biens réalisés ne se compensent pas nécessairement, au sens où, pour chaque agent, les achats de biens ne sont pas égaux en valeur aux ventes de biens. Ce déséquilibre se traduit par le fait que certains agents vont obtenir un supplément de monnaie alors que d'autres puiseront dans leurs avoirs monétaires. Par exemple, lorsque l'individu *1* achète à l'individu 2 un bien *a* au prix p_a, il dépense p_a alors que l'individu 2 obtient p_a. Cette situation trouve dans les comptes des agents sa pleine expression : l'individu *1* subit un déficit de valeur p_a alors que l'individu 2 connaît un excédent de même montant. Dans une économie monétaire simplifiée, sans financement, le déficit équivaut à une sortie de monnaie, encore appelée décaissement, et l'excédent, à une entrée de monnaie, encore appelée encaissement. Par convention, nous écrirons positivement les encaissements et négativement les décaissements, à savoir :

Dans une telle économie, toute action se traduit par des mouvements de monnaie, encaissements et décaissements, dont la somme est nécessairement nulle. Pour les échanges correspondant à l'équilibre général, il s'ajoute, en outre, que chaque compte individuel est équilibré, puisque chaque agent achète autant qu'il vend. En conséquence, tous les soldes monétaires sont nuls[1].

Il semble qu'avec de telles hypothèses l'économie se trouve remise à l'endroit. L'analyse devient beaucoup plus aisée et « naturelle ». Qu'est-ce qu'une économie marchande ? C'est une économie dans laquelle les acteurs sont à la recherche de monnaie. Pourquoi ? Parce que la monnaie est l'instrument par excellence de la puissance marchande en tant qu'elle ouvre l'accès à toutes les marchandises. Autrement dit, le monde marchand possède un « désir-maître[2] », le désir d'argent, qui englobe tous les autres désirs. La fascination pour l'argent est au fondement de toutes les économies marchandes. Elle en est l'énergie primordiale, jamais épuisée. À l'évidence, avancer une telle proposition n'a rien de révolutionnaire. Elle ne surprendra personne. Aucun fait social n'est sans doute mieux établi que l'illimitation du désir que la monnaie suscite. La voie qui mène à l'intelligibilité de la réalité économique doit, selon nous, prendre, pour point de départ, la reconnaissance de cette réalité : l'attrait absolu qu'exerce la monnaie. En cela, la présente analyse se distingue radicalement des

1. Inversement, il ne suffit pas que tous les soldes individuels soient nuls pour avoir l'équilibre général !

2. Frédéric Lordon, *Capitalisme, Désir et Servitude, op. cit.*, p. 20.

théories de la valeur. Pour les théoriciens de la valeur, ce qui est premier est le désir pour les objets. La valeur, selon eux, est intrinsèque aux objets rares, à savoir les objets utiles et dont la quantité est limitée. C'est le point de départ de Walras. La monnaie n'apparaît que dans un second temps, comme un instrument facilitant l'accès aux marchandises, raison pour laquelle cette conception de la monnaie sera dite « instrumentale ». Dans notre cadre d'analyse, les acteurs désirent d'abord de la monnaie et, pour l'obtenir, se font producteurs ou commerçants. La logique est inversée : le développement de la production marchande n'est que la conséquence de la quête monétaire.

Cette présentation rapide démontre à nouveau la place qu'occupent les questions liées du désir et de l'intérêt dans ces réflexions. Elles sont au cœur du débat qui oppose approches par la valeur et approches par la monnaie. Du côté de la théorie néoclassique prévaut une conception étroite de l'intérêt individuel identifié strictement à l'acquisition de choses utiles. La richesse y est toujours réelle, faite de marchandises. Sur de telles bases, comment pourrait-on vouloir de la monnaie ? Comment expliquer qu'on puisse échanger un bien utile contre un disque de métal sans utilité ? Cela défie le bon sens utilitariste. La réponse apportée massivement par la théorie économique néoclassique consiste à accepter la monnaie mais en la limitant strictement à son rôle d'intermédiaire des échanges. Telle est la place, et la seule place, qui lui est dévolue dans l'édifice néoclassique. Elle n'est admise qu'en tant qu'elle permet l'obtention de biens utiles. Dans ce cadre conceptuel, le désir que suscite la monnaie pour elle-même se trouve entièrement banni, car, aux yeux de la rationalité utilitariste, il s'analyse au mieux comme une anomalie, au pis comme une monstruosité. Dans tous les cas, il doit être combattu. Pour décrire l'attitude des économistes à son égard, le qualificatif le plus adéquat

est celui de « voltairien », que propose François Simiand[1], au sens où il s'agit de dénoncer une croyance idolâtre, sans fondement. La monnaie y est pensée à la manière d'une fausse idole dont le rationaliste a pour mission de dévoiler toute la perversion. Parce que contraire à la nature humaine, le désir de monnaie pousse les hommes à des comportements aberrants. Ce thème est déjà présent chez Aristote dans sa critique de la mauvaise chrématistique qui corrompt l'ordre social. Cette conception a été également présentée avec beaucoup de brio par Keynes dans un texte édité en 1930, intitulé en français « Perspectives économiques pour nos petits-enfants ». Anticipant sur des temps d'abondance dont il prophétise l'arrivée dans plus d'un siècle, Keynes écrit :

> « L'amour de l'argent comme objet de possession, qu'il faut distinguer de l'amour de l'argent pour se procurer les plaisirs et réalités de la vie, sera reconnu pour ce qu'il est : un état morbide plutôt répugnant, l'une de ces inclinaisons à demi criminelles et à demi pathologiques dont on confie le soin en frissonnant aux spécialistes des maladies mentales[2]. »

Dans cette analyse se trouve exprimé avec force et clarté le point de vue de la morale utilitariste : la quête de monnaie pour elle-même relève de l'aberration mentale. Cependant, s'il partage ce diagnostic fondamental, Keynes se sépare de la pensée économique dominante en ce que, pour autant, il ne cherche pas à en nier la

---

1. François Simiand (dans « La monnaie réalité sociale », *Annales sociologiques*, série D, fascicule 1, 1934) considère trois stades de la connaissance : le premier stade est celui de la croyance simple, le second est le stade « voltairien » de critique de la superstition et le troisième reconnaît le rôle positif des croyances (*cf.* p. 228).

2. John Maynard Keynes, « Perspectives économiques pour nos petits-enfants », in *Essais sur la monnaie et l'économie*, Paris, Payot, 1978, p. 138.

réalité. Même s'il juge ce penchant « dégoûtant », il lui faut faire avec. À ses yeux, ce comportement, à l'instar d'autres tout aussi problématiques comme « l'avarice, l'usure et la prudence », trouve son origine dans les dures contraintes que la rareté fait subir aux hommes. Lorsque l'humanité atteindra « l'âge d'abondance et de l'oisiveté », ces comportements disparaîtront. En ce sens, ces comportements peuvent être dits rationnels mais d'une rationalité contingente à un certain état économique dans lequel les besoins fondamentaux ne sont pas encore satisfaits :

> « Nous maintenons à tout prix actuellement [toutes sortes d'usages sociaux et de pratiques économiques touchant à la répartition de la richesse et des récompenses et pénalités économiques], malgré leur caractère intrinsèquement dégoûtant et injuste parce qu'ils jouent un rôle énorme dans l'accumulation du capital [...]. Pendant au moins un siècle de plus, il nous faudra faire croire à tout un chacun et à nous-mêmes que la loyauté est infâme et l'infamie loyale, car l'infamie est utile et la loyauté ne l'est point. Avarice, Usure et Prudence devront rester nos divinités pour un petit moment encore. Car elles seules sont capables de nous faire sortir du tunnel de la nécessité économique pour nous mener à la lumière du jour[1]. »

Cette attitude est propre à l'analyse keynésienne et en illustre bien l'ambivalence. En tant que libéral, Keynes adhère aux analyses utilitaristes qui voient dans le désir d'argent pour l'argent une aberration, mais ce rejet moral, voltairien, ne le conduit pas à en contester l'existence lorsqu'il s'agit pour lui de comprendre l'économie de son temps. Le scientifique ne doit-il pas considérer les choses telles qu'elles sont et non pas telles qu'il voudrait qu'elles soient ? De ce point de vue, moins compréhensible est l'attitude néoclassique qui refuse d'admettre, dans ses

1. *Ibid.*, p. 138-140.

modèles, la réalité du désir d'argent pour lui-même. Ce refus illustre bien la spécificité de son épistémologie qui n'a pas pour but premier de comprendre le monde tel qu'il est, à la manière des sciences expérimentales, mais qui, bien plus, cherche à le rectifier pour le reconstruire conforme à son concept.

Pour notre part, confrontés au choix radical d'une approche par la valeur ou d'une approche par la monnaie[1], nous suivrons cette dernière, mais en refusant de considérer l'attraction que la monnaie exerce sur les esprits comme relevant de l'aberration mentale. Tout au contraire, nous nous efforcerons de démontrer qu'elle est pleinement rationnelle pour peu qu'on retienne un cadre conceptuel adapté. C'est le concept d'élection mimétique qui sera alors mobilisé.

Genèse conceptuelle de la monnaie

Dans le monde de la séparation marchande, une question clef taraude les producteurs-échangistes, celle de leur accès aux marchandises. Plus celui-ci est large, plus leur contrôle sur les autres est important, et plus leur capacité d'action est grande. En ce sens très fondamental, la puissance marchande, en tant qu'elle vise à s'aménager le plus large accès aux objets par l'échange, se définit comme un *pouvoir* d'achat. Ceci vaut pour tous, du plus humble qui lutte pour sa survie au plus fort qui cherche à étendre sa domination. Il s'agit toujours de faire reconnaître ses droits sur les marchandises : le droit de les acquérir. Or ce pouvoir d'achat est un pouvoir d'une nature très particulière car, pour obtenir les marchandises des autres,

1. Jean Cartelier analyse bien ce choix dans son article justement intitulé : « Théorie de la valeur ou hétérodoxie monétaire : les termes d'un choix » (*Économie appliquée*, tome XXXVIII, n° 1, 1985).

il faut impérativement en contrepartie leur proposer des objets qu'ils désirent. Cette configuration est d'autant plus complexe que ces « ils » qui désirent, dans une économie développée, peuvent être absolument quiconque. En conséquence, le pouvoir d'achat suppose une capacité d'échanger à tout instant avec des producteurs-échangistes inconnus, anonymes, dont on ignore les goûts spécifiques. Tel est le problème que rencontre, dès ses premiers pas, l'acteur marchand s'il veut simplement exister. Il revient à Adam Smith d'en avoir fait la description la plus claire :

> « Tout homme prudent, après le premier établissement de la division du travail, a dû naturellement s'efforcer de gérer ses affaires de façon à avoir par-devers lui, en plus du produit particulier de sa propre industrie, une quantité d'une certaine denrée ou d'une autre, qu'il a imaginé ne pouvoir être refusée que par peu de gens en échange du produit de sa propre industrie[1]. »

Il s'agit pour chaque homme prudent, nous dit Smith, de se demander quels biens seront acceptés par le plus grand nombre en échange de leur production, afin de les stocker en vue de prochaines transactions. Cela est affaire d'anticipation et d'imagination. Chaque individu doit s'interroger sur les biens susceptibles d'être désirés par les autres, pour autant qu'il puisse le prévoir. Le terme qu'utilisent généralement les économistes pour désigner cette aptitude à être acceptée dans l'échange est la « liquidité ». Pour cette raison, nous proposons de nommer « biens liquides » ou « liquidités », les biens en question, à savoir ceux qui confèrent un certain pouvoir d'achat parce qu'ils sont acceptés par les autres dans l'échange[2].

---

1. Adam Smith, *Enquête sur la nature et les causes de la richesse des nations*, *op. cit.*, p. 22 (la traduction a été légèrement modifiée).

2. Notons que d'autres termes auraient pu être choisis. Dans les ouvrages publiés précédents (Michel Aglietta et André Orléan,

Ne pas se tromper quant à la nature des biens liquides est essentiel pour tous les acteurs marchands, car ne pas retenir la bonne définition de la liquidité, c'est se retrouver avec une puissance d'achat notablement amoindrie. En effet, les droits que l'individu possède sur la société, ou qu'il croit posséder, ne sont validés socialement que s'ils prennent la forme de biens liquides. Pensons à un acheteur qui viendrait chez un vendeur avec, non pas de l'or ou des billets, mais des « appareils d'astronomie, des préparations anatomiques, des écrits en sanscrit », ou encore des « instruments chirurgicaux », pour reprendre les exemples proposés par Carl Menger[1]. Il aurait quelques difficultés à obtenir ce qu'il désire et subirait des pertes importantes. En conséquence, la question posée à chacun est de savoir ce qu'il lui faut retenir comme définition de la liquidité pour éviter de telles pertes.

La structure des interactions que suscite la liquidité est d'une nature typiquement mimétique puisque le désir de chacun à l'égard des biens liquides se règle sur le désir éprouvé par les autres pour ces mêmes biens. Comme pour le prestige, on peut écrire : *Est liquide pour un individu ce que les autres considèrent comme liquide et désirent*

La Monnaie entre violence et confiance, Paris, Odile Jacob, 2002, Frédéric Lordon et André Orléan, « Genèse de l'État et genèse de la monnaie : le modèle de la *potentia multitudinis* », *in* Yves Citton et Frédéric Lordon (dir.), *Spinoza et les Sciences sociales. De la puissance de la multitude à l'économie des affects*, Paris, Éditions Amsterdam, 2008, ou encore André Orléan, « La sociologie économique de la monnaie », *in* François Vatin et Philippe Steiner (dir.), *Traité de sociologie économique*, Paris, PUF, 2009), c'est celui de « richesse », ou de « biens-richesse », que nous avions retenu. Mais le terme de « monnaie partielle », ou de « monnaie privée », aurait également pu être retenu. Cette indétermination vient du fait que ces objets sont tout à la fois des liquidités, des richesses et des monnaies.

1. Dans Carl Menger, « On the Origin of Money », art. cit., p. 244 et 251.

comme tel. En conséquence, comme pour le prestige, il vient que la liquidité « ne renvoie à aucune qualité substantielle particulière, définissable antérieurement aux relations interpersonnelles » (*cf. supra*). On retrouve la même logique autoréférentielle : la liquidité est une création du désir de liquidité. Cependant, les intérêts mis en jeu par la liquidité sont sans commune mesure avec ceux que suscitent les luttes pour le prestige : il ne s'agit plus simplement d'affirmer sa supériorité dans l'ordre des valeurs d'usage mais d'assurer son existence en tant que producteur-échangiste. En conséquence, les désirs et rivalités que mobilise la liquidité sont d'une rare intensité. C'est exclusivement *via* l'acquisition de biens liquides que l'individu marchand peut prétendre à la pleine reconnaissance de ses droits sur les marchandises. Dans une économie marchande, la puissance, c'est-à-dire le pouvoir d'acheter, prend la forme d'une quantité : la quantité de biens liquides qui sont aux mains du producteur-échangiste, de telle sorte que le bien liquide est conduit naturellement à servir d'unité de mesure du pouvoir d'achat. D'ordinaire, dans les économies que nous connaissons, les individus trouvent la question de la liquidité déjà résolue. La liquidité se présente directement à leurs yeux sous la forme de la monnaie. Et comme la monnaie condense le désir unanime de tous les acteurs, elle exerce sur chacun une puissance d'attraction sans égal. La question alors posée est de savoir d'où vient une telle puissance ? Quelle en est l'origine ?

Quand nous pensons à l'origine, nous ne voulons pas dire ici l'origine historique. La question n'est pas de savoir comment la monnaie est apparue historiquement. Cette question est certes intéressante mais ce n'est pas la nôtre[1]. Ce que nous nous efforçons de comprendre

1. Pour ce qui est de la naissance des monnaies frappées, se reporter à Georges Le Rider, *La Naissance de la monnaie. Pratiques monétaires de l'Orient ancien*, Paris, PUF, 2001.

est comment, au sein même des économies marchandes, les désirs de liquidité évoluent jusqu'à converger sur un objet unique, la monnaie. Pour ce faire, nous nous livrerons à l'expérience de pensée suivante : considérer une économie marchande développée et lui enlever sa monnaie. Nous chercherons alors à démontrer qu'au sein d'une telle économie, privée de monnaie, s'engendrent spontanément certaines forces sociales conduisant à la résurgence de cette dernière. Toute notre analyse vise à caractériser ces forces ainsi que les processus par lesquels elles produisent l'ordre monétaire. Cette démarche peut sembler paradoxale par le fait qu'on commence par y postuler l'existence de rapports marchands sans monnaie, alors même que tout notre effort théorique vise à établir qu'une telle configuration sociale ne peut pas exister. La contradiction n'est cependant qu'apparente dès lors qu'on comprend que cette configuration n'est postulée que pour précisément démontrer qu'elle ne peut pas perdurer parce qu'elle porte en elle la nécessité de la monnaie. Il est alors visible qu'une telle étude est absolument étrangère à la question de l'origine *historique* de la monnaie au sein de sociétés pré-marchandes qui en seraient dépourvues. Le but de l'analyse est tout autre : il s'agit d'expliquer en quoi des rapports marchands déjà constitués et pleinement matures, du fait des contradictions qui leur sont propres, appellent nécessairement la monnaie pour accéder à une existence stabilisée. Pour cette raison, il faut parler d'une genèse conceptuelle[1] de la monnaie. Celle-ci permet de penser au plus près la monnaie marchande en mettant

1. Dans le texte de Frédéric Lordon et André Orléan, « Genèse de l'État et genèse de la monnaie : le modèle de la *potentia multitudinis* » (*in* Yves Citton et Frédéric Lordon (dir.), *Spinoza et les Sciences sociales. De la puissance de la multitude à l'économie des affects*, *op. cit.*), on trouvera de longs développements consacrés à ce concept.

au jour les énergies sociales qui, constamment, au sein même des économies marchandes, œuvrent à sa présence. Conformément à notre problématique, nous montrerons que la monnaie résulte de la lutte entre les producteurs-échangistes pour la maîtrise de la puissance marchande, *via* l'acquisition des biens les plus liquides. Cette méthode de genèse conceptuelle[1] est connue des physiciens qui, pour prouver qu'un corps doit avoir telle forme déterminée, imaginent une déformation virtuelle, hypothétique, et montrent que cette déformation virtuelle engendrerait nécessairement des forces qui ramèneraient le corps à sa position initiale, ce qu'on nomme « le théorème des travaux virtuels ».

Examinons donc une économie marchande développée qui a été privée de sa monnaie[2]. Que s'y passe-t-il ? Comme on l'a déjà noté, la première revendication des

1. La démonstration de Thomas Hobbes suit une même logique. Son état de nature est une hypothèse logique et non historique. De même que notre état de nature se définit comme l'économie actuelle moins la monnaie, « l'état de nature chez Hobbes, c'est l'état social actuel moins son souverain imparfait » (Crawford Macpherson, *La Théorie politique de l'individualisme possessif*, Paris, Gallimard, 2004, p. 49). Il s'ensuit, chez Hobbes comme chez nous, dans nos textes antérieurs, la possibilité d'une mauvaise interprétation conduisant à comprendre l'état de nature comme décrivant un état historiquement antérieur à l'économie monétaire. « L'état de nature [...] est donc bien un état hypothétique auquel Hobbes arrive par abstraction logique. Mais en baptisant "état de nature" cette condition hypothétique, il a tendance à induire en erreur : il est en effet facile d'y voir un état historiquement antérieur à la société civile » (*ibid.*, p. 57).

2. Dans deux livres précédents, nous avons présenté longuement notre modèle de genèse mimétique de la monnaie : Michel Aglietta et André Orléan, *La Violence de la monnai*e (Paris, PUF, 1982) et Michel Aglietta et André Orléan *La Monnaie entre violence et confiance*, *op. cit.* C'est également l'objet de l'article Frédéric Lordon et André Orléan « Genèse de l'État et genèse de la monnaie : le modèle de la *potentia multitudinis* » (art. cit.).

acteurs marchands a pour objet la liquidité. Pour exister, ils n'ont d'autres choix que d'acquérir des biens liquides, car c'est là la condition d'un accès efficace à la circulation des marchandises. En effet, la société marchande ne connaît pas ces liens de solidarité existant entre parents, voisins ou proches, grâce auxquels, dans les sociétés traditionnelles, chacun peut mobiliser directement l'assistance des autres pour réaliser ses projets. Pour obtenir quelque chose d'autrui, dans l'ordre marchand, il n'est pas d'autres moyens que de susciter son désir. Telle est la nature de la séparation marchande. La liquidité en tant que capture du désir de certains répond à cette nécessité. Il apparaît ainsi de nouveau que la liquidité n'est pas une substance mais un mode de relation à autrui, un lien social par lequel est reconnue entre les protagonistes l'existence d'une communauté d'intérêts mais transfigurée sous la forme d'un désir d'objet. En conséquence, la liquidité n'a pas de définition substantielle mais dépend de la manière dont chaque protagoniste se représente le désir des autres. N'importe quel objet peut être liquide. Il s'ensuit, dans un premier temps, une grande diversité des conceptions quant à la définition des biens liquides. Lorsque deux individus partagent la même définition du bien liquide, leurs échanges sont grandement facilités. La vente et l'achat se font par simple transfert du bien liquide en question. Lorsque ce n'est pas le cas, les échanges sont rendus plus difficiles parce qu'ils nécessitent des conversions et des taux de change entre les différents biens liquides qu'utilisent les uns et les autres. Pour ce faire, il faut recourir à des acteurs spécialisés, les « changeurs », qui prélèvent une commission au passage. Dans le but de minimiser ces coûts de conversion, il est dans l'intérêt de chaque producteur-échangiste d'adopter l'unité de compte majoritairement utilisée dans le sous-groupe des individus avec lesquels il fait habituellement des échanges. Tel est le principe central qui règle la concurrence entre biens liquides. Il est de nature mimétique, mais d'un mimétisme qui touche en priorité le groupe des individus avec lequel, habituellement, l'individu transacte[1]. Ce principe mimétique débouche sur une circulation marchande fractionnée en sous-espaces de circulation fortement intégrés, au sein desquels les acteurs partagent une même conception de la liquidité. Pour désigner cette configuration, on parlera d'une structure marchande fractionnée. Ainsi, notre situation sans monnaie légitime certifiée n'est-elle aucunement une situation de troc mais une configuration où coexistent des représentations concurrentes de la liquidité qui fractionnent l'espace de circulation des marchandises. Dire qu'il y a fractionnement, c'est dire qu'il existe une pluralité d'unités de compte, sans lien stable entre elles, le taux de conversion entre ces unités étant absolument flexible, laissé au libre jeu des rapports de force entre sous-groupes marchands, chaque agent pouvant à tout instant modifier sa conception de la liquidité. Comment évolue ce fractionnement ? Est-il stable ?

Avant d'aborder cette question dans toute sa généralité, il peut être éclairant, dans un premier temps, de s'intéresser au cas particulier d'un fractionnement extrême, celui qu'on observe lorsque les divers espaces de circulation sont parfaitement étanches. Dans ces conditions, chaque producteur-échangiste ne connaît qu'une seule unité de compte puisque toute son activité économique se déroule au sein d'un unique espace de circulation. En conséquence, pour lui, la question de la liquidité se trouve résolue : le bien liquide qu'il utilise, étant accepté par tous les acteurs avec lesquels il est susceptible de nouer des relations d'échange, lui donne pleine satisfaction. Si on considère le

1. Cette argumentation est, par divers côtés, proche de celle avancée par Carl Menger (dans « On the Origin of Money », art. cit.). Il est rationnel pour chacun de transacter en utilisant les biens les plus liquides.

groupe dans son entier en cas de fractionnement extrême, il est constitué d'une juxtaposition d'espaces de circulation déconnectés tant du point de vue des conjonctures que des niveaux de développement. Il s'ensuit une forte hétérogénéité des situations individuelles au sein du groupe. Entre l'acteur qui appartient à l'espace X et celui qui appartient à l'espace Y, rien de commun. Du point de vue du groupe et de ses intérêts spécifiques en tant que groupe, il est possible que cette hétérogénéité soit considérée comme très préjudiciable, par exemple si elle débouche sur des désirs politiques de séparatisme. Cependant, du point de vue strictement marchand qui est le nôtre dans ce livre, rien ne fait obstacle à la perpétuation du fractionnement extrême tant que les espaces de circulation restent rigoureusement séparés. La situation se transforme lorsque des flux d'échanges entre espaces apparaissent, ce qui ne peut manquer d'arriver au fur et à mesure que la division du travail s'approfondit. Dans ces conditions, divers acteurs économiques se retrouvent, du fait de leur appartenance à une pluralité d'espaces de circulation, avec un portefeuille constitué de liquidités différentes. À l'exception notable des changeurs, cette diversité n'apporte que des désagréments aux acteurs marchands du fait, d'une part, des coûts de conversion et, d'autre part, de l'incertitude existant sur le niveau des taux de change entre les biens liquides. Parce que cette pluralité de liquidités ne procure que des désavantages, les acteurs essaieront de la contourner et cela d'autant plus vivement que l'interconnexion entre les espaces sera importante, qu'elle touchera un plus grand nombre d'agents. Chacun recherchera la référence liquide la plus utilisée lorsque la totalité de l'économie est prise en considération et abandonnera les autres[1]. Autrement

1. On trouve chez Kevin Dowd et David Greenaway (dans « Currency Competition, Network Externalities and Switching Costs : Towards an Alternative View of Optimum Currency Areas », *The*

dit, il apparaît, dans ces conditions, que la dynamique mimétique se diffuse au niveau du groupe dans sa totalité. Comme nous l'ont appris les rendements croissants d'adoption, la recherche du bien le plus liquide par tous les acteurs engendre un processus à rétroactions positives qui polarise cumulativement les choix sur les liquidités les plus usitées. Ce processus, s'il se poursuit sans obstacle extérieur, conduit à une situation d'unanimité dans laquelle tous les membres du groupe partagent la même conception de ce qu'est la liquidité : le fractionnement disparaît. Cette liquidité ultime à laquelle tous adhèrent par la grâce de la polarisation mimétique est ce qu'on nomme une monnaie. Étant acceptée par tous, la monnaie jouit d'une liquidité absolue[1]. Elle est le « condensé (*compendium*) de tous les biens » comme l'écrit Spinoza (*Éthique*, IV, appendice, 28), parce qu'elle permet de tout obtenir, non pas en vertu de sa qualité intrinsèque, mais par la vertu de l'unanimité mimétique elle-même.

Se déduit de notre modèle que l'économie marchande tend à s'unifier autour d'une définition unique de la liquidité qui acquiert, ce faisant, une emprise extrême sur les acteurs. La pluralité des monnaies se trouve rejetée en tant qu'elle constitue un obstacle à l'expression des intérêts marchands. Le fait d'observer une grande diversité de monnaies au niveau planétaire n'infirme en rien cette thèse. Car, derrière ce phénomène, ce sont d'autres intérêts que les seuls intérêts marchands qui sont à l'œuvre, principalement la volonté de la souveraineté politique d'instrumentaliser l'émission monétaire aux fins de sa

---

Economic Journal, vol. 103, n° 420, septembre 1993, p. 1180-1189) un modèle d'inspiration similaire.

1. Cette analyse partage de nombreux points communs avec celle que propose Carl Menger (dans « On the Origin of Money », art. cit.). Sur le rapport entre ce modèle et celui de Menger, on peut se reporter à Michel Aglietta et André Orléan *La Monnaie entre violence et confiance*, *op. cit.*, p. 91-96.

propre puissance. En effet, l'existence d'une monnaie nationale s'affirme comme un élément essentiel dans la construction d'une identité politique durable[1].

Deux faits d'observation témoignent de cette propension à l'unification des monnaies. D'une part, il apparaît que, sur la longue période, le système monétaire international montre une tendance certaine à se structurer autour d'une monnaie unique, la monnaie hégémonique[2]. Autrement dit, dans le cadre des relations internationales, là où les acteurs ont une certaine liberté dans leur choix monétaire, leurs suffrages se portent sur la liquidité la plus répandue, ce qui en renforce cumulativement l'attrait. Cette observation illustre à nouveau la singularité des forces concurrentielles en matière de liquidité : leur logique est fort éloignée de celle de la loi de l'offre et de la demande. Elle rejette la coexistence d'options substituables pour lui préférer une conformité universelle, conduisant à ce qui a été nommé « blocage » (*lock-in*).

D'autre part, l'observation du marché des changes donne à voir une dynamique concurrentielle instable, qui amplifie les chocs plus qu'elle ne s'y oppose. Si on se limite à la période d'existence de l'euro, celui-ci est passé de 1,17 dollar à sa création le 1er janvier 1999 à 0,85 dollar en 2000, puis à 1,6 dollar en juillet 2008. Comme le montrera

---

1. Un raisonnement similaire pourrait être tenu à propos des langues. Du point de vue de la stricte communication, la pluralité des langues est une hérésie. Ceci est d'autant plus vrai que le monde se trouve par ailleurs fortement intégré. Pourtant, on continue à observer une grande diversité des langues. Il en est ainsi parce que l'identité linguistique, comme l'identité monétaire, est un élément important dans la construction d'une identité politique forte.

2. Concernant les monnaies hégémoniques, se reporter à Charles P. Kindleberger, *La Grande Crise mondiale, 1929-1939*, Paris, Economica, 1988 [1973] et Benjamin M. Rowland (dir.), *Balance of Power and Hegemony : the Interwar Monetary System*, New York, New York University Press, 1976.

le chapitre VII consacré aux évolutions financières, cette propension à l'excès, à la hausse comme à la baisse, est l'expression d'un fonctionnement mimétique, à rétroactions positives. Soulignons que de telles dynamiques s'observent alors même que les monnaies en question, dollar et euro, se trouvent garanties par de puissants États qui limitent fortement la spéculation, non seulement par le biais de leurs interventions, mais également parce que leur seule présence signale aux investisseurs que certaines bornes ne sauraient être franchies. Il n'est pas absurde de penser que, laissée totalement à elle-même, cette même logique concurrentielle conduirait à l'élection d'un bien liquide au détriment des autres. Sans la puissance des États, une monnaie l'emporterait sur toutes les autres conformément à notre modèle.

Une fois l'unanimité mimétique obtenue, il s'ensuit une transformation en profondeur des interactions. L'imitation acquiert de nouvelles propriétés : au lieu de pousser les individus à explorer de nouvelles hypothèses, elle n'a plus pour seul effet que de renforcer la croyance élue. On prend ainsi la mesure des bouleversements que connaît l'environnement cognitif et social des agents : à la diversité erratique des anticipations succède une soudaine stabilité qui se perpétue. Comment interpréter un tel bouleversement, sinon par le fait qu'enfin a été découverte la forme adéquate de la liquidité ? Telle est l'analyse qui va prévaloir. Émerge, en conséquence, une croyance collective fermement attachée à l'objet monétaire élu[1]. On passe de la « médiation interne » à la « médiation externe ». Il s'agit toujours d'imitation, mais d'une imitation qui a pour modèle le groupe tel qu'il se construit à distance

---

1. Dans la suite du texte, on parlera d'« exclusion » pour désigner le processus par lequel la monnaie élue se présente aux acteurs comme possédant, par nature, la qualité de liquidité. Se reporter au chapitre V.

des sujets, dans l'unanimité sur l'objet élu. Jean-Pierre Dupuy propose de nommer « auto-extériorisation » ou « auto-transcendance » cette extériorisation produite par le groupe lui-même. Elle joue un rôle fondamental. Par le jeu de cette transformation, l'objet élu acquiert le statut d'institution socialement reconnue. À partir de là, en tant que moyen de paiement accepté par tous, la monnaie élue s'impose également comme l'unité de compte de référence, comme moyen de réserve et comme moyen d'échange. Les fonctions monétaires se déduisent de la polarisation mimétique.

La crise de la monnaie

Si l'élection mimétique est le concept fondamental grâce auquel la nature de la monnaie et du pouvoir monétaire est rendue pleinement intelligible, il faut cependant souligner que le modèle précédent n'en explicite que partiellement le processus. En effet, seuls les rendements croissants d'adoption y sont pris en compte ; ce qui signifie qu'il est fait implicitement l'hypothèse que les individus sont indifférents quant aux diverses définitions de la liquidité. Seul importe pour eux de découvrir la liquidité la plus utilisée, quelle qu'elle soit. C'est là une hypothèse imparfaite. En effet, en matière de liquidité, un autre élément affecte fortement les intérêts des uns et des autres : l'accessibilité. Il ne suffit pas de savoir sous quel masque se cache la liquidité, encore faut-il pouvoir l'acquérir aisément. Un individu n'a aucun intérêt à choisir une liquidité qui, par ailleurs, lui est interdite ! En revanche, les biens liquides qui dépendent de son champ d'action le favorisent. En conséquence, si chaque producteur-échangiste reste à la recherche d'une référence partagée lui permettant de stabiliser son rapport aux autres échangistes, il lui importe que cette référence convienne à ses intérêts. Intégrer cet élément nouveau conduit à élargir notre modèle pour ne plus nous en tenir uniquement à des agents entièrement passifs, préoccupés seulement de suivre l'opinion majoritaire. Les agents sont également actifs. Ils cherchent à peser sur le processus de choix pour l'orienter en leur faveur, par exemple en faisant élire leur propre bien. C'est pourquoi la recherche angoissée de tous pour identifier la liquidité a pour autre face la quête forcenée de certains pour lever cette incertitude *à leur profit* et réaliser la convergence monétaire sur *leur bien*. La logique de l'unité monétaire est donc inséparablement cognitive et agonistique. Il n'en reste pas moins que la convergence mimétique finit par l'emporter. Pourquoi ? Parce que, lorsque émerge une coalition très large autour d'une certaine liquidité, les bénéfices que procure l'adhésion à celle-ci sont trop importants pour pouvoir être rejetés. Un même objet finit donc par recueillir l'assentiment de tous les producteurs-échangistes. Assentiment « contrarié » pour ceux qui, dans la lutte de promotion de leur bien particulier comme bien universel, ont eu le dessous, mais assentiment tout de même, car les rendements croissants d'adoption sont les plus forts et découragent la sécession monétaire : les « vaincus » se rallieront, car leur intérêt leur commande tout de même de rejoindre l'espace de circulation le plus large, celui qui leur donnera accès à la division du travail la plus profonde, à la gamme de biens la plus étendue. N'ayant pas réussi à faire prévaloir leur propre définition du rapport monétaire, les groupes dominés sont contraints d'accepter la monnaie dominante, faute de quoi ils se trouveraient exclus de la circulation marchande. Au terme de cette convergence, l'unanimité d'identification s'impose donc même à ceux qui ont d'abord tenté de la contester. Lorsque nous parlons d'unanimité monétaire, il ne faut pas perdre de vue ce fait : elle procède le plus souvent d'une acceptation contrainte, c'est-à-dire d'une domination.

Ces dernières remarques sont importantes, car il ne faut pas croire que, une fois produite, la polarisation mimétique perdure à l'infini sans jamais être remise en question. Tout au contraire, une monnaie pour exister doit constamment se montrer capable de faire converger sur elle tous les désirs de liquidité. C'est à cette condition qu'elle conserve son statut de monnaie. C'est à cette condition que l'institution monétaire maintient son autorité. Cela n'a rien d'évident, car la présence de la monnaie ne supprime en rien la conflictualité marchande et les luttes de puissance. La monnaie leur apporte simplement un cadre stable. Mais, comme elle institue de fortes contraintes en matière de paiement[1], la norme monétaire nourrit un mécontentement latent chez les acteurs qui préféreraient disposer d'un accès plus aisé au monnayage ou que soit suivie une politique monétaire plus conforme à leurs intérêts. Rappelons à ce propos que, dès son origine, l'unanimité monétaire est une unanimité plus imposée que désirée. Certains auraient préféré qu'un autre bien fût élu. En conséquence, perpétuellement, des insatisfactions à l'égard de l'institution monétaire demeurent latentes dans le tissu économique. Cependant, tant que les gains qu'engendre l'adhésion à l'institution monétaire par le jeu des rendements croissants d'adoption l'emportent sur le poids des contraintes, ces mécontentements restent limités au for intérieur de chacun et l'ordre n'en est nullement affecté. Cela est la situation générale, situation dans laquelle l'autorité monétaire se maintient bien qu'étant fort contraignante. Pour que les choses changent, il faut que le mécontentement fasse bloc et dépasse une certaine masse critique, qu'il devienne public. On retrouve ici les résultats obtenus au chapitre II

1. Contrainte de se procurer les quantités de monnaie nécessaires au paiement des achats désirés, et plus généralement d'assurer des flux de recettes monétaires permettant de couvrir dans le temps tous les débours.

lorsque a été présentée la concurrence entre les langues. On a vu que la convention dominante une fois établie ne peut être remise en cause par une dissidence individuelle, même si celle-ci est porteuse d'une langue plus performante. Pour que la convention soit remise en cause, il faut que se constitue une coalition. Cette propriété assure à la polarisation mimétique une grande stabilité. Il faut des chocs importants, affectant simultanément un grand nombre d'agents, pour que de telles coalitions voient le jour[1]. Plus précisément, la crise monétaire débute lorsqu'un groupe d'individus déviants, insatisfaits par la monnaie existante, se tournent simultanément vers de nouvelles liquidités, qu'on peut encore appeler des « monnaies privées », plus conformes à leurs intérêts. On est alors face à ce qu'il faut appeler une « sédition monétaire ». Telle est notre définition de la crise monétaire : l'émergence d'une dissidence cherchant à faire prévaloir de nouvelles normes monétaires. Cette dissidence peut réussir si elle apparaît sur fond d'une insatisfaction latente généralisée qui trouve alors un moyen de s'exprimer.

Notons que cette sédition peut prendre des formes multiples dont l'analyse dépasse largement le cadre du présent livre. Nous n'en présenterons que quelques-unes parmi les plus typiques. La forme la plus simple consiste à recourir à une monnaie étrangère, par exemple le dollar[2], à la fois comme moyen d'évaluation des marchandises et comme moyen de thésaurisation, voire comme moyen d'échange. Autrement dit, les acteurs prennent appui sur le fait qu'existent des monnaies déjà constituées dans

1. Si on quitte notre modèle abstrait pour prendre en compte d'autres rapports sociaux que le seul rapport marchand, c'est d'ordinaire par le biais de la politique que ces coalitions émergent et se font entendre.

2. Rappelons que, du point de vue des institutions monétaires nationales, le dollar doit être considéré comme une « monnaie privée ».

d'autres espaces marchands et cherchent à en développer l'utilisation dans leur espace habituel d'échanges. Mais il existe des formes plus subtiles de sédition monétaire, par exemple l'indexation des prix. Avec l'indexation se trouve remise en cause la capacité de la monnaie existante à représenter adéquatement le pouvoir d'achat. Le recours à l'indexation s'analyse, dans notre cadre théorique, comme le rejet par certains de la monnaie nationale en tant qu'unité de compte et l'émergence d'une nouvelle unité, par exemple un indice de prix ou un taux de change, qui vient la concurrencer. Dans la mesure où le support de l'indexation n'est pas une monnaie complète puisqu'elle se limite à la fonction de compte, sans être nécessairement un instrument des échanges, on parlera à son propos de « monnaie privée partielle ». L'émergence de cette monnaie privée partielle s'analyse comme une remise en cause de l'unité monétaire du groupe. Si la crise débute fréquemment par des indexations qui expriment la défiance des producteurs-échangistes dans la capacité de la monnaie à évaluer correctement les marchandises, elle se mue le plus souvent en crise du moyen de réserve lorsque les acteurs se précipitent vers de nouvelles formes de richesse pour assurer la conservation de leur patrimoine. Enfin, au stade final, on observe des individus qui refusent purement et simplement d'accepter la monnaie en échange de leur production. Désormais, la monnaie se voit concurrencer dans toutes ses fonctions par d'autres formes de liquidité. Cette situation peut conduire à l'émergence d'une nouvelle monnaie, au rétablissement de l'ancienne ou à l'éclatement de l'espace marchand. Cela dépend. Les forces politiques jouent, à cet égard, un grand rôle.

Ce qui essentiel dans l'ensemble de ces processus, par-delà leur diversité, est la remise en cause du monopole de la monnaie centrale du fait de l'utilisation par certains groupes de nouvelles références monétaires, dites « privées » tant qu'elles n'ont pas reçu l'onction du groupe uni. L'adhésion collective, jusqu'alors tout entière focalisée sur une même définition de la liquidité, connaît une soudaine déperdition de puissance du fait de son fractionnement en une multiplicité de définitions rivales. Il faut ici parler d'une crise de la puissance souveraine[1]. C'est en cela que le fractionnement est le concept adéquat pour penser la crise monétaire dans sa forme la plus générale : le courant unitaire qui donnait à l'adhésion toute sa force se voit éparpillé pour laisser place à la concurrence des prétendants monétaires. Cependant, le fractionnement laissé à lui-même est instable. Les groupes monétaires dissidents œuvrent aux fins de constituer une communauté de circulation de la plus grande extension possible, autour d'une même définition de la liquidité. En cela, ils suivent une logique identique à celle mise en évidence lors de l'analyse du processus d'émergence de l'ordre monétaire. Lorsqu'on prend le point de vue de cette émergence, ce processus est saisi au moment de son triomphe : quand s'impose une nouvelle définition reconnue par tous. Lorsqu'on s'intéresse à la crise, ce processus est appréhendé comme processus de contestation de l'ordre monétaire, au moment où des revendications monétaires partisanes viennent s'agréger mimétiquement pour contredire l'ancienne norme et affirmer l'ambition d'en former une nouvelle. Cependant, à la source de tous ces phénomènes – ordre et désordre – se trouve le même concept de concurrence mimétique.

1. Se reporter à Frédéric Lordon et André Orléan « Genèse de l'État et genèse de la monnaie : le modèle de la *potentia multitudinis* » (art. cit.).

L'objectivité de la valeur

Ces analyses éclairent d'une lumière entièrement nouvelle la question de la valeur économique et de son objectivité. Elles ne croient pas à l'hypothèse d'une commensurabilité naturelle, intrinsèque, des marchandises, dont il s'agirait d'identifier le principe. Autrement dit, dans le dialogue avec Aristote que Marx met en scène dans le premier chapitre du *Capital*, c'est la position d'Aristote qui est la bonne lorsqu'il juge qu'« il est impossible en vérité que des choses si dissemblables soient commensurables entre elles[1] » *a priori*, de par leurs propres qualités intrinsèques. Rejetant l'hypothèse de valeur substance, Aristote est conduit à penser l'égalité des biens dans l'échange « comme étant l'œuvre du *nomos*, de la loi, de l'institution sociale-historique » pour reprendre les termes utilisés par Castoriadis, ou encore « pour le besoin pratique », comme il l'écrit lui-même. Telle est également notre conception. *L'égalisation dans l'échange est le résultat de l'institution monétaire*. Ce qui rend les marchandises commensurables et permet l'échange, c'est seulement le désir unanime des acteurs marchands pour la monnaie. La valeur d'un bien se mesure à la quantité de monnaie que ce bien permet d'obtenir, à savoir son prix. Prix et valeur sont une seule et même réalité. Cette valeur est objective par le fait que la monnaie obtenue par le vendeur est reconnue universellement. Autrement dit, ce sont les mouvements monétaires qui sont objectifs. En revanche, la valeur obtenue pour un même bien peut varier ; elle dépend des circonstances de l'échange. Ceci n'est pas un problème dès lors qu'on accepte que l'objectivité ne porte pas sur un certain niveau des prix,

1. *Le Capital*, *op. cit.*, p. 59.

« le prix juste », mais sur la forme prix elle-même en tant qu'elle renvoie à une unité de compte reconnue par tous. La question de l'unicité du prix pour un même bien est une question différente de celle de l'objectivité de la valeur. Son analyse suppose que l'on prenne en compte les dispositifs d'échange. En ce sens, notre économie n'est plus une « économie des grandeurs ».

En résumé, notre cadre théorique distingue deux questions : (1) s'interroger sur les conditions qui font qu'un objet capte le désir unanime du groupe pour la liquidité ; (2) une fois la monnaie produite, s'interroger sur les rapports de force qui se nouent lors de l'échange entre les acheteurs et les vendeurs. Ces deux questions sont nettement distinctes ; elles appellent des outils conceptuels de nature différente. La première, la plus fondamentale, porte sur la monnaie en tant qu'elle s'impose à tous les acteurs comme la liquidité absolue qui donne accès aux marchandises. C'est le concept d'élection mimétique qui nous permet d'y répondre. On démontre grâce à lui que la valeur marchande s'impose objectivement aux producteurs-échangistes par le biais des quantités de monnaie acquises dans l'échange. Puis, une fois la question monétaire résolue, il reste à comprendre, pour chaque marchandise, comment se détermine son prix, ce qui suppose un cadre d'analyse différent qui examine la position relative des acheteurs et des vendeurs ainsi que le degré de concurrence existant entre eux. Autrement dit, la première question établit l'existence de la forme prix alors que la seconde cherche à expliciter le niveau des prix. L'erreur des théoriciens de la valeur a été de confondre ces deux questions alors qu'elles sont indépendantes. En effet, à leurs yeux, établir l'objectivité de la valeur, c'est établir qu'il existe un niveau normal pour les rapports d'échange, ce qui suppose une théorie de la détermination des prix. En conséquence, dans l'approche néoclassique, la concurrence est convoquée à l'occasion d'une question, l'objectivité de la valeur, qui ne la requiert aucunement. D'ailleurs, selon nous, si Léon Walras propose un concept si particulier de concurrence, cela tient au fait que son but n'est pas d'étudier véritablement la concurrence en tant que telle, à savoir comment la position relative des acheteurs et vendeurs influe sur le prix, mais de répondre à une question très différente et très spécifique : montrer qu'il existe des prix justes. Dans notre cadre, l'objectivité de la valeur ne signifie absolument pas qu'il existe un niveau normal des rapports d'échange. Nous ne pensons même pas qu'une même marchandise a nécessairement un prix unique sur tout l'espace monétaire. Pour nous, l'objectivité de la valeur signifie tout autre chose, à savoir que tous les protagonistes reconnaissent la même définition du valoir, de telle sorte qu'il est possible de déterminer sans ambiguïté les comptes qui sont en excédent et ceux qui sont en déficit. La monnaie, en tant qu'elle est considérée par tous comme l'expression légitime de la liquidité absolue, transforme les estimations privées en valeur socialement reconnue. Pour ce qui est de la détermination des prix, la question est d'une autre nature. La théorie de la concurrence se donne précisément pour but d'étudier ce problème, ce qui impose de spécifier les dispositifs d'échange.

La théorie quantitative de la monnaie

La spécificité de cette approche s'exprime dans le fait qu'elle pose, au point de départ de l'économie marchande, le « un » de l'unité de compte. C'est sous cette forme que la valeur se trouve instituée, à partir de quoi se développe la circulation des marchandises. Une fois l'unité de compte définie, il est possible de mesurer la valeur des différentes marchandises, à savoir leur prix, conformément aux égalités suivantes :

1 unité de bien A vaut p_a unités de compte dans les circonstances α
1 unité de bien B vaut p_b unités de compte dans les circonstances β
....
1 unité de bien Z vaut p_z unités de compte dans les circonstances ζ

Si, en partant de ces égalités, on veut déterminer la valeur de l'unité de compte, on obtient une multiplicité d'évaluations concurrentes, sous la forme :

1 unité de monnaie vaut $1/p_a$ unités de bien A dans les circonstances α
1 unité de monnaie vaut $1/p_b$ unités de bien B dans les circonstances β
....
1 unité de monnaie vaut $1/p_z$ unités de bien Z dans les circonstances ζ

On se trouve confronté à autant d'évaluations qu'il y a de biens et de circonstances d'échange sans pouvoir en déduire quoi que ce soit[1]. Cette propriété joue un rôle important dans la stabilité du rapport monétaire. Elle nous dit que la monnaie échappe à l'évaluation : face à elle, ne sont présentes que des marchandises ordinaires, sans légitimité spécifique pour ce qui est d'exprimer la valeur. D'ailleurs, le plus souvent, les prix évoluent dans des directions opposées, reflétant la diversité des marchandises et des situations, sans qu'il soit possible d'en déduire quoi que ce soit pour ce qui est de la « valeur » de la monnaie. Cependant, lorsqu'on observe un parallélisme dans les évolutions de prix, que faut-il en inférer ? Lorsque l'hypothèse d'une tendance générale affectant la formation des prix semble pouvoir être retenue, doit-on en conclure, conformément au sens commun, à une modification dans

1. « […] la valeur du numéraire exprimée en marchandises ne change pas seulement avec les temps et les lieux, mais elle varie encore en diverses mesures et même en divers sens d'après l'espèce de marchandise qui sert à l'exprimer » (Carl Menger, cité *in* Gilles Campagnolo, *Carl Menger entre Aristote et Hayek. Aux sources de l'économie moderne*, Paris, CNRS Éditions, 2008, p. 210).

la valeur même de la monnaie ? N'est-ce pas la manière naturelle d'interpréter le facteur commun qui emporte, à la hausse comme à la baisse, tous les prix ? Si, par exemple, tous les prix augmentent simultanément de 5 %, il est tentant d'interpréter cette situation comme ayant pour origine l'unité de compte elle-même dont la valeur aurait baissé de 5 %. C'est ce que font très communément les économistes lorsqu'ils introduisent un indice de prix pour mesurer l'évolution moyenne de tous les prix. Cet indice sert à mesurer le pouvoir d'achat de la monnaie, à savoir la quantité de marchandises qu'une unité monétaire est capable d'acheter. Si l'indice de prix a doublé pendant une certaine période, on dira que la valeur de la monnaie a diminué de moitié puisque sa capacité d'achat est deux fois moindre. En conséquence, les économistes ont coutume de définir la valeur de la monnaie comme étant l'inverse du niveau général des prix.

Si nous ne contestons nullement que le recours aux indices de prix constitue une source importante d'informations pour les économistes et les acteurs économiques, il convient cependant d'utiliser avec prudence la notion de « valeur de la monnaie ». Il s'agit d'une notion fondamentalement statistique dont la mise en œuvre pratique rencontre de nombreuses difficultés comme le savent bien les statisticiens. Par exemple, on ne sait pas traiter en toute rigueur l'apparition de nouvelles valeurs d'usage. Par ailleurs, même dans le cas d'une nomenclature de biens parfaitement définie, les pondérations à retenir dépendent des structures individuelles de consommation[1]. Ces dif-

1. Don Patinkin aborde cette question aux pages 452 et 453 de *La Monnaie, l'Intérêt et les Prix* (*op. cit.*). Pour chaque individu, il faut introduire une fonction de déflation, subjective, propre à l'individu. Dans la mesure où Patinkin étudie essentiellement des situations de croissance homothétique des prix, cette difficulté n'affecte pas ses résultats.

ficultés ne sont nullement anecdotiques. Elles illustrent le caractère arbitraire du concept de niveau général des prix et, en conséquence, de celui de pouvoir d'achat de la monnaie. On trouve déjà de telles idées chez Carl Menger qui n'hésite pas à conclure :

> « C'est une erreur de croire à l'existence d'une variation exactement mesurable dans le prix de la totalité des biens sur des marchés différents ou à deux époques différentes : en d'autres termes, c'est une méprise de chercher le chiffre qui exprimerait exactement les variations ou la valeur extrinsèque[1] du numéraire [...]. Il n'existe aucune mesure du mouvement extrinsèque de l'argent ; il est impossible d'en trouver une[2]. »

Comme notre théorie le soutient, la seule estimation objective de la valeur de la monnaie est le « un » de l'unité de compte, à partir duquel se forment les prix. C'est la convergence des doutes qui modifie cette situation en faisant émerger une nouvelle représentation de la valeur. En ce sens, l'indice de prix est l'expression d'une sédition victorieuse, mimétiquement constituée, et non pas la découverte d'une grandeur cachée qui viendrait expliquer les prix. Montrons-le.

Commençons par considérer la situation qui prévaut lorsque la valeur de la monnaie n'est pas questionnée : l'unité de compte étant considérée comme stable, la formation des prix se fait essentiellement à partir des fondamentaux, à savoir les préférences des consommateurs, les ressources disponibles, les fonctions de production et les structures de marché. Ce qui ne veut pas dire que les

1. Chez Carl Menger, la valeur extrinsèque correspond très exactement à ce que nous nommons son « pouvoir d'achat ».

2. Carl Menger, cité *in* Gilles Campagnolo, *Carl Menger entre Aristote et Hayek. Aux sources de l'économie moderne*, *op. cit.*, p. 212.

conditions monétaires n'ont pas d'impact, mais qu'elles en ont uniquement par des effets indirects transitant *via* les conditions de l'offre et de la demande. C'est ce qu'on a appelé le régime de la « confiance méthodique[1] », à savoir la confiance telle que la produit le cours routinier des transactions réussies. Lorsqu'il en est ainsi, la monnaie proprement dite[2] disparaît du questionnement des acteurs économiques. La monnaie n'est plus qu'un instrument docile, sans épaisseur. Il en est ainsi parce que la préférence pour la liquidité est stabilisée. Il est alors concevable de traiter la monnaie, à la manière de Patinkin ou Walras, comme un bien particulier ayant pour utilité spécifique la liquidité. La monnaie fait l'objet d'une demande stable qui peut être modélisée et testée. Lorsque ces conditions prévalent, lorsque la confiance à l'égard de la monnaie est acquise, la description du fonctionnement économique que propose la démarche instrumentale s'avère satisfaisante et peut être acceptée. Cette manière d'intégrer à notre édifice conceptuel les approches dites standard comme des configurations particulières à la validité limitée a déjà été rencontrée au cours de notre réflexion. Rappelons, en effet, que notre démarche ne rejette nullement *a priori*[3]

1. Michel Aglietta, Jean Andreau *et alii*, « Introduction », *in* Michel Aglietta et André Orléan (dir.), *La Monnaie souveraine*, Paris, Odile Jacob, 1998, p. 25.

2. Marx distinguait la monnaie idéale, l'unité de compte, la monnaie symbole, le moyen de circulation et la monnaie réelle, moyen de paiement : « Jusqu'ici nous avons considéré le métal précieux sous le double aspect de mesure des valeurs et d'instrument de circulation. Il remplit la première fonction comme monnaie idéale, il peut être représenté dans la deuxième par des symboles. Mais il y a des fonctions où il doit se présenter dans son corps métallique comme équivalent réel des marchandises ou comme marchandise-monnaie. [...] nous dirons qu'il fonctionne comme monnaie ou argent proprement dit » (*Le Capital*, *op. cit.*, p. 106).

3. Nous disons *a priori* en ce sens que l'hypothèse d'objectivation étant acquise, ces analyses ne sont pas à rejeter. Cependant,

les analyses économiques développées dans le cadre de la théorie de la valeur utilité. Mais, dans la mesure où cette théorie a pour hypothèse première l'objectivation réussie des rapports marchands, ces analyses ne peuvent prétendre à être valides que pour autant que cette hypothèse tient. Le cas monétaire illustre pleinement cette position. La théorie de la valeur néoclassique est *a priori* légitime pour décrire les enchaînements économiques, pour autant que la qualité monétaire ne fait pas l'objet de controverses et qu'elle apparaît aux yeux de tous comme une réalité objective et durable, c'est-à-dire tant que la question de la « valeur de la monnaie » ne se trouve pas posée. Dans ces conditions, l'effet d'un accroissement de la masse monétaire dépend crucialement de la manière dont cet accroissement se trouve réparti entre les acteurs ; autrement dit, il dépend des conditions d'émission. Pour cette raison, l'analyse que propose Patinkin est limitée par le fait qu'elle traite exclusivement de situations dans lesquelles les variations des encaisses monétaires sont homothétiques, c'est-à-dire identiques pour tous les acteurs. C'est sous cette condition très restrictive que Patinkin peut démontrer qu'un accroissement de x % de la masse monétaire conduit à un accroissement généralisé de tous les prix de x %. Si, conceptuellement, un tel résultat est intéressant, son application aux situations économiques réelles pose problème. L'hypothèse d'une croissance homothétique des encaisses est si invraisemblable qu'il serait plus logique de l'interpréter comme une critique de la neutralité monétaire que comme une preuve de sa validité. En effet, dès lors que la nouvelle monnaie n'est pas répartie homothétiquement entre les acteurs, alors rien n'assure plus que l'augmentation de

elles ne sont pas pour autant exactes. Il reste à vérifier, au cas par cas, si elles sont conformes à la nature du capitalisme de la période considérée.

tous les prix se fera au même taux. La neutralité de la monnaie doit alors être abandonnée.

Ce résultat de non neutralité est obtenu sans qu'il soit nécessaire de supposer une perte de confiance dans la monnaie. Il se peut que tous les prix augmentent mais cette augmentation généralisée n'est pas perçue comme une remise en cause de la valeur de la monnaie. Lorsque le doute s'installe quant à cette valeur, le régime monétaire se modifie en profondeur. La mise en doute de l'unité de compte se manifeste par le biais d'estimations subjectives, idiosyncrasiques, au plus près des intérêts de chacun, de ce que vaut la monnaie. Pour comprendre cette dynamique, il est intéressant d'introduire les travaux du grand économiste français de l'entre-deux-guerres, Albert Aftalion. Aftalion a, sous les yeux, vingt ans de crise monétaire presque continue entre 1919 et 1939. À partir d'une analyse statistique fouillée, il souligne à quel point la théorie quantitative est incapable de rendre intelligibles les dynamiques monétaires de cette crise. Alors que cette théorie soutient que les variations du niveau général des prix (P) sont toujours la conséquence des variations de l'émission monétaire[1] (M), Aftalion montre qu'il n'en est rien[2]. Il observe que, pour de nombreuses périodes, ce sont « les variations de P qui commandent celles de M[3] ». Pourquoi en est-il ainsi ? Parce qu'il entre dans la formation des prix, nous dit Aftalion, un élément que n'avaient pas vu les économistes quantitativistes,

1. Parce que la valeur de la monnaie y est déterminée causalement par la quantité de monnaie émise, cette théorie peut être qualifiée de « quantitative ».

2. Quelquefois cette théorie est vérifiée (1914-1919), quelquefois non (1919-1939), ce qui pourrait conduire à l'idée de régimes différents selon les circonstances, ce qu'Aftalion ne développe pas.

3. Albert Aftalion, *Monnaie, Prix et Change. Expériences récentes et théorie*, Paris, Sirey, 1940, p. 34.

à savoir l'estimation par le vendeur ou l'acheteur de la valeur de l'unité de compte. Il écrit ainsi :

> « [Dans] les courbes individuelles d'offre et de demande [...], à côté de la valeur de la marchandise est prise en considération la valeur de la monnaie. Toute demande étant une demande à un certain prix implique une comparaison entre la valeur de la marchandise demandée et la valeur de la monnaie offerte. [...] Deux individus qui ont un désir égal de la marchandise, pour qui les courbes décroissantes de l'utilité des marchandises seraient entièrement semblables, n'arriveront pas sur le marché avec les mêmes courbes d'offre et de demande si leurs appréciations de la valeur de l'unité monétaire diffèrent. Celui des deux qui attachera plus d'importance à l'unité monétaire, qui sera moins disposé à offrir de la monnaie, sera par là même moins demandeur de marchandises[1]. »

Le point crucial de l'analyse proposée par Aftalion est dans le fait que l'appréciation par l'individu de la valeur de l'unité monétaire est fondamentalement de nature psychologique et subjective, comme peuvent l'être ses préférences, tout particulièrement en raison du rôle prépondérant qu'y jouent les prévisions et l'incertitude. En effet, pour Aftalion, la valeur de la monnaie dépend « des satisfactions que chacun *attend* de l'unité monétaire plutôt que des satisfactions que *donne* cette unité[2] ». Dès lors, cette analyse met en relief « le rôle que joue la croyance[3] », à savoir « la croyance[4] que quelque chose a

1. *Ibid.*, p. 384-385.
2. *Ibid.*, p. 383.
3. *Ibid.*
4. Pour Aftalion, cet élément d'anticipation est un fait général qui ne se restreint pas au seul domaine monétaire. Il est propre à toutes les valeurs économiques : « Ce ne sont pas exactement les jouissances que donne un objet qui font sa valeur, mais plutôt les jouissances qu'on croit qu'il donne, les jouissances qu'on s'attend

changé ou changera dans les conditions du marché, de manière que les prix varieront, qu'ils s'orienteront dans le sens de la baisse ou de la hausse[1] ».

Cette analyse de la crise monétaire offre des convergences intéressantes avec nos propres réflexions en raison du rôle central qu'y joue la mise en cause de l'unité de compte. *A contrario*, la croyance en la constance de la valeur de la monnaie apparaît comme un facteur important de stabilité :

> « La croyance à la stabilité du pouvoir d'achat de l'unité monétaire agit elle-même d'ordinaire comme un facteur important de stabilité [...]. Si un changement survient, beaucoup d'esprits le considéreront comme une erreur passagère, accidentelle. L'unité monétaire retrouvera bientôt sa valeur antérieure[2]. »

Aussi, lorsqu'une pression inflationniste se fait jour, dans un premier temps, dit Aftalion, les individus restent-ils attachés aux anciennes évaluations, ce qu'il nomme « fidélité aux appréciations anciennes de l'unité monétaire[3] ». Ce qui a pour conséquence que le régime stationnaire continue à prévaloir. « Ce sont seulement les prix de certains produits qui paraissent monter pour des raisons sans doute accidentelles, passagères, tenant à la marchandise plutôt qu'à la monnaie[4]. » Les hausses de prix sont perçues comme localisées, comme exprimant

---

qu'il procurera. Peu importe qu'on se trompe, qu'on s'abuse sur les jouissances escomptées. L'objet a de la valeur dans la mesure de ce qu'on en attend » (*ibid.*). Il insiste fortement sur ce point qu'il analyse comme un apport majeur de la théorie monétaire à la théorie de la valeur : « Celle-ci aussi pourra emprunter quelque chose à la théorie de la monnaie » (*ibid.*).

1. *Ibid.*, p. 270.
2. *Ibid.*, p. 269.
3. *Ibid.*, p. 268.
4. *Ibid.*, p. 276.

les fondamentaux et non comme une question proprement monétaire. Mais cela ne peut durer si les désordres persistent. Dès lors que les augmentations de prix se font de manière plus systématique, « les prévisions se modifient à la fois quant à leur nature et quant à l'étendue de leurs effets. [...] Beaucoup commencent à se rendre de plus en plus nettement compte qu'il ne s'agit pas simplement d'une hausse des prix de divers produits particuliers, mais d'une maladie plus générale qui a gagné la valeur même de la monnaie. Ils comprennent que c'est la monnaie qui se déprécie sous leurs yeux[1] ». C'est là le signal de la crise monétaire s'exprimant par une mise en cause générale de l'unité monétaire. Comme y insiste Aftalion, dans cette conjoncture économique de crise, l'ensemble des appréciations individuelles devient la variable active, celle qui commande à la totalité du processus : « La valeur sociale, objective de la monnaie, les prix sur le marché dépendent de l'ensemble des appréciations individuelles[2]. »

Pourtant, la thèse d'une appréciation purement psychologique ne décrit, selon nous, qu'une partie seulement du phénomène. On ne peut en rester là. À l'évidence, comme le prouve la dépréciation continue de la monnaie, on observe une polarisation de ces appréciations dans une certaine direction. Certaines forces poussent à l'homogénéisation des anticipations et cette homogénéisation joue un rôle crucial dans le développement de la crise. Pour le comprendre, il faut aller un pas plus loin qu'Aftalion et considérer que les appréciations individuelles, pour s'imposer, ne sauraient rester purement indépendantes. Il doit s'établir une certaine coordination au sein des stratégies de défiance. Ce point n'apparaît pas chez Aftalion qui s'en tient à des anticipations individuelles indépendantes. Pourtant, les acteurs ne peuvent rester

1. *Ibid.*, p. 272-273.
2. *Ibid.*, p. 267.

indifférents aux anticipations des autres, dans la mesure où celles-ci façonnent les prix. Une erreur en la matière les conduirait à des prix trop élevés ou à des prix trop bas, selon que leur anticipation surestime la dépréciation de l'unité de compte ou la sous-estime. C'est ce que dit le modèle mimétique : les acteurs, pour établir leurs prévisions, tiennent compte des anticipations du groupe. Si on introduit cette hypothèse, il devient possible de comprendre par quels processus s'opère une harmonisation des pratiques d'indexation autour d'une même grandeur. L'émergence de cette référence, parce qu'elle polarise sur elle l'ensemble des appréciations déviantes, donne toute sa cohérence et toute sa vigueur au mouvement de défiance. Dans son analyse, Aftalion constate, pour les crises qu'il étudie, que la grandeur qui sert de référence au mouvement collectif de défiance est le taux de change à l'égard du dollar ou de la livre sterling. Dans les cas d'inflation importante, selon Aftalion, l'appréciation de la valeur de l'unité monétaire se règle sur les variations du change :

> « Le change devient l'indicateur des prix, le baromètre de la valeur intérieure de la monnaie sur lequel tout le monde a ses yeux fixés. Ce n'est pas par l'intermédiaire de la vitesse de circulation comme le voudrait la théorie quantitative, ni par l'intermédiaire des revenus comme le voudrait la théorie du revenu, que la dépréciation intérieure de la monnaie a lieu. C'est directement par cette dépréciation que la hausse des prix suit la dépréciation extérieure[1]. »

Très clairement, dans ces situations, on assiste à la formation d'une estimation collective de la dépréciation de l'unité de compte, résultant de la focalisation mimétique des appréciations individuelles sur le taux

1. *Ibid.*, p. 247.

de change de la monnaie. Il est difficile de trouver des situations économiques dans lesquelles les représentations jouent un plus grand rôle. Ce sont elles qui dominent entièrement le processus. Cependant, parce que Aftalion privilégie l'analyse strictement psychologique, il ne livre pas d'analyse systématique de ces croyances monétaires et de leur polarisation. Il ne nous dit pas pourquoi émerge cette focalisation universelle sur le change. Pourtant, cette dernière est essentielle pour comprendre l'approfondissement de la crise. Aftalion se contente d'indiquer le fait qu'interviennent de nombreux facteurs, bien au-delà de l'économie, en insistant tout particulièrement sur l'impact des variables politiques. Il convient ici d'aller bien plus loin qu'Aftalion.

Pour conclure cette section, notons que Simiand comme Simmel se déclarent également critiques de la théorie quantitative. Ils lui reprochent fortement son aspect mécanique : une croissance de la quantité de monnaie provoque automatiquement une baisse de sa valeur, c'est-à-dire une augmentation des prix. Pour eux, la puissance de la monnaie est ailleurs : dans les représentations qu'elle donne d'elle-même, dans les croyances qui sont au fondement de forces sans commune mesure avec les influences mécaniques que produisent les variations de sa quantité sur les prix. Simmel met en avant « le retentissement [des mouvements monétaires] dans l'esprit des hommes » :

> « On se représente quelquefois que la signification économique de l'argent est le produit de sa valeur par la fréquence des transactions qu'elle réalise dans une période donnée [théorie quantitative], mais c'est ignorer les puissants effets que l'argent exerce simplement par l'espoir et la crainte, le désir et le souci qui s'attachent à lui ; ces affects qui jouent un si grand rôle sur le plan économique. La simple idée de la présence ou du manque d'argent à un endroit donné crée la tension ou la paralysie, et les réserves de métal

> jaune dans les caves des banques, couvrant leurs billets, prouvent de façon tangible que l'argent, représenté par un symbole purement psychologique, a des effets complets[1]. »

Dans cette analyse, Simmel nous présente la monnaie comme une force de rayonnement qui touche tout le groupe social. L'anticipation collective de sa rareté ou de son abondance influe sur le cours présent de l'économie beaucoup plus que les offres et demandes effectives actuelles, pour paraphraser Simiand[2]. Ce sont là diverses situations où le pouvoir monétaire apparaît dans toute son étendue et dans toute sa pureté. C'est une puissance d'influence ou encore une capacité à affecter tous les individus du groupe. La substance dont est faite la monnaie ne joue, dit-il, à une période où les conceptions métallistes sont majoritaires, qu'un rôle secondaire dans la production de cette puissance d'affecter. Ce qui compte essentiellement, ce sont les croyances que la monnaie véhicule et la manière dont celles-ci entrent en résonance avec les intérêts et les projets des individus : « [Ce qui fait fondamentalement que la monnaie est monnaie] n'a aucune relation intrinsèque avec le fait que l'argent soit lié à une substance, et [cela] fait apparaître de la façon la plus sensible que l'essence de l'argent consiste en représentations, investies en lui bien au-delà de la signification propre de son support[3]. » Ce rôle des représentations est pour Simmel ce qui désigne la monnaie comme un « phénomène intégralement sociologique » :

> « Ces phénomènes [...] montrent de manière particulièrement transparente combien l'argent, de par son essence

1. Georg Simmel, *Philosophie de l'argent*, *op. cit.*, p. 186.
2. « Les prévisions [...] qui peuvent être faites [...] influent sur [le] cours présent autant et même beaucoup plus que l'offre et la demande effectives actuelles » (François Simiand, « La monnaie réalité sociale », art. cit., p. 242).
3. Georg Simmel, *Philosophie de l'argent*, *op. cit.*, p. 225.

profonde, est peu lié à la matérialité de son substrat ; comme il est en effet, intégralement, un phénomène sociologique, une forme d'interrelations humaines, sa nature apparaît avec d'autant plus de pureté que les liens sociaux sont plus condensés, plus fiables, plus aisés[1]. »

La critique de Simiand est de même nature bien qu'elle prenne pour point de départ l'idée chère aux quantitativistes selon laquelle la monnaie est un « bon d'emploi[2] » qui vaut au prorata de ce qu'elle permet d'acheter : cette chose « qui ne sert à rien sinon que de pouvoir obtenir de quoi servir à tout[3] ». Dans cette conception, la masse des marchandises susceptibles d'être achetées grâce à cette monnaie apparaît comme le « gage global sur lequel cette monnaie est, en quelque sorte, assignée[4] ». Il s'agit en conséquence de mettre en regard la masse des emplois et la masse des moyens monétaires, la valeur de l'unité monétaire se déterminant à partir du rapport de ces deux masses. Simiand souligne immédiatement combien cette présentation est faussement simple, à la fois pour ce qui est du calcul du gage comme pour ce qui est du calcul des moyens monétaires. Il y insiste fortement et retrouve le point de vue de Simmel :

« Qu'est-ce à dire sinon que cette thèse quantitative se montre radicalement erronée en pensant tirer d'un rapport entre des quantités physiques[5] une valeur économique : si cette valeur économique varie alors, elle varie seulement par le fait du retentissement de ces mouvements physiques dans l'esprit et sur les actions et les réactions des hommes ; et disons plus : dans l'esprit et sur les actions

1. *Ibid.*, p. 187.
2. François Simiand, « La monnaie réalité sociale », art. cit., p. 240.
3. *Ibid.*, p. 249.
4. *Ibid.*, p. 240-241.
5. En l'occurrence, le rapport entre E, les emplois de la monnaie, et M, le métal monétaire (*ibid.*, p. 246-247).

et réactions non pas des hommes comme individus, mais des groupes fonctionnels, des classes, des nations, de la société tout entière[1]. »

Comme pour Simmel, la pensée monétaire de Simiand se veut sociologique précisément en ce qu'elle prend les croyances pour ce qu'elles sont, à savoir des forces qui modifient effectivement les comportements parce qu'elles modèlent les esprits. Pour ces deux auteurs, il faut absolument intégrer le rôle que jouent les représentations collectives, car elles sont au fondement du fait monétaire :

> « [...] *ce n'est pas la représentation monétaire qui est un voile devant les phénomènes économiques véritables ; c'est l'effort pour se dégager et se passer de la représentation monétaire qui élève un voile obscurcissant* [...] et cela parce que la représentation monétaire est effectivement une réalité, part intégrante, constitutive, essentielle, dans le fonctionnement d'un système proprement économique[2]. » [les italiques sont de l'auteur]

On notera, par ailleurs, que chez Simiand le rôle des croyances est étroitement lié à la nature incertaine de l'avenir. L'intervention du futur introduit des effets de croyance parce qu'il échappe au calcul rationnel. En conséquence, dans la mesure où la valeur de l'unité monétaire dépend d'événements à venir, il entre nécessairement une part d'opinion dans son estimation. De ce point de vue, la proximité de Simiand avec la pensée keynésienne est frappante et doit être soulignée. Parce que Simiand rejette, comme Keynes, la possibilité de réduire le rapport au futur à un calcul probabiliste objectif[3], indépendant des personnes,

1. *Ibid.*
2. *Ibid.*, p. 257.
3. John Maynard Keynes, « The General Theory of Employment », *Quarterly Journal of Economics*, vol. 51, n° 2, février 1937, p. 217.

il est nécessairement conduit à donner toute sa place à la subjectivité des anticipations individuelles et, par voie de conséquence, aux logiques sociales d'opinion qui les structurent. C'est ainsi que Simiand décrit le futur comme « non pas une donnée quantitative déterminée ou déterminable, même en coefficient mathématique de probabilité plus ou moins grande, mais affaire d'appréciation qui, pour une part, est de sentiment plus ou moins indistinct plutôt que de prévision raisonnée et critique : en un mot, *affaire de confiance* (ou de défiance[1]) ». Comme Simiand et Simmel, Keynes soulignera que le rapport à la monnaie, ce qu'il appelle la préférence pour la liquidité, ne saurait se construire sur une base uniquement rationnelle. Il y entre des éléments instinctifs, subjectifs et mimétiques, comme le souligne l'article de 1937. Il écrit :

> « […] pour des motifs en partie rationnels et en partie instinctifs, notre désir de détenir de la monnaie comme réserve de richesse est un baromètre de notre degré de défiance quant à nos propres calculs et conventions concernant l'avenir. Même si cette impression au sujet de la monnaie est elle-même conventionnelle ou instinctive, elle agit, pour ainsi dire, à un niveau plus profond de nos motivations. La possession de monnaie réelle apaise notre inquiétude ; et la prime que nous requérons pour nous faire nous séparer de la monnaie est la mesure de notre degré d'inquiétude[2]. »

Ce célèbre passage illustre la puissance de la pensée de Keynes qui n'hésite pas à introduire dans ses analyses des éléments conceptuels n'appartenant en rien au répertoire habituel de l'économiste comme l'inquiétude, les conven-

1. François Simiand, « La monnaie réalité sociale », art. cit., p. 242.
2. John Maynard Keynes, « The General Theory of Employment », art. cit., p. 147.

tions, les esprits animaux (*animal spirits*) ou les instincts. C'est le signe d'une analyse qui fait jouer un grand rôle aux croyances. Pour Keynes, la crise économique est d'abord essentiellement une crise de confiance, à savoir une situation où les croyances de l'acteur sont remises en cause. Il ne croit plus aux conventions passées. Si la défiance a des effets sur l'économie, nous dit Keynes, c'est parce qu'elle trouve, dans le choix de la liquidité, un moyen de s'exprimer qui n'est pas une dépense. « Le seul remède radical aux crises de confiance [...] serait de restreindre le choix de l'individu à la seule alternative de consommer son revenu ou de s'en servir pour faire fabriquer l'article de capital réel qui [...] lui paraît être l'investissement le plus intéressant qui lui soit offert[1]. » Avec la liquidité, l'individu peut se mettre hors jeu, c'est-à-dire refuser de participer à l'activité économique parce qu'elle lui paraît trop incertaine, trop opaque, trop confuse. Cette mise hors jeu, dès lors qu'elle se généralise, affaiblit la demande effective et la production. Elle produit la crise économique générale.

Économie et sciences sociales

Dans le monde de la séparation marchande, une question taraude tous les acteurs, la liquidité, parce qu'elle est au fondement de ce qui constitue la puissance marchande, à savoir le pouvoir d'acheter. Le désir de liquidité est à l'origine d'un processus de concurrence mimétique, à rétroactions positives, au cours duquel les biens liquides les plus en vue voient leur attrait s'accroître cumulativement jusqu'au point où une seule option est retenue au détriment de toutes les autres. Dans l'objet ainsi élu

---

1. John Maynard Keynes, *Théorie générale de l'emploi, de l'intérêt et de la monnaie*, Paris, Payot, 1971, p. 173.

se manifeste à l'état pur, par la grâce de la polarisation mimétique, cette qualité spécifique qu'on nomme la « valeur économique ». Il en est l'expression absolue. En conséquence, notre cadre conceptuel, loin de voir dans la monnaie une donnée secondaire et contingente de l'ordre marchand, la pense comme son rapport primordial, celui grâce auquel cet ordre social accède à l'existence complète. Ce rôle fondateur a pour base non pas quelque qualité intrinsèque qu'il faudrait spécifier, mais l'accord unanime des sociétaires pour reconnaître en elle ce que les autres désirent absolument : la liquidité absolue. Dans la monnaie, c'est l'unité objectivée du corps social qui se donne à voir. On ne saurait mieux exprimer la nature holiste de la monnaie, son statut de puissance collective. Son rôle de médiation s'en déduit : tous partageant une même vénération à son égard, les individus marchands cessent d'être l'un face à l'autre dans un état d'absolue étrangeté et leur lutte peut se polariser sur sa seule possession. De cette façon, la monnaie s'impose à toutes les activités marchandes comme le tiers médiateur qui en authentifie la valeur économique. Telle est la signification spécifique de la monnaie : elle est l'institution qui donne réalité à la notion de valeur économique et, par là même, celle qui permet l'activité marchande définie comme activité tout entière tournée vers l'appropriation de celle-ci. Le point théoriquement décisif est dans la rupture radicale avec les approches substantielles de la valeur, pensée hors de l'échange comme donnée objective, déjà là, intrinsèque aux marchandises. Tout au contraire, nous défendons la thèse selon laquelle c'est la monnaie, et elle seule, en tant qu'unité de compte, qui donne sens et réalité à l'évaluation. Dans une structure fractionnée coexistent une multiplicité d'évaluations privées qui varient erratiquement avec les choix privés concernant ce que sont les biens liquides. L'émergence de la monnaie met fin à ce chaos et produit une valeur économique reconnue par tous. Autrement dit, la monnaie est ce par quoi les rapports marchands se trouvent pleinement institués comme rapports nombrés. *Elle est l'institution du nombre marchand.* Il est vain de chercher à penser le prix comme l'expression d'une grandeur qui lui préexisterait. Il faut partir du désir unanime de liquidité et des formes sociales qui l'encadrent. En ce sens, la monnaie peut être dite « expression de la totalité sociale » à condition de bien souligner que totalité sociale (marchande) et monnaie se construisent simultanément en prenant appui l'une sur l'autre. L'outil conceptuel pour penser cette totalisation est la polarisation mimétique. Elle produit l'institution monétaire.

Bien que minoritaire en économie, cette conception de la monnaie, qui sera dite « institutionnaliste », n'est pas totalement isolée au sein des sciences sociales. Des penseurs comme Marcel Mauss, François Simiand ou Georg Simmel ont défendu des positions assez proches. Ce qui fondamentalement rapproche tous ces penseurs est une conception similaire de la valeur, aux antipodes de l'hypothèse substantielle : la valeur économique n'est pas une substance mais une puissance de nature spécifiquement sociale, née de la multitude et étendant ses effets à tous les membres de celle-ci au travers des représentations qu'elle donne d'elle-même. Une des forces de cette conception est qu'elle n'est pas limitée à la seule économie ; on la retrouve dans de nombreuses analyses sociologiques. Autrement dit, une fois rejetée l'hypothèse de la valeur substance, il est possible d'élaborer un modèle général d'intelligibilité des valeurs qui englobe également l'activité économique. Cette perspective unitaire occupe une place stratégique dans notre projet : à nos yeux, une véritable refondation de l'économie passe nécessairement par l'affirmation de son appartenance à part entière aux sciences sociales. Il faut défendre l'idée que le fait économique est un fait social comme un autre. Il ne possède en rien une essence particulière qui justifierait une épistémologie spécifique ou une discipline indépendante. Ce point est essentiel : selon nous, les sciences sociales relèvent toutes d'une même intelligibilité. Nous proposons le terme d'« unidisciplinaire » pour qualifier cette perspective qui vise à surmonter les divisions artificielles que connaissent actuellement les sciences sociales, en affirmant leur profonde unité conceptuelle. On ne saurait surestimer les conséquences d'une telle position, non seulement quant à l'architecture globale des sciences sociales, mais également pour ce qui est de la manière dont chacune d'elles conçoit son objet. On peut en espérer des avancées considérables, et d'abord pour l'économie elle-même qui, prisonnière de sa conception de la valeur substance, est fortement limitée dans son aptitude à déchiffrer le capitalisme. Le chapitre V sera entièrement consacré à l'explicitation de ce projet unidisciplinaire. Il s'agira de montrer par quoi l'analyse développée jusqu'à maintenant s'intègre dans un modèle plus général de ce que sont les valeurs sociales. La référence à Durkheim y jouera un grand rôle.

Chapitre V
Un cadre unidisciplinaire pour penser la valeur

Comme toute valeur, religieuse, esthétique, morale ou sociale, la valeur économique a la dimension d'un jugement portant sur la puissance des individus ou des objets. Ainsi la valeur esthétique est-elle la reconnaissance du degré de puissance de certains individus ou objets dans le champ des activités artistiques. La question centrale que les valeurs posent aux sciences sociales est celle, énigmatique, de leur objectivité, sans laquelle il n'y aurait pas de valeurs au sens propre mais un ensemble épars d'estimations subjectives. Durkheim en souligne bien la centralité lorsque, après avoir considéré divers jugements de valeur du type « ce tableau *a* une grande valeur esthétique », « ce bijou *vaut* tant », il note : « Dans tous les cas, j'attribue aux êtres et aux choses dont il s'agit un caractère objectif, tout à fait indépendant de la manière dont je le sens au moment où je me prononce [...]. Toutes ces valeurs existent donc, en un sens, en dehors de moi[1]. » Or, souligne Durkheim, la valeur renvoie à une capacité à produire du désir chez les sujets. Comment, dans ces conditions, concilier ces deux dimensions : le désir, d'un côté, et l'objectivité, de l'autre ? Il écrit :

> « Ce qui a de la valeur est bon à quelque titre ; ce qui est bon est désirable ; tout désir est un état intérieur. Et

1. Émile Durkheim, « Jugements de valeur et jugements de réalité », in *Sociologie et Philosophie*, Paris, PUF, 1967, p. 91.

> pourtant les valeurs dont il vient d'être question ont la même objectivité que des choses. Comment ces deux caractères, qui, au premier abord, semblent contradictoires, peuvent-ils se réconcilier ? Comment un état de sentiment peut-il être indépendant du sujet qui l'éprouve[1] ? »

On aura noté à quel point ce questionnement se retrouve à l'identique chez les économistes. Il n'y a rien dans la valeur économique qui, ontologiquement, la distingue de ses consœurs des sciences sociales. Durkheim en était si convaincu qu'il n'hésite pas à écrire : « Certes, il y a des types différents de valeurs, mais ce sont des espèces d'un même genre[2]. » Ce qui va produire l'autonomisation de l'économie que l'on connaît, ce n'est donc pas la spécificité de la question qui lui est posée – puisque cette question est commune à toutes les sciences sociales – mais la particularité de la réponse qui lui a été apportée par les économistes. Ceux-ci ont élaboré un cadre théorique sans équivalent dans les autres disciplines, à savoir les théories de la valeur, qui attribuent l'objectivité de la valeur économique à l'existence d'une substance sociale, travail ou utilité, dont la grandeur peut être mesurée. Sur un tel socle, comme on l'a souligné, s'est constituée une tradition de pensée indépendante en rupture avec le raisonnement sociologique[3], ce que nous avons nommé une « économie des grandeurs ». Elle a pour trait caractéristique de ne faire aucune place aux représentations et aux croyances collectives. On ne saurait imaginer rupture plus radicale.

Tout l'effort théorique poursuivi au long du présent

---

1. *Ibid.*, p. 92.

2. Il ajoute : « Le progrès qu'a fait, dans les temps récents, la théorie de la valeur est précisément d'avoir bien établi la généralité et l'unité de la notion » (*ibid.*, p. 101). Il pensait que la sociologie avait résolu définitivement cette question.

3. Au sens que lui donne Jean-Claude Passeron dans *Le Raisonnement sociologique* (*op. cit.*).

livre vise à réaffirmer la loi commune de la valeur pour en finir avec le séparatisme qui caractérise l'économie en tant que discipline. Bien qu'elle ait l'apparence d'un nombre, la valeur économique est bien une puissance de nature sociale, en l'espèce un pouvoir sur autrui qui prend la forme d'un pouvoir d'achat sur les choses, dont l'origine est dans la capture universelle des désirs individuels de liquidité. Ce qui demande à être compris est la nature de cette puissance : comment un sentiment collectif s'extériorise durablement dans un objet ? Cette question a reçu de longs développements de la part des sciences sociales. Confiance, affect commun, puissance de la multitude, croyances collectives sont les concepts proposés pour en appréhender la nature. Ils font l'objet du présent chapitre. Il est à espérer que leur analyse permettra de rendre notre démarche plus lisible en montrant dans quelle perspective générale elle s'intègre. Nous montrerons, à la fin du chapitre, que cette réflexion débouche sur une vision de l'activité économique notablement distincte de celle qui prévaut chez les économistes néoclassiques. À leurs yeux, la société marchande résulte du libre engagement des parties prenantes, conformément à ce que leur dictent leurs intérêts. Autrement dit, elle est pensée sur le modèle de l'accord contractuel. *A contrario*, notre approche insiste sur la présence de forces collectives *sui generis* qui enrôlent les individus en jouant sur la puissance des affects qu'elles provoquent chez eux. La monnaie et la fascination qu'elle exerce sur tous les individus nous en fournissent l'illustration exemplaire. Elles démontrent qu'on ne saurait identifier le lien marchand à un lien d'une nature contractuelle[1]. Mais avant d'examiner ces points,

1. On retrouve par ce biais une thèse défendue par Durkheim dans *De la division du travail social* (Paris, PUF, 1978). Durkheim note que le contrat repose sur le droit contractuel et que le droit contractuel n'est pas d'une nature contractuelle. Cet argument lui

commençons par l'analyse du concept de confiance tel que Simmel nous le propose.

Simmel et la confiance

Alors que dans la tradition économique la valeur est une grandeur substantielle, faite de travail ou d'utilité, dans l'approche que nous proposons, la valeur est essentiellement une puissance d'achat qui, une fois investie dans l'objet monétaire, se trouve reconnue et désirée par tous. En tant que l'acquisition de monnaie signifie une capacité accrue d'achat, cette acquisition n'est pas en contradiction avec les intérêts de l'individu, pour peu qu'on élargisse la théorie de l'action rationnelle à la puissance et aux instruments de la puissance. Il est clair cependant que cette action met en jeu une croyance : la croyance selon laquelle l'objet acquis conservera ses qualités monétaires de telle sorte que son propriétaire puisse, grâce à lui, effectivement acheter les marchandises qu'il souhaite au moment où il le souhaite. C'est à cet endroit précisément qu'intervient la confiance parce que rien, dans la nature de la monnaie, ne garantit absolument qu'elle soit pour toujours acceptée comme moyen de paiement par les acteurs marchands. Ce que la polarisation mimétique a fait, elle peut également le défaire en s'investissant dans un nouveau bien liquide et en délaissant l'ancien. En d'autres termes, les monnaies ne sont jamais qu'une promesse de liquidité. Cette idée est au point de départ de la réflexion que Simmel a développée à propos de l'argent. En effet, pour Simmel, « le possesseur d'argent ne peut

permet de conclure qu'il n'y a pas que du contractuel dans le contrat. Notre argument est différent. Nous prenons appui sur la présence de la monnaie dans le rapport marchand en soulignant que la monnaie n'est pas de nature contractuelle.

contraindre quiconque à lui livrer pour de l'argent, fût-il incontestablement du bon argent, quoi que ce soit, comme on l'a bien vu dans des cas de boycott[1] ». Il faut l'achat effectif d'une nouvelle marchandise pour que la validité de l'argent se voie provisoirement confirmée. Sur la base de ce constat, Simmel se refuse à opposer radicalement monnaie et crédit : « Le fait que les promesses contenues dans l'argent puissent [...] ne pas [...] être remplies confirme l'argent dans ce caractère de simple crédit ; car il est bien dans la nature du crédit que la vraisemblance de sa réalisation ne soit jamais totale, si grande soit-elle[2] ». Ou encore : « Tout argent est à proprement parler du crédit, puisque sa valeur repose sur la confiance qu'a la partie prenante de recevoir contre cet instrument d'échange une certaine quantité de marchandises[3]. » Il s'ensuit que, aux yeux de Simmel, rien ne distingue qualitativement l'argent métal et l'argent crédit : « Il ne fait aucun doute que l'argent métal lui aussi est une promesse et ne se distingue du chèque que par l'étendue de la sphère où sa convertibilité est garantie[4]. » C'est là une analyse d'une très grande originalité en cette fin de XIXe siècle où dominent les conceptions métallistes qui considèrent que l'or est la seule monnaie véritable. Pour Simmel, même l'or repose sur de la confiance : « *non aes sed fides*[5] », comme il se plaît à le répéter, car les individus peuvent refuser le métal.

Simultanément, Simmel souligne que la monnaie est un crédit d'un type très particulier parce que l'entité débitrice n'est pas un individu ou une société juridiquement responsable, mais la communauté marchande prise dans

1. Georg Simmel, *Philosophie de l'argent*, *op. cit.*, p. 198.
2. *Ibid.*, p. 198.
3. *Ibid.*, p. 196-197.
4. *Ibid.*, p. 196.
5. « Non pas le métal mais la foi. »

sa totalité. Celui qui a de l'argent possède un droit sur l'ensemble des producteurs-échangistes :

> « [Dans l'échange monétaire] il intervient entre les deux parties une tierce instance, l'ensemble du corps social qui, pour cet argent, met à disposition une valeur réelle correspondante [...]. Là-dessus se fonde le noyau de vérité contenu dans la théorie selon laquelle tout argent n'est qu'une assignation sur la société ; il apparaît comme une lettre de change sur laquelle le nom de l'intéressé n'est pas porté [...]. L'acquittement de toute obligation particulière au moyen d'argent signifie précisément que désormais la communauté dans son ensemble va assumer cet engagement vis-à-vis de l'ayant droit. [En remettant l'argent à celui qui a fourni la prestation, l'acheteur] lui assigne un producteur provisoirement anonyme qui, en raison de son appartenance à la sphère économique en question, prend à sa charge la prestation exigée en échange de cet argent[1]. »

C'est la nature holiste de la monnaie qui se trouve ici pleinement reconnue. Penser la monnaie, c'est penser un engagement de la société *en tant que totalité*. Si la société avait une identité reconnue, le problème monétaire serait aisément résolu. Toute la difficulté vient précisément du fait que « le corps social dans son ensemble » n'est pas une entité juridique qui puisse s'engager envers autrui. Pour cette raison, la monnaie échappe à la logique contractuelle : la monnaie est un droit qui tire son effectivité du désir des autres et non pas d'un engagement formel qui contraindrait tous les acteurs à l'accepter en toutes circonstances. En conséquence, le droit monétaire n'existe que pour autant que la polarisation mimétique des désirs se trouve reproduite. Telle est la nature de la confiance monétaire.

1. *Ibid.*, p. 195.

Simmel poursuit son analyse en observant que deux sortes de confiance doivent être distinguées. La première, d'une très grande banalité, se rencontre dans la quasi-totalité des activités économiques : « Si l'agriculteur ne croyait pas que son champ va porter des fruits cette année comme les années précédentes, il ne sèmerait pas ; si le commerçant ne croyait pas que le public va désirer ses marchandises, il ne se les procurerait pas[1]. » Pour Simmel, cette forme commune de la confiance a la nature d'un « savoir inductif » : « Cette sorte de foi n'est rien d'autre qu'une forme de savoir inductif atténué[2]. » Par l'utilisation d'un tel qualificatif, Simmel veut souligner que les croyances en question se conforment aux règles générales de la connaissance objective : à partir de l'observation des événements passés, l'individu construit inductivement sa représentation de ce que sera le futur. Il s'ensuit que cette confiance ne demande pas de longues explications ; elle est facile à analyser. On agit conformément à ce que prédit l'analyse inductive de la situation, tout en sachant que la prévision ainsi établie n'est pas parfaite. Cette même rationalité statistique sera au cœur des analyses financières du chapitre VI. Parce que ce savoir reste approximatif et que l'acteur en est conscient, entre un élément de confiance dans l'action. Mais c'est une confiance par défaut car elle vise essentiellement à écarter le doute. Aussi le terme de « déméfiance », s'il existait, serait-il plus approprié[3]. Le cas du crédit est bien plus complexe parce que s'y trouve présent un élément supplémentaire, d'une tout autre nature, qui échappe aux règles de la connaissance inductive :

1. *Ibid.*, p. 197.
2. *Ibid.*
3. Voir également à la p. 26 de *La Monnaie souveraine* de Michel Aglietta et André Orléan (*op. cit.*).

> « Dans le cas du crédit, de la confiance en quelqu'un, vient s'ajouter un moment autre, difficile à décrire, qui s'incarne de façon la plus pure dans la foi religieuse. Quand on dit que l'on croit en Dieu, il ne s'agit pas d'un degré imparfait dans le savoir relatif à Dieu, mais d'un état d'âme qui ne se situe absolument pas dans la direction du savoir ; c'est, d'un côté, absolument moins, mais de l'autre, bien davantage que ce savoir. Selon une excellente tournure, pleine de profondeur, on "croit en quelqu'un" – sans ajouter ou même sans penser clairement ce que l'on croit en vérité à son sujet. C'est précisément le sentiment qu'entre notre idée d'un être et cet être lui-même existe d'emblée une connexion, une unité, une certaine consistance de la représentation qu'on a de lui : le moi s'abandonne en toute sécurité, sans résistance, à cette représentation se développant à partir de raisons invocables, qui cependant ne la constituent pas[1]. »

Comme on le remarque dans cette citation, Simmel n'est pas très clair dans sa spécification de ce qu'est cette « foi socio-psychologique apparentée à la foi religieuse[2] », qu'il nomme également « foi *supra*-théorique[3] ». Elle est, dans un premier temps, définie négativement, par le fait qu'elle échappe au domaine de la connaissance rationnelle ; elle ne se situe pas « dans la direction du savoir », dit-il. La confiance en question n'est pas la simple conséquence d'un savoir imparfait comme précédemment. Puis, dans un second temps, Simmel nous décrit positivement cette croyance. Elle porte sur l'être même de ce à quoi on croit, selon la formule : « croire en quelqu'un ou quelque chose ». Cette « croyance en » peut conduire, nous dit Simmel, à un sentiment d'une grande intensité lorsque s'établit entre l'être en quoi on croit et l'idée qu'on s'en fait une connexion étroite, allant

1. Georg Simmel, *Philosophie de l'argent*, *op. cit.*, p. 197.
2. *Ibid.*, p. 198.
3. *Ibid.*, p. 197.

jusqu'à provoquer un abandon irrésistible du moi. Mais d'où vient l'idée qu'on se fait de cet être ? Que veut dire cette connexion ? Simmel n'en dit rien. On n'en saura pas plus. Il passe directement à la confiance monétaire qui, bien qu'appartenant à cette deuxième catégorie, se distingue par son extrême intensité :

> « Le sentiment de sécurité personnelle qu'assure la possession de l'argent est peut-être la forme et l'expression la plus concentrée et la plus aiguë de la confiance dans l'organisation et dans l'ordre étatico-social. Ce processus subjectif représente pour ainsi dire la puissance supérieure de cet ordre qui crée la valeur du métal[1]. »

Ces dernières réflexions s'intègrent parfaitement à notre cadre théorique. À nos yeux également, la confiance monétaire doit être distinguée en raison du rôle central qu'elle joue dans la construction de l'organisation économique. Elle est au fondement de l'ordre marchand ; elle en est le matériau de base. On le voit nettement au moment des crises monétaires. La valeur y devient floue, incertaine. On constate une perte généralisée des repères d'évaluation, rendant de plus en plus problématique l'activité économique jusqu'à y faire totalement obstacle. Pensons, par exemple, au calcul des profits en période de forte inflation. Le chiffre nominal n'est plus pertinent. *A contrario*, la croyance en la liquidité absolue de la monnaie est ce qui fait que la production et les échanges marchands peuvent se développer. Elle est le socle sur lequel tout repose. En ce sens, on peut dire que toutes les autres formes de confiance économique lui sont subordonnées ; elles ne prennent sens que si la confiance monétaire existe. En conséquence, on peut affirmer que la confiance monétaire est « l'expression la

1. *Ibid.*, p. 198.

plus concentrée » de la confiance économique, l'énergie même qui donne vie aux rapports marchands. C'est la société qui s'exprime par son entremise. Elle est ce par quoi l'individu marchand fait l'expérience de son appartenance à une totalité qui le dépasse et le protège. Une fois ce constat fait, il reste à expliquer d'où viennent cette énergie et cette puissance. Tout l'intérêt de l'hypothèse mimétique se trouve précisément dans son aptitude à rendre compte de cette réalité si énigmatique : la confiance en la monnaie est au fondement de la valeur économique.

L'affect commun

L'idée directrice de la théorie mimétique consiste en ceci que la polarisation mimétique des désirs individuels sur un même objet (ou une même représentation) dote celui-ci d'une puissance d'attraction d'autant plus grande que sont nombreux les désirs individuels. Il faut alors parler d'une composition mimétique des désirs transformant des affects individuels dispersés en un affect commun polarisé. La monnaie tire son pouvoir d'attraction de cet affect commun qui se trouve investi en elle. Notons, comme on l'a souligné précédemment, que cette attraction est conforme aux intérêts des producteurs-échangistes puisque, grâce à la détention de monnaie, les individus ont accès à la liquidité. C'est même une des raisons qui rend les individus si réceptifs à son influence. Mais, étant donné qu'il mobilise le désir des individus, ce pouvoir d'attraction que produit l'affect commun s'exerce de manière directe, immédiate, *hic et nunc*. Il a pour fondement l'unisson des désirs du groupe qui produit, par résonance, un affect de grande puissance. Conformément à ce que propose Frédéric Lordon à partir de sa lecture de Spinoza[1], nous nommerons cette puissance spécifique, propre à l'affect commun, « puissance de la multitude », puisqu'elle trouve sa source dans la multitude : « Par puissance de la multitude, il faut entendre une certaine composition polarisée des puissances individuelles telle que surpassant, par la composition même, toutes les puissances dont elle est constituée, elle est un pouvoir d'affecter tous[2]. » Cependant, dans le cas qui nous intéresse, la puissance de la multitude, en prenant la forme de l'objet monétaire, est, en quelque sorte, mise à distance d'elle-même et transfigurée. Ce phénomène de captation de la puissance de la multitude par l'objet monétaire est d'une grande importance. Il en est ainsi dès lors que l'objet se présente à la conscience de l'ensemble des acteurs comme étant à l'origine même de l'affect commun, en raison de ses qualités spécifiques ; autrement dit, dès lors que l'objet revendique la puissance de la multitude comme étant son œuvre. Selon cette revendication, la nécessité de son élection serait inscrite dans sa nature, dans le fait que l'objet élu n'est pas une marchandise comme les autres. Telle est la représentation que le bien liquide veut donner de lui-même, représentation qui se construit, évolue et devient connaissance commune au cours des intenses interactions mimétiques que la quête de liquidité provoque, chacun cherchant à convaincre autrui de la justesse de son choix et réglant son argumentaire

1. L'analyse qui est ici proposée à partir des concepts de puissance de la multitude, d'affect commun et de capture n'aurait pu voir le jour sans les importants travaux que mène Frédéric Lordon dans la perspective d'une « science sociale spinoziste ». On en trouvera les références dans la bibliographie.

2. Frédéric Lordon, « La puissance des institutions (autour de *la critique* de Luc Boltanski) », *Revue du MAUSS permanente*, 8 avril 2010 [en ligne : http://www.journaldumauss.net/spip.php?article678], p. 8.

sur le désir des autres. Certes, en tant que théoricien, nous savons la fausseté de cette représentation : chaque coalition formée autour d'un bien liquide défend d'abord ses intérêts et, pour ce qui est de la liquidité, la nature de l'objet importe peu. Cependant, dans la lutte pour la suprématie, chaque prétendant à la liquidité est conduit à faire valoir son propre récit pour l'emporter sur les autres. Il s'agit de montrer qu'on possède un droit particulier à être choisi pour régner sur le monde des biens ordinaires. Au cours du processus concurrentiel, cette représentation que l'objet donne de lui-même, en tant qu'objet promis à l'élection monétaire, devient indissociable de l'objet lui-même. Le désir se porte sur l'objet, mais perçu au travers de la représentation qu'il donne de lui-même. La convergence mimétique, par le fait qu'elle réalise effectivement la promesse de liquidité, valide *ex post* les prétentions de l'objet monétaire. Sa liquidité absolue atteste de la justesse de sa représentation : le voilà *de facto* exclu de la circulation des marchandises profanes.

Cette exclusion parachève l'élection mimétique. Par son action, l'unanimité mimétique acquiert le statut d'une médiation durable ; elle cesse d'être perçue comme le produit transitoire du mimétisme ou comme la victoire d'un clan sur un autre clan. Elle apparaît comme une réalité sur laquelle chacun peut désormais compter parce qu'elle est fondée dans des qualités propres à l'objet élu. On reconnaît ici le « croire en » de Simmel : la connexion « entre notre idée d'un être et cet être lui-même ». Ce faisant, l'élection se trouve légitimée. Dans notre cadre théorique, le « croire en X », en tant que capture de l'affect commun par X (un objet ou un être), repose sur deux réalités : (1) la production d'un affect commun, et (2) X qui se présente comme possédant un droit particulier à exprimer cet affect commun. Mary Douglas, dans *Ainsi pensent les institutions*, souligne qu'il n'existe pas de pouvoir institutionnel sans une représentation légitimante qui vienne faire obstacle à la propagation des contestations et des dissidences. Il s'agit essentiellement, pour l'institution, de faire valoir que sa présence est incontestable en l'inscrivant dans la nature même des choses :

> « Pour acquérir une légitimité, toute institution a besoin d'une définition qui fonde sa vérité en raison et en nature [...]. Une convention est institutionnalisée quand, à la question de savoir pourquoi on agit ainsi [...], l'on peut répondre *in fine* en se référant au mouvement des planètes dans le ciel ou au comportement naturel des plantes, des animaux et des hommes[1]. »

En matière monétaire, c'est ce que nous avons appelé l'exclusion[2] qui joue ce rôle : la mise à distance de l'objet. Il s'agit de montrer que l'objet était promis à l'élection en vertu de certaines propriétés qui le distinguent radicalement des marchandises ordinaires. Par le jeu de cette représentation qu'il donne de lui-même, l'objet élu se montre apte à capter le désir commun de liquidité. Telle est la nature de la confiance monétaire mise en lumière par Simmel. Elle porte sur la légitimité de l'élection.

Comme l'illustrent ces premières réflexions, on trouve au cœur de cette analyse des concepts qui sont d'ordinaire absents des livres d'économie : la polarisation mimétique des désirs, l'affect commun et la puissance de la multitude. Ils sont à la base de notre conception de la valeur économique : la valeur est une puissance qui a pour origine le groupe social, par le biais de la mise en commun des passions et des pensées. Introduire cette réalité collective en économie constitue une innovation

1. Mary Douglas, *Ainsi pensent les institutions*, Paris, Usher, 1989, p. 41.
2. Michel Aglietta et André Orléan, *La Violence de la monnaie*, *op. cit.*, et *La Monnaie entre violence et confiance*, *op. cit.*

de grande ampleur là où d'ordinaire les économistes ne reconnaissent que l'action des volontés privées. Cette réalité n'est pas propre à l'économie. Elle est même, aux yeux de Durkheim, caractéristique du « fait social ». Il devient alors possible d'imaginer un cadre théorique unidisciplinaire qui mettrait fin au schisme qui déchire les sciences sociales entre économie, d'un côté, et sciences historiques de l'autre.

Durkheim : une conception unidisciplinaire de la valeur

Au cœur de toute l'œuvre de Durkheim, on trouve la thèse selon laquelle le groupe social est porteur d'une vie psychique d'un genre particulier, possédant une énergie et une autorité qu'on ne retrouve pas chez les individus isolés. Durkheim n'utilise pas le terme d'« affect commun » mais, lorsqu'il parle de sentiment commun ou de pensée collective, c'est bien cette réalité qui est décrite. Cette vie psychique particulière, *sui generis,* joue, selon lui, un rôle crucial dans la réflexion sociologique par le fait qu'elle est au fondement des valeurs sociales et de leur autorité :

> « Quand les consciences individuelles, au lieu de rester séparées les unes des autres, entrent étroitement en rapport, agissent activement les unes sur les autres, il se dégage de leur synthèse une vie psychique d'un genre nouveau. Elle se distingue d'abord de celle que mène l'individu solitaire, par sa particulière intensité. Les sentiments qui naissent et se développent au sein des groupes ont une énergie à laquelle n'atteignent pas les sentiments purement individuels [...]. C'est, dans les moments d'effervescence [...], que se sont, de tous temps, constitués les grands idéaux sur lesquels reposent les civilisations. Les périodes créatrices ou novatrices sont précisément celles où, sous

l'influence de circonstances diverses, les hommes sont amenés à se rapprocher plus intimement, où les réunions, les assemblées sont plus fréquentes, les relations plus suivies, les échanges d'idées plus actifs [...]. On diminue la société quand on ne voit en elle qu'un corps organisé en vue de certaines fonctions vitales. Dans ce corps vit une âme : c'est l'ensemble des idéaux collectifs. Mais ces idéaux ne sont pas des abstraits, de froides représentations intellectuelles, dénuées de toute efficace. Ils sont essentiellement moteurs ; car derrière eux, il y a des forces réelles et agissantes : ce sont les forces collectives [...]. L'idéal lui-même est une force de ce genre[1]. »

Cette citation est remarquable. Pour Durkheim, ce qui est pensé et senti en commun acquiert une emprise extrême sur tous les esprits individuels et les transforme en profondeur. C'est sur ce modèle qu'il rend compte de l'émergence de la vie morale et des idéaux collectifs, qui sont une création de l'effervescence du groupe. Il n'est pas difficile de reconnaître dans ces « forces réelles et agissantes » qu'engendre le groupe social en fusion ce que nous avons nommé la puissance de la multitude. Notons avec quelle insistance Durkheim souligne le fait que ces représentations collectives sont à proprement parler des forces[2] et non « de froides représentations intellectuelles ». Il s'agit bien pour lui de rendre intelligible la transformation que connaît l'individu lorsqu'il devient un être social, c'est-à-dire un être se conformant à certaines manières de faire, de penser et d'agir. Cette transformation n'est pas le produit d'une adhésion intellectuelle, résultant d'une analyse rationnelle de la situation, mais

1. Émile Durkheim, « Jugements de valeur et jugements de réalité », art. cit., p. 102-105.

2. Dans *Les Formes élémentaires de la vie religieuse* (Paris, PUF, 2003), il va même jusqu'à soutenir que le concept de force tel que l'utilisent les physiciens trouve son origine dans cette expérience de la force religieuse qui agit matériellement sur les individus.

bien celui d'une mise en mouvement du désir individuel par une puissance plus grande que l'individu. L'individu calque mimétiquement son désir sur celui de son modèle : la multitude unie. Par ailleurs, l'analyse que propose Durkheim pour rendre intelligible le processus par lequel émerge le sentiment commun met fortement en avant le rôle que jouent les interactions entre agents afin de créer une étroite corrélation entre les affects individuels, ce qu'il nomme une situation d'unisson. On reconnaîtra, dans ce processus d'actions et de réactions conduisant à l'unisson, notre dynamique d'interactions mimétiques dans laquelle chacun règle son choix sur celui des autres. Autrement dit, le sentiment collectif que suscite l'affect commun n'est pas simplement la somme des sentiments individuels. Il résulte plutôt d'une mise en écho mimétique des émotions individuelles :

> « Un sentiment collectif, qui éclate dans une assemblée, n'exprime pas simplement ce qu'il y avait de commun entre tous les sentiments individuels. Il est quelque chose de tout autre, comme nous l'avons montré. Il est une résultante de la vie commune, un produit des actions et des réactions qui s'engagent entre les consciences individuelles ; et s'il retentit dans chacune d'elles, c'est en vertu de l'énergie spéciale qu'il doit précisément à son origine collective. Si tous les cœurs vibrent à l'unisson, ce n'est pas par suite d'une concordance spontanée et préétablie ; c'est qu'une même force les meut dans le même sens. Chacun est entraîné par tous[1]. »

Pour Durkheim, cette autorité particulière que produit le sentiment commun, ce que nous avons nommé la puissance de la multitude, joue un rôle fondamental dans son cadre théorique puisqu'il y voit l'expression

1. Émile Durkheim, *Les Règles de la méthode sociologique*, Paris, PUF, 1993, p. 11.

par excellence de ce qui fait la spécificité du fait social. C'est là une thèse proprement fondatrice qui demande à être rappelée. Pour se faire comprendre, Durkheim prend l'exemple des différents règnes naturels et de leur succession hiérarchique[1] : minéral, animal, humain. Chaque fois qu'on passe de l'un à l'autre, note-t-il, de nouvelles propriétés émergent que l'ordre inférieur ne connaissait pas, alors même que l'ordre supérieur ne résulte que de la simple combinaison d'éléments appartenant à l'ordre inférieur. Ainsi, « la cellule vivante ne contient rien que des particules minérales [...] et pourtant il est, de toute évidence, impossible que les phénomènes caractéristiques de la vie résident dans des atomes d'hydrogène, d'oxygène, de carbone et d'azote. [La vie] est dans le tout, non dans les parties[2]. » On passe ainsi de la matière (physique) à la vie (biologique) et de la vie (biologique) à la conscience (psychique). À chaque fois, une qualité nouvelle se fait jour par quoi le nouveau règne se trouve radicalement distingué du règne inférieur. C'est selon ce même modèle que Durkheim pense les rapports du social à l'individuel : le fait social est au fait individuel ce que le fait psychique est au fait biologique et le fait biologique au fait physique. L'autonomie du règne social, son irréductibilité aux individus, s'en déduisent directement. Bien que composée uniquement d'êtres humains, la société n'en possède pas moins des propriétés que les individus ne connaissent pas : « Cette synthèse *sui generis* qui constitue toute société dégage des phénomènes nouveaux, différents de ceux qui se passent dans les consciences solitaires[3]. »

---

1. Par exemple dans *Les Règles de la méthode sociologique* [1895] et dans la préface à sa seconde édition [1901] ; ou dans « Représentations individuelles et représentations collectives » [1898].
2. *Les Règles de la méthode sociologique*, *op. cit.*, p. XVI.
3. *Ibid.*, p. XVI/XVII.

Mais quelle qualité émergente caractérise le règne social ? Quel est son signe distinctif ? Après la matière, la vie et la conscience, quelle est l'expression de cette nouvelle complexité ? Il est inutile d'insister sur l'importance conceptuelle de cette question pour la sociologie naissante. Y répondre, c'est, d'une part, découvrir de quoi la sociologie est la science ; autrement dit, définir quel est son objet d'étude. D'autre part, en établissant que le fait social est irréductible au fait individuel, comme le fait individuel au fait biologique, et comme le fait biologique au fait physique, le chercheur justifie du même coup qu'il doive exister une sociologie, autonome par rapport à la psychologie, comme la psychologie s'est affirmée face à la biologie et la biologie face à la physique. Durkheim est à tel point conscient des enjeux que recouvre la question « Qu'est-ce qu'un fait social ? » qu'il lui consacre tout le premier chapitre de son grand livre, *Les Règles de la méthode sociologique*. Sa réponse est la suivante : le fait social « se reconnaît au pouvoir de coercition externe qu'il exerce ou est susceptible d'exercer sur les individus[1] ». Durkheim désigne comme caractéristique de la vie sociale cette forme *sui generis* d'autorité, extérieure aux individus, qui les transforme en êtres sociaux, ce qu'il nomme ailleurs « l'autorité morale ». Pour Durkheim, le règne social n'existe que par le jeu de cette puissance particulière qui brise l'isolement des individus et produit un cadre commun d'appartenance, la société. L'expérience du social, c'est toujours l'expérience d'une force qui nous dépasse et nous unit. Aussi Durkheim n'hésite-t-il pas à écrire : « Le problème sociologique – si l'on peut dire qu'il y a *un* problème sociologique – consiste à chercher, à travers les différentes formes de contraintes extérieures, les différentes sortes d'autorité morale qui y

1. *Ibid.*, p. 11.

correspondent, et à découvrir les causes qui ont déterminé ces dernières[1]. » L'erreur, selon lui, consiste à nier cette spécificité du fait social en voulant tout expliquer sur la base exclusive des consciences individuelles, en quoi on reconnaît une forme extrême d'individualisme méthodologique[2]. Il conteste qu'on puisse, de cette manière, expliquer la pression que subissent les êtres sociaux, pression qui est au fondement même de la vie collective. Parce qu'elle s'exerce sur les volontés individuelles, elle ne saurait en dériver.

> « Puisque l'autorité devant laquelle s'incline l'individu quand il agit, sent ou pense socialement, le domine à ce point, c'est qu'elle est un produit de forces qui le dépassent et dont il ne saurait, par conséquent, rendre compte. Ce n'est pas de lui que peut venir cette poussée qu'il subit. [...] En vertu de ce principe, la société n'est pas une simple somme d'individus, mais le système formé par leur association représente une réalité spécifique qui a ses caractères propres. Sans doute, il ne peut rien se produire de collectif si des consciences particulières ne sont pas

---

1. Émile Durkheim, *Les Formes élémentaires de la vie religieuse*, *op. cit.*, p. 298.

2. Voici quelques exemples de cette erreur proposés par Durkheim dans *Les Règles de la méthode sociologique* : « C'est ainsi qu'on explique couramment l'organisation domestique par les sentiments que les parents ont pour leurs enfants et les seconds pour les premiers ; l'institution du mariage, par les avantages qu'il présente pour les époux et leur descendance ; la peine, par la colère que détermine chez l'individu toute lésion grave de ses intérêts. Toute la vie économique, telle que la conçoivent et l'expliquent les économistes, surtout de l'école orthodoxe, est, en définitive, suspendue à ce facteur purement individuel, le désir de la richesse. S'agit-il de la morale ? On fait des devoirs de l'individu envers lui-même la base de l'éthique. De la religion ? On y voit un produit des impressions que les grandes forces de la nature ou certaines personnalités éminentes éveillent chez l'homme, etc., etc. » (*Les Règles de la méthode sociologique*, *op. cit.*, p. 100).

> données ; mais cette condition nécessaire n'est pas suffisante. Il faut encore que ces consciences soient associées, combinées, et combinées d'une certaine manière ; c'est de cette combinaison que résulte la vie sociale et, par suite, c'est cette combinaison qui l'explique. En s'agrégeant, en se pénétrant, en se fusionnant, les âmes individuelles donnent naissance à un être, psychique si l'on veut, mais qui constitue une individualité psychique d'un genre nouveau [...]. Le groupe pense, sent, agit tout autrement que ne feraient ses membres, s'ils étaient isolés[1]. »

Pour rendre visible l'étroite proximité d'analyse existant entre la sociologie durkheimienne et notre approche, il n'est que de donner son nom à cette autorité morale *sui generis* que produit la fusion du collectif : la puissance de la multitude. Ainsi l'affinité des deux conceptions est-elle rendue patente. Elles partagent une même conception *princeps* : à l'origine de la vie sociale se trouvent de puissantes forces affectives qui modèlent les comportements individuels. Par ailleurs, ces forces possèdent une propriété très énigmatique. Elles peuvent s'investir dans des objets et, par ce fait, leur transmettre une partie de leur pouvoir. C'est toute la question de ce que Marx a nommé le « fétichisme ». Pour l'aborder, nous ne quitterons pas Durkheim mais nous nous baserons sur un autre ouvrage majeur de cet auteur : *Les Formes élémentaires de la vie religieuse*.

Le fait religieux

Durkheim, afin de comprendre ce qui est au fondement de l'opposition entre sacré et profane, par quoi il définit le fait religieux, se propose d'étudier les formes élémentaires de la vie religieuse, à savoir le totémisme.

1. *Ibid.*, p. 101-103.

Dans le chapitre VI du Livre II, il s'intéresse aux origines des croyances totémiques. Sa première interrogation porte sur l'extrême diversité des entités ayant un caractère religieux : sont sacrés des animaux, des végétaux, des hommes et des images. Comment est-ce possible ? On reconnaît ici la même interrogation que celle de Marx au début du *Capital* à propos de la valeur économique : « Comment des valeurs d'usage d'une si grande diversité peuvent-elles s'égaliser dans l'échange ? » Est-il même possible qu'elles aient quelque chose en commun ? Oui, répond Marx, le fait « d'être des produits du travail[1] ». Examinons la réponse proposée par Durkheim :

> « Les sentiments semblables que ces différentes sortes de choses éveillent dans la conscience du fidèle, et qui font leur nature sacrée, ne peuvent évidemment venir que d'un principe qui leur est commun à toutes indistinctement, aux emblèmes totémiques comme aux gens du clan et aux individus de l'espèce qui sert de totem. C'est à ce principe commun que s'adresse, en réalité, le culte. En d'autres termes, le totémisme est la religion, non de tels animaux, ou de tels hommes, ou de telles images, mais d'une sorte de force anonyme et impersonnelle, qui se retrouve dans chacun de ces êtres, sans pourtant se confondre avec aucun d'eux[2]. »

À la question : « comment expliquer que des choses si dissemblables soient toutes également des valeurs, quoique à des degrés divers ? », Durkheim répond en formulant l'hypothèse déjà rencontrée d'une même « force anonyme et impersonnelle » qui se trouverait présente dans chacun de ces êtres. Aussi le raisonnement que va suivre Durkheim est-il tout entier tendu vers l'explicitation de cette force impersonnelle qui est au fondement du sacré. Étudiant

1. Karl Marx, *Le Capital*, *op. cit.*, p. 43.
2. *Les Formes élémentaires de la vie religieuse*, *op. cit.*, p. 269.

plus particulièrement la tribu des Sioux, il découvre que, chez ces peuples, par-dessus tous les dieux auxquels les hommes rendent un culte, il existe une puissance éminente dont toutes les autres sont comme des formes dérivées, qu'ils appellent *wakan* :

> « Tous les êtres que [ces Indiens révèrent…] sont des manifestations de […] ce pouvoir qui circule à travers toutes choses. […] Mais il n'est pas d'énumération qui puisse épuiser cette notion infiniment complexe. Ce n'est pas un pouvoir défini et définissable, le pouvoir de faire ceci ou cela ; c'est le pouvoir, d'une manière absolue, sans épithète ni détermination d'aucune sorte. Les diverses puissances divines n'en sont que des manifestations particulières et des personnifications ; chacune d'elles est ce pouvoir vu sous l'un de ses multiples aspects[1]. »

On observe l'équivalent du *wakan* dans les autres croyances totémiques : l'*orenda* chez les Iroquois ou le *mana* chez les Mélanésiens. Dans tous les cas, on retrouve cette même impersonnalité. « Le *mana* n'est point fixé sur un objet déterminé ; il peut être amené sur toute espèce de choses… Toute la religion du Mélanésien consiste à se procurer du *mana* soit pour en profiter soi-même, soit pour en faire profiter autrui[2]. » Durkheim conclut de son étude que cette puissance fondatrice, cette énergie, est la matière première du fait religieux :

> « Ce que nous trouvons à l'origine et à la base de la pensée religieuse, ce ne sont pas des objets ou des êtres déterminés et distincts qui possèdent par eux-mêmes un caractère sacré ; mais ce sont des pouvoirs indéfinis, des forces anonymes, plus ou moins nombreuses selon les sociétés, parfois même ramenées à l'unité, et dont l'impersonnalité est strictement comparable à celle des forces physiques

1. *Ibid.*, p. 275.
2. *Ibid.*, p. 277-278.

dont les sciences de la nature étudient les manifestations. Quant aux choses sacrées particulières, elles ne sont que des formes individualisées de ce principe essentiel[1]. »

Dans le chapitre VII qui suit, Durkheim cherche à comprendre la nature de cette force et le rôle que joue le totem dans sa constitution. Pour ce qui est de la première question, à savoir la nature de cette force impersonnelle, la réponse nous est déjà connue, ce que nous avons nommé la puissance de la multitude et qu'il décrit comme l'unisson du groupe. Durkheim en étudie longuement la nature et les effets. Il nomme « autorité morale » cette force qui s'impose, non par la coercition, mais par l'attraction qu'elle exerce sur les esprits, en raison du respect dont elle est l'objet : « Le respect est l'émotion que nous éprouvons quand nous sentons cette pression intérieure et toute spirituelle se produire en nous[2]. » Elle dégage une « énergie psychique d'un certain genre[3] » qui fait plier notre volonté. Il faudrait pouvoir tout citer, tant ces analyses permettent de bien saisir ce que sont l'affect commun et sa phénoménologie :

> « Parce que [les manières de penser en société] sont élaborées en commun, la vivacité avec laquelle elles sont pensées par chaque esprit particulier retentit dans tous les autres et réciproquement. Les représentations qui les expriment en chacun de nous ont donc une intensité à laquelle des états de conscience purement privés ne sauraient atteindre : car elles sont fortes des innombrables représentations individuelles qui ont servi à former chacune d'elles. C'est la société qui parle par la bouche de ceux qui les affirment en notre présence ; c'est elle que nous entendons en les entendant et la voix de tous a un accent que ne saurait

1. *Ibid.*, p. 285-286.
2. *Ibid.*, p. 296.
3. *Ibid.*

> avoir celle d'un seul [...]. En un mot, quand une chose est l'objet d'un état de l'opinion, la représentation qu'en a chaque individu [...] commande des actes qui la réalisent, et cela, non par une coercition matérielle ou par la perspective d'une coercition de ce genre, mais par le simple rayonnement de l'énergie mentale qui est en elle[1]. »

Il nous reste à comprendre pourquoi ces forces ont pris la figure d'un animal ou d'une plante. À l'évidence, les animaux et les plantes concernés ne sauraient par eux-mêmes produire de puissantes émotions religieuses[2]. C'est en tant qu'ils servent d'emblèmes au clan qu'ils captent l'affect commun. Durkheim, pour expliquer ce phénomène, prend comme modèle le drapeau, symbole de la patrie, pour lequel le soldat est prêt à mourir. « Le totem est le drapeau du clan[3] », écrit-il.

Plus largement, concernant les représentations collectives, Durkheim note qu'elles attribuent aux choses auxquelles elles se rapportent des propriétés qu'elles n'ont pas. En un sens, on peut parler d'un délire : « Si l'on appelle délire tout état dans lequel l'esprit ajoute aux données immédiates de l'intuition sensible et projette ses sentiments et ses impressions dans les choses, il n'y a peut-être pas de représentation collective qui, en un sens, ne soit délirante ; les croyances religieuses ne sont qu'un cas particulier d'une loi très générale[4]. » Il en est ainsi du drapeau comme du totem qui se voient dotés de

1. *Ibid.*, p. 297.

2. « Le lézard, la chenille, le rat, la fourmi, la grenouille, la dinde, la brême, le prunier, le kakatoès, etc., pour ne citer que des noms qui reviennent fréquemment sur les listes de totems australiens, ne sont pas de nature à produire sur l'homme de ces grandes et fortes impressions qui peuvent, sous quelque rapport, ressembler aux émotions religieuses et imprimer aux objets qui les suscitent un caractère sacré » (*ibid.*, p. 293).

3. *Ibid.*, p. 315.

4. *Ibid.*, p. 325.

qualités sans rapport avec le morceau de drap ou avec l'animal. Cependant, ces qualités correspondent à une réalité, certes pas la réalité des objets en tant que tels, mais la réalité de ce que la société voit en eux : « Ce n'est donc pas un délire proprement dit ; car les idées qui s'objectivent ainsi sont fondées, non pas sans doute dans la nature des choses matérielles sur lesquelles elles se greffent, mais dans la nature de la société[1]. » Ici, ce qui est en jeu est ce que nous avons nommé la capture de l'affect commun. Il s'investit dans une chose par le biais d'une représentation et, ce faisant, dote cette chose de propriétés nouvelles dont la source n'est pas l'objet en tant que tel mais l'affect commun. Dans ce processus, n'importe quel objet peut convenir, car ce qui compte en dernière instance, c'est l'affect commun, la polarisation mimétique. Cela est vrai de la liquidité comme du sentiment religieux. Lisons ce qu'écrit Durkheim :

> « On peut maintenant comprendre comment le principe totémique et, plus généralement, comment toute force religieuse est extérieure aux choses dans lesquelles elle réside. C'est que la notion n'en est nullement construite avec les impressions que cette chose produit directement sur nos sens et sur notre esprit. La force religieuse n'est que le sentiment que la collectivité inspire à ses membres, mais projeté hors des consciences qui l'éprouvent, et objectivé. Pour s'objectiver, il se fixe sur un objet qui devient ainsi sacré ; mais tout objet peut jouer ce rôle. En principe, il n'y en a pas qui y soient prédestinés par leur nature, à l'exclusion des autres ; il n'y en a pas davantage qui y soient nécessairement réfractaires. Tout dépend des circonstances qui font que le sentiment générateur des idées religieuses se pose ici ou là, sur tel point plutôt sur un tel autre. Le caractère sacré que revêt une chose n'est donc pas impliqué dans les propriétés intrinsèques

1. *Ibid.*, p. 327.

> de celle-ci : il y est *surajouté*. Le monde du religieux n'est pas un aspect particulier de la nature empirique ; il y est *superposé*[1]. »

Cette citation donne à voir très précisément ce que nous avons nommé « capture de l'affect commun ». Elle s'applique sans difficulté à la monnaie (« tout objet peut jouer ce rôle »), car la liquidité y « est surajoutée ». Encore cette analyse reste-t-elle incomplète, car elle procède comme si le sentiment commun pouvait exister par lui-même. Il faut aller plus loin dans l'analyse et considérer que : « L'emblème n'est pas seulement un procédé commode qui rend plus clair le sentiment que la société a d'elle-même : il sert à faire ce sentiment ; il en est lui-même un élément constitutif[2]. » Ce point essentiel complexifie quelque peu notre modèle de la capture. Pour qu'il y ait objectivation du sentiment commun, sans laquelle le sentiment resterait évanescent et disparaîtrait, celui-ci a besoin d'un intermédiaire matériel pour lui donner corps et le révéler aux yeux des individus. En ce sens, l'objet est nécessaire. Sans lui, les états de conscience resteraient intérieurs. Il permet au sentiment commun de perdurer par-delà le moment de la fusion. Ce point délicat est remarquablement mis en avant par Durkheim :

> « [...] par elles-mêmes, les consciences individuelles sont fermées les unes aux autres ; elles ne peuvent communiquer qu'au moyen de signes où viennent se traduire leurs états intérieurs. Pour que le commerce qui s'établit entre elles puisse aboutir à une communion, c'est-à-dire à une fusion de tous les sentiments particuliers en un sentiment commun, il faut donc que les signes qui les manifestent viennent eux-mêmes se fondre en une seule et unique résultante. C'est l'apparition de cette résultante qui avertit

1. *Ibid.*, p. 327-328.
2. *Ibid.*, p. 329.

les individus qu'ils sont à l'unisson et qui leur fait prendre conscience de leur unité morale. [...] Les représentations collectives [...] supposent que des consciences agissent et réagissent les unes sur les autres ; elles résultent de ces actions et de ces réactions qui, elles-mêmes, ne sont possibles que grâce à des intermédiaires matériels. Ceux-ci ne se bornent donc pas à révéler l'état mental auquel ils sont associés ; ils contribuent à le faire. Les esprits particuliers ne peuvent se rencontrer et communier qu'à condition de sortir d'eux-mêmes ; mais ils ne peuvent s'extérioriser que sous la forme de mouvements. C'est l'homogénéité de ces mouvements qui donne au groupe le sentiment de soi et qui, par conséquent, le fait être. Une fois cette homogénéité établie, une fois que ces mouvements ont pris une forme une et stéréotypée, ils servent à symboliser les représentations correspondantes. Mais ils ne les symbolisent que parce qu'ils ont concouru à les former[1]. »

Cette longue citation se justifie par l'importance de ce que Durkheim y détaille avec clarté. Les intermédiaires matériels jouent un rôle fondamental, à la fois dans la formation même de l'affect commun et dans sa durabilité. Sans eux, le sentiment commun serait éphémère. Il disparaîtrait une fois la foule dissoute. Leur rôle consiste à garder la mémoire de ce qui s'est passé : « Ces choses les rappellent sans cesse aux esprits et les tiennent perpétuellement en éveil ; c'est comme si la cause initiale qui les a suscités continuait à agir. Ainsi l'emblématisme, nécessaire pour permettre à la société de prendre conscience de soi, n'est pas moins indispensable pour assurer la continuité de cette conscience[2]. » De ce point de vue, l'objectivité des choses qui servent de support à l'affect commun révèle une dimension

1. *Ibid.*, p. 329-330.
2. *Ibid.*, p. 331.

essentielle du processus qui est à l'œuvre. C'est la transcendance des faits sociaux par rapport aux consciences individuelles, leur extériorité, qui se trouve ainsi exprimée. Autrement dit, l'objectivité est une propriété intrinsèque à l'affect commun, qu'il réalise au moyen d'un support matériel, en prenant l'apparence d'une chose : « Quand donc nous nous représentons [les phénomènes sociaux] comme émanant d'un objet matériel, nous ne nous méprenons pas complètement sur leur nature. Sans doute, ils ne viennent pas de la chose déterminée à laquelle nous les rapportons ; mais il reste vrai qu'ils ont leur origine hors de nous. Si la force morale qui soutient le fidèle ne provient pas de l'idole qu'il adore, de l'emblème qu'il vénère, elle ne laisse pas cependant de lui être extérieure et il en a le sentiment. L'objectivité du symbole ne fait que traduire cette extériorité[1]. » Cette analyse, parce qu'elle traite de la capture de l'affect commun, s'applique parfaitement à l'objet monétaire.

Il découle de ce passage de Durkheim la mise en évidence d'un cadre d'intelligibilité des phénomènes de valeur suffisamment général pour appréhender aussi bien le fait religieux que le fait monétaire. En son fondement, on trouve l'hypothèse d'une autorité spécifique au social, la puissance de la multitude, qui agit sur les individus en leur imposant des manières collectives d'agir, de penser et de sentir, encore appelées « institutions[2] ». Dans le cas

1. *Ibid.*

2. Selon la belle définition qu'en donnent Paul Fauconnet et Marcel Mauss : « Qu'est-ce en effet qu'une institution sinon un ensemble d'actes ou d'idées tout institué que les individus trouvent devant eux et qui s'imposent plus ou moins à eux ? Il n'y a aucune raison pour réserver exclusivement, comme on le fait d'ordinaire, cette expression aux arrangements sociaux fondamentaux. Nous entendons donc par ce mot aussi bien les usages et les modes, les préjugés et les superstitions, que les constitutions politiques ou les organisations juridiques essentielles ; car tous ces phénomènes

marchand, cette autorité que la société engendre prend la forme d'un pouvoir d'acheter. Elle s'investit dans certains objets élus, qualifiés par nous de liquides, plus couramment appelés « richesses ». Ces biens liquides sont le pendant des objets sacrés en matière religieuse. Ce qu'on a observé, en analysant les économies marchandes *développées*, c'est une tendance à l'unité monétaire, à la production d'une liquidité ultime admise universellement par le groupe marchand. Cette propriété spécifique[1] à l'ordre marchand a des conséquences considérables par le fait qu'elle institue une définition univoque de la valeur, dépourvue de toute ambiguïté : le bien élu. C'est lui qui règle l'accès aux marchandises profanes. Pour cette raison, on peut le dire souverain dans l'ordre marchand. De même que, dans l'ordre politique[2], le souverain est celui qui capte l'affect commun à son profit, la monnaie est souveraine dans l'ordre marchand par le fait qu'elle tient les sujets sous son empire, en tant qu'elle est l'autorité première[3] par la grâce de la puissance de la multitude investie en

---

sont de même nature et ne diffèrent qu'en degré. L'institution est en somme dans l'ordre social ce qu'est la fonction dans l'ordre biologique : et de même que la science de la vie est la science des fonctions vitales, la science de la société est la science des institutions ainsi définies » (« La sociologie : objet et méthode », *in* Marcel Mauss, *Œuvres*, tome III : *Cohésion sociale et divisions de la sociologie*, Paris, Éditions de Minuit, 1974, p. 150).

1. Il semble que les autres sphères de valeur admettent plus volontiers un certain flou dans l'estimation de la valeur. Nous dirions qu'elles fonctionnement sur un mode fractionné, autorisant plusieurs points de vue.

2. Se reporter à Frédéric Lordon et André Orléan (« Genèse de l'État et genèse de la monnaie : le modèle de la *potentia multitudinis* », art. cit.).

3. Pour éviter tout contresens, notons bien que cette souveraineté est circonscrite à l'ordre marchand. Dans le monde réel, coexistent diverses valeurs et diverses autorités qui se limitent les unes les autres.

elle. Par son biais, l'anarchie marchande est provisoirement contenue. La séparation des producteurs-échangistes est certes maintenue mais dans le cadre d'une forme commune d'évaluation qui ouvre la possibilité d'une coordination efficace entre les acteurs. En ce sens, dans notre approche, la coordination marchande est d'abord une coordination par la monnaie avant d'être une coordination par les prix. C'est l'émergence d'une définition de la valeur, reconnue par tous, qui est à l'origine de l'économie marchande. Le fait que toutes les valeurs économiques soient rendues directement comparables en raison de l'unicité de la référence monétaire a engendré un monde social particulièrement adapté aux calculs, condition du développement de conduites rationnelles en finalité. Contrairement aux autres sphères de valeur qui tolèrent sans difficulté une variabilité importante des estimations, l'activité marchande peut se targuer de spécifier avec rigueur la valeur de chaque bien marchand. Cette singularité a pu être interprétée par les économistes comme attestant d'une différence en nature de la valeur économique. Si le fait quantitatif est certes une dimension importante du fait marchand qui demande à être pris en compte, il serait, cependant, faux d'y voir la preuve d'une valeur substance.

La pensée libérale face au fait monétaire

Entre le religieux et le monétaire, si l'on en croit notre modèle, existe une forte homologie dans la mesure où tous deux procèdent d'une même source : la puissance de la multitude. Dire cela, c'est en même temps dire à quel point la monnaie échappe à la logique contractuelle. Pour s'en convaincre, il n'est que de considérer les angoisses que suscite le fait monétaire chez les grands penseurs libéraux, Ludwig von Mises, Jacques Rueff ou Friedrich Hayek, farouches partisans des relations contractuelles.

Comme le souligne Bruno Pays, ils s'accordent tous pour penser que « la monnaie est irrémédiablement perturbatrice[1] ». Sous leur plume, la monnaie apparaît toujours comme le lieu d'un possible dérapage, d'un trouble potentiel à l'ordre concurrentiel. *A contrario*, une bonne monnaie est une monnaie qu'on ne remarque pas, une monnaie qui s'efface derrière l'action efficace des marchés, une monnaie muette. Quand la monnaie parle, ce n'est jamais le langage de l'économie qu'elle tient, mais toujours celui, tout autre, de la souveraineté. Elle donne à voir la société en tant qu'autorité, mimétiquement unifiée autour de croyances, ce que l'individualisme libéral ne saurait accepter. La monnaie est inquiétante par sa puissance même, provoquant des conduites individuelles qui échappent à la rationalité, comme par exemple les brutales courses à la liquidité.

Il suffit d'ailleurs de considérer l'appareil législatif entourant la monnaie pour que son caractère dérogatoire à l'ordre contractuel saute aux yeux. Pensons, d'une part, au monopole d'émission qui confère à une institution spécialisée, la Banque centrale, le privilège d'émettre les billets, et, d'autre part, au cours légal qui contraint les sociétaires à accepter ces derniers dans leurs échanges. Assurément, nous voilà bien loin des règles usuelles de la concurrence et de l'échange volontaire. Mais l'action étatique ne s'arrête pas là. Il faut encore prendre en considération le réseau serré des réglementations qui viennent encadrer l'activité monétaire des banques. Forts de ces observations, d'importants économistes contemporains n'ont pas hésité à avancer que « la monnaie est un pur produit de la réglementation[2] ». Sans action

1. Bruno Pays, *Libérer la monnaie. Les contributions monétaires de Mises, Rueff et Hayek*, Paris, PUF, 1991, p. 72.

2. Robert E. Hall, « Monetary Trends in the United States and the United Kingdom », *Journal of Economic Literature*, vol. 20, décembre 1982, p. 1554.

étatique, à leurs yeux, la monnaie n'existerait pas : « Dans une économie de laisser-faire où le secteur financier serait complètement débarrassé de toute ingérence gouvernementale, la monnaie au sens usuel n'existerait pas[1]. » Ces fortes analyses libérales convergent pour voir dans la monnaie un obstacle au plein épanouissement de l'ordre contractuel. Aussi, en réaction, les penseurs libéraux font-ils de la « neutralisation » de la monnaie leur objectif central en matière de politique monétaire. Il s'agit pour eux d'immuniser l'économie réelle contre les « perturbations » dont la monnaie est un des vecteurs privilégiés. Pour Rueff, « rendre au monde le silence de la monnaie, c'est essentiellement la débarrasser de ses influences politiques[2] ». Par cet acte de neutralisation monétaire, il s'agit de rétablir l'autorégulation concurrentielle dans son entière pureté. Cette neutralisation peut prendre des formes diverses. Chez Jacques Rueff, il s'agit de revenir à l'étalon-or. Milton Friedman, quant à lui, propose de « faire voter un ensemble de règles rigides, limitant par avance la marge d'initiatives dont peuvent disposer les autorités monétaires[3] ». Dans ces deux propositions, on reconnaît aisément une même inspiration : supprimer la « main visible » des autorités gouvernementales pour lui substituer la « main invisible » des règles automatiques. Autrement dit, dépolitiser la monnaie, la rendre indépendante de l'arbitraire étatique, et, ce faisant, la transformer en un pur instrument au seul service de la concurrence. Aujourd'hui, c'est au travers de l'indépendance des banques centrales que s'exprime

1. Tyler Cowen et Randall Kroszner, « The Development of the New Monetary Economics », *Journal of Political Economy*, vol. 95, n° 3, p. 569.

2. Bruno Pays, *Libérer la monnaie, op. cit.*, p. 264.

3. Milton Friedman, *Inflation et Systèmes monétaires*, Paris, Calmann-Lévy, 1976, p. 167.

essentiellement ce même objectif de neutralisation monétaire. De nouveau, l'idée sous-jacente consiste à encadrer le fait monétaire pour en éradiquer la dimension politique. Cependant, l'observation historique la plus cursive montre clairement que ces politiques de neutralisation échouent périodiquement, par exemple en situation de crise. On a observé un tel « échec » récemment lorsque la Banque centrale européenne (BCE) s'est mise à acheter une partie de la dette publique de certains pays de la zone euro, en parfaite contradiction avec sa doctrine selon laquelle l'émission monétaire devait être radicalement séparée du politique.

C'est en songeant à ces limites que Friedrich Hayek propose de conduire la neutralisation monétaire jusqu'à son terme logique : la suppression pure et simple de la monnaie et son remplacement par un système de libre concurrence entre moyens de paiement privés[1]. Il écrit : « Je crois que tant que les affaires monétaires restent du ressort du gouvernement, l'étalon-or est le seul système tolérable ; mais on peut certainement faire mieux, et sans l'intervention des gouvernements[2]. » En effet, fait-il remarquer, tant que la monnaie existe, elle constitue une cible de choix pour les autorités gouvernementales qui auront toujours la tentation de passer outre aux obstacles juridiques mis en place pour leur interdire de manipuler l'émission monétaire, dès lors qu'il y va de leurs intérêts vitaux. Historiquement, ni l'étalon-or, ni la règle friedmanienne, ni l'indépendance de la Banque centrale n'ont constitué des remparts sérieux à la volonté politique de passer outre[3]. Aussi propose-t-il une autre

1. Friedrich Hayek, *Denationalization of Money*, Londres, Institute of Economic Affairs, 1976.

2. *Ibid.*, p. 126, traduction de Bruno Pays.

3. Le souverain politique, en tant que détenteur du monopole de la violence légitime, peut même aller jusqu'à interdire l'accès

voie, à savoir en finir une bonne fois pour toutes avec la monnaie telle que nous la connaissons, en autorisant les agents privés à émettre des moyens de paiement fiduciaires concurrents dont il reviendra au marché de sélectionner les meilleurs. Ce faisant, Hayek pousse à sa conclusion ultime l'analyse libérale. Si l'on veut une économie efficace, il faut étendre l'action de la loi de l'offre et de la demande à la production des moyens d'échange de telle sorte que, *in fine*, le monde social soit régi de part en part par la loi concurrentielle. La monnaie est un intrus, une monstruosité dont il faut absolument se débarrasser. Sa présence fait obstacle au plein développement des valeurs individualistes.

Cette défiance généralisée que suscite la monnaie chez les penseurs libéraux est très instructive. Elle trouve dans notre hypothèse théorique une interprétation directe : c'est l'étrangeté du phénomène monétaire, au regard de la logique contractuelle, qui se trouve reconnue, le fait qu'elle participe de principes sociaux irréconciliables avec le primat de la rationalité utilitariste. L'argent constitue un scandale idéologique de première grandeur au regard des valeurs individualistes, parce qu'il donne à voir l'autorité de la société en tant que totalité. Autrement dit, dans la monnaie, c'est l'être ensemble du groupe qui se trouve exprimé. Parce que l'individualisme est « une idéologie qui valorise l'individu et néglige ou subordonne la totalité sociale », comme l'écrit Louis Dumont[1], cette expression holiste de la totalité constitue un défi à la hiérarchie individualiste des valeurs. La voie traditionnelle pour rétablir cette hiérarchie consiste à « neutraliser » la monnaie, c'est-à-dire à en subordonner l'expression aux

---

de la Banque centrale à un fonctionnaire récalcitrant, comme on l'a observé en Argentine.

1. Louis Dumont, *Essais sur l'individualisme*, Paris, Seuil, 1991, p. 304.

contraintes économiques. C'est la voie proposée par Rueff, Friedman, les partisans de l'indépendance des banques centrales ou Hayek. Si les modalités proposées varient selon les auteurs, leur but, en revanche, est identique : refouler les croyances monétaires pour faire en sorte que soit produite une monnaie pleinement conforme à son concept économique, à savoir une monnaie qui serait un pur instrument, une monnaie sans autorité. Il s'agit donc bien, par des institutions appropriées, de réformer la réalité économique pour la rendre fidèle au modèle concurrentiel que les économistes ont en tête. On observe de nouveau combien l'économie diffère des sciences de la nature par le poids qu'y pèse le point de vue performatif. L'accent n'est jamais mis sur l'explication des faits économiques mais plutôt sur la construction d'une économie nouvelle, pleinement rationnelle et efficace, apte à produire le bien-être collectif, c'est-à-dire une utopie. Dans le cas monétaire, cela conduit à ce paradoxe d'une théorie qui, alors même qu'elle affirme que la monnaie est neutre, ne cesse pas pour autant de s'en préoccuper pour la rendre inactive ! Ce pouvoir de la monnaie, que la théorie économique ne comprend pas et rejette, passe essentiellement par le biais des croyances collectives dont elle est le siège, sur le modèle du fait religieux, celui d'une puissance d'intégration *ex ante* qui lie entre eux les agents séparés selon des règles qui lui sont propres.

Outre le rejet des libéraux, on peut trouver une « preuve » supplémentaire du lien existant entre le religieux et le monétaire lorsqu'on se tourne du côté de la genèse historique des monnaies. En effet, l'hypothèse s'impose d'une origine religieuse de la liquidité. C'est ce que je propose de nommer « le modèle du talisman[1] ». Il est avancé par Marcel Mauss dans sa communication « Les origines de

1. André Orléan, « La sociologie économique de la monnaie », art. cit.

la notion de monnaie » (1914). Mauss observe que les objets sacrés, qu'il nomme « talisman », possèdent, de par leur nature, un grand pouvoir d'attraction sur les individus, ce qui conduit à en faire des biens liquides. Pour qui associe étroitement l'activité marchande à la rationalité utilitariste, ce rapprochement peut sembler incongru. *A contrario*, notre hypothèse théorique rend compte de cette observation : parce que religion et monnaie sont l'expression d'une même réalité, l'affect commun, ils sont aptes à se convertir l'un en l'autre, dans les deux sens : « Le talisman et sa possession ont très tôt, sans doute dès les sociétés les plus primitives, joué ce rôle d'objets également convoités par tous, et dont la possession conférait à leur détenteur un pouvoir qui devint aisément un pouvoir d'achat[1]. » Cette citation est également intéressante par le fait qu'elle montre bien que le pouvoir d'achat est, en son fondement, d'abord, un pouvoir sur les hommes. Les talismans, en tant qu'ils sont dépositaires du *mana,* de la puissance de la multitude, ont une autorité, un prestige qui les rend désirables aux yeux des individus : « Le pouvoir d'achat de la monnaie primitive, c'est, avant tout, le prestige que le talisman confère à celui qui le possède et s'en sert pour commander aux autres[2]. » En raison de ce prestige, les talismans seront largement acceptés comme contreparties dans l'échange. Cette proximité du religieux et du monétaire qu'on observe aux origines historiques du fait monétaire trouve dans nos hypothèses une explication simple et rigoureuse : la puissance de la multitude investie en un objet.

Cependant, on ne saurait pousser trop loin la comparaison du religieux et du monétaire. Si les richesses

---

1. Marcel Mauss, « Les origines de la notion de monnaie », in *Œuvres,* tome II : *Représentations collectives et diversité des civilisations*, Paris, Éditions de Minuit, 1974, p. 111.

2. *Ibid.*, p. 111.

partagent avec les objets sacrés le fait d'être le réceptacle d'un affect commun, ils s'en distinguent nettement quant à la nature des intérêts qui sont mis en jeu et des activités par lesquelles ils s'expriment. Les individus recherchent dans la monnaie l'accès aux marchandises et non leur salut. Aussi, pour que la confiance dans la monnaie perdure, importe-t-il au premier chef que son pouvoir d'achat se vérifie ; autrement dit, que chacun puisse *ex post* acquérir les biens qu'il désire. C'est à cette condition, sans rapport avec la question du sacré, que la monnaie conserve son ascendant. On trouve chez François Simiand cette même mise en garde quand, après avoir observé le rôle qu'ont joué les valeurs religieuses dans l'émergence des premières monnaies, il insiste sur le fait que l'économie moderne s'est totalement dégagée de ces croyances, pour créer ses propres représentations et croyances collectives. Il écrit :

> « Mais tout de même la valeur économique, [...] avec le développement de l'économie moderne, s'est [...] laïcisée, c'est-à-dire rendue distincte, séparée des valeurs éthico-religieuses. Si grande que nous fassions la part des survivances, ne serait-il pas assez surprenant d'aboutir à trouver, comme base essentielle et ultime de références pour tout le système des prix de l'économie la plus avancée, un reste de superstition magico-religieuse, devenue étrangère, du reste, aux croyances et pratiques des religions du type plus avancé[1] ? »

Il faut donc considérer une croyance monétaire spécifique, rendue indépendante du fait religieux. En conséquence, le rapport du monétaire au sacré ne doit pas se comprendre sur le modèle d'une simple extension des valeurs religieuses aux valeurs économiques. Ce serait

1. François Simiand, « La monnaie réalité sociale », art. cit., p. 238.

une grave erreur. S'il a pu en être ainsi dans une première phase du développement des sociétés humaines, la croyance monétaire s'est progressivement rendue maîtresse d'elle-même, trouvant les arguments de sa légitimité dans un registre spécifique, en rupture avec le discours du sacré. De cette rupture est né un nouvel ordre de valeurs, radicalement autonome par rapport à la moralité religieuse. L'expression la plus exemplaire de cette autonomisation des valeurs économiques, dans nos sociétés, est à constater dans le fait que les pratiques monétaires y font, pour une part significative, l'objet d'une ferme réprobation morale. Valeurs économiques et valeurs morales sont si peu identiques qu'elles s'opposent. Ce point doit être souligné, car, dans les sociétés primitives, il en va tout autrement. Comme l'objet monétaire y renvoie à l'affect commun religieux, à savoir la puissance sociale par excellence, objet de toutes les vénérations, on le trouve par nature au sommet de la hiérarchie des valeurs. L'exemple des 'Aré'aré étudié longuement par Daniel de Coppet et présenté dans *La Monnaie souveraine* ne laisse aucun doute sur ce point :

> « Pour les 'Aré'aré, la monnaie est liée au degré supérieur de civilisation [...]. La monnaie préside à l'instauration d'un état supérieur de la société [...]. Ainsi *se dresse-t-elle comme autorité supérieure* au plus haut de l'échelle des êtres, au sommet des relations socio-cosmiques, *au niveau du tout de la société* [...]. Sur l'échelle des êtres, le plus valorisé d'entre eux est à coup sûr la monnaie[1]. » [les italiques sont de l'auteur.]

Il serait absolument impossible d'en dire de même aujourd'hui. Mettre sur le même plan le religieux et le

1. Daniel de Coppet, « Une monnaie pour une communauté mélanésienne comparée à la nôtre pour l'individu des sociétés européennes », *in* Michel Aglietta et André Orléan (dir.), *La Monnaie souveraine*, *op. cit.*, p. 195.

monétaire relèverait du pire blasphème[1]. Dans nos sociétés marquées par le polythéisme des valeurs, les pratiques monétaires sont vivement contestées par d'importants groupes sociaux, certains visant même explicitement à l'avènement d'une société sans monnaie, ce qui ne les empêche pas, par ailleurs, d'utiliser celle-ci dans leur vie courante[2]. Pourtant, si les contenus des croyances sont désormais séparés et distincts, il reste un point commun entre religion et monnaie : la confiance collective elle-même en tant que moment de production de la valeur, ce que nous avons nommé l'affect commun. Ce que partagent les deux configurations, marchande et religieuse, est la présence d'une autorité *sui generis*, la puissance de la multitude, s'exprimant par le biais de croyances fortement établies, recueillant l'adhésion de tous. Le même processus formel est à la source de ces deux réalités. Il serait cependant erroné d'y voir un « archaïsme ». Une telle conception supposerait que soient identifiées strictement modernité et rationalité contractuelle !

Pour conclure cette deuxième partie, montrons à quel point les faits empiriques attestent de la puissance des croyances collectives en matière monétaire.

Les miracles monétaires

Dans les phases normales, lorsque l'activité marchande se déroule sans heurt, les acteurs puisent dans la continuité routinière des opérations d'échange leur conviction

1. Pourtant, lorsqu'un 'Aré'aré devenu prêtre anglican veut faire comprendre aux siens Jésus-Christ, il est conduit tout naturellement à faire appel aux monnaies : « Jésus-Christ = la collecte des monnaies », déclara-t-il (*ibid.*, p. 197).

2. De même, les Systèmes d'échanges locaux (SEL) inventent de nouvelles monnaies.

que la monnaie sera acceptée demain comme elle l'a été hier. Cela suffit à assurer le bon fonctionnement économique et monétaire. On reconnaît dans cette forme affaiblie de confiance ce que Georg Simmel appelait « savoir inductif » et que nous avons nommé « confiance méthodique ». Les acteurs se contentent de prolonger les tendances passées. Certes, ils savent que de telles prévisions sont entachées d'erreurs, mais leur probabilité est trop faible pour qu'ils y prennent garde sérieusement. Si un grand nombre d'individus partagent ce point de vue, la prévision d'un fonctionnement régulier se trouve effectivement réalisée. Autrement dit, dans la confiance méthodique, c'est la puissance fonctionnelle de l'institution une fois stabilisée qui se donne à voir. La monnaie valeur disparaît derrière la monnaie instrument. Cette configuration peut donner l'impression d'une réconciliation entre la monnaie et l'approche instrumentale. Mais cette réconciliation ne peut être que transitoire. Elle ne saurait perdurer. Constamment, des questions émergent quant à la légitimité de la monnaie, quant à la justesse des conditions d'émission, quant au bien-fondé de la politique monétaire, questions qui appellent des réponses plus consistantes que la seule perpétuation de ce qui a été. Il s'agit d'être convaincu que l'objet élu est le bon : il faut croire en lui. C'est dans les périodes de crise, lorsque la qualité de la monnaie est mise en doute, que cette confiance par-delà la confiance méthodique intervient[1]. Dans certaines conjectures historiques, son impact est si saisissant et si contraire à ce que prévoit la conception instrumentaliste de la monnaie que les contemporains n'ont pas hésité à la qualifier de « miracle » ; ainsi en fut-il de l'introduction du rentenmark en Allemagne, le

1. Dans *La Monnaie souveraine* (Michel Aglietta et André Orléan, *op. cit.*), on a distingué deux aspects de cette confiance profonde : la confiance hiérarchique et la confiance éthique.

15 novembre 1923, et de l'effet qu'a eu sur la monnaie nationale l'arrivée au pouvoir, en France, de Poincaré, le 23 juillet 1926. Pour le premier, on parle de « miracle du rentenmark » et, pour le second, de « miracle Poincaré ». Leur présentation même succincte permettra de mieux faire comprendre ce que sont ces croyances monétaires et comment elles agissent.

Ces deux épisodes ont lieu alors que les deux pays connaissent de sérieuses difficultés économiques, même si, à l'évidence, les difficultés allemandes sont d'une intensité bien plus grande. Il en résulte, en France comme en Allemagne, une forte défiance à l'égard de la monnaie nationale. Elle a pour expression centrale le recours de plus en plus large, de la part des acteurs privés nationaux, aux devises étrangères. C'est vrai de la fonction d'unité de compte, que ce soit par le jeu de l'indexation ou par le fait de proposer des prix libellés directement en monnaies étrangères. C'est vrai de la fonction de réserve de valeur, chaque acteur économique cherchant à convertir ses encaisses liquides et nourrissant de ce fait une spéculation effrénée contre la monnaie nationale sur le marché des changes. C'est même vrai de la fonction de circulation puisque, dans certains cas, la monnaie nationale n'est même plus acceptée dans les transactions. On observe ce phénomène en Allemagne où, à l'été 1923, il fait craindre un dramatique blocus des villes du fait du refus des paysans d'accepter le mark en échange de leurs produits agricoles. Ce qu'il faut souligner est que cette défiance à l'égard de la représentation sociale de la valeur est un problème en soi qui produit de graves dysfonctionnements, quelle que soit par ailleurs la situation macroéconomique. Il en est ainsi parce que les acteurs, privés et publics, ont de plus en plus de mal à savoir quelles valeurs ils reçoivent et quelles valeurs ils produisent. C'est clair pour ce qui est du budget public dont une partie des déficits a pour origine directe l'instabilité monétaire. Le cas allemand est, à cet égard, emblématique, en raison des extravagants niveaux d'inflation qu'on y observe. Pensons, en premier lieu, à la définition des différentes tranches d'imposition. En période hyperinflationniste, il est nécessaire de continuellement les modifier si l'on veut que le taux d'imposition en termes réels reste constant. Il s'ensuit une succession continuelle de lois et d'amendements qui créent une grande confusion et des difficultés d'application croissantes. Mais le point central porte sur le fait que, en raison du temps nécessaire au calcul et à la collecte de l'impôt, le rendement de l'impôt connaît une chute d'autant plus grande que l'inflation est élevée et que ce temps nécessaire est grand. Il s'est ensuivi de cela, dans le cas allemand, « une atrophie complète du système fiscal[1] ». Ainsi, dans les derniers dix jours du mois d'octobre 1923, seulement 0,8 % des dépenses furent couvertes par les recettes ordinaires ! On retrouve cette même difficulté pour les tarifs des services publics. Ce n'est seulement qu'à partir du 20 août 1923 que les chemins de fer allemands abandonnèrent le système d'augmentation progressive du prix des billets pour adopter le système du multiplicateur. « Mais comme un multiplicateur reste valable pendant quelques jours, il ne peut qu'être très en retard derrière la dépréciation du mark. Les tarifs fixés en or et payables en mark papier au taux du jour précédent ne furent introduits que le 1er novembre 1923[2]. »

Mais, plus que la crise elle-même, ce qui justifie à nos yeux le rapprochement des épisodes allemand et français est l'extrême soudaineté avec laquelle le retour à la stabilité

---

1. Costantino Bresciani-Turroni, *The Economics of Inflation. A study of Currency Depreciation in Post-War Germany*, Londres, August M. Kelley Publishers, 1968, p. 74.
2. *Ibid.*, p. 72.

monétaire s'est imposé dans les deux pays. Alors que la dépréciation du mark a atteint des niveaux vertigineux début novembre[1], la monnaie allemande se stabilise brutalement le 20 novembre au taux de 4 200 milliards de marks pour un dollar et demeure constante à partir de cette date. Pour le franc, la situation est tout aussi étonnante. Alors que la livre sterling, depuis quatre mois, est passée de 135 francs à 243 francs et que l'inflation des prix de gros progresse à un rythme annuel de 350 %, le processus s'arrête soudainement le jeudi 22 juillet 1926 quand est annoncé que « Poincaré a accepté de former un ministère[2] ». La livre sterling retombe le 26 juillet sous la barre des 200 francs, à 196,50 francs, soit une baisse de 20 % en trois jours. Par ailleurs, dès août 1926, les prix de gros diminuent et se stabilisent. Si, dans les deux cas, les analystes et les opinions publiques ont retenu le terme de « miracle », ce n'est pas seulement en raison de sa soudaineté mais également parce que aucune mesure n'est prise qui pourrait expliquer le nouveau climat. En France, le retournement des anticipations *précède* l'annonce de tout programme[3]. Il se fait sur le seul nom de Poincaré. La restauration de la confiance est instantanée. Le cas allemand est peut-être encore plus étonnant. En effet, le retournement trouve sa source dans l'émission, le 15 novembre 1923, d'une nouvelle monnaie, nommée « rentenmark », qui obtint immédiatement

---

1. Rudiger Dornbusch mesure l'augmentation des prix moyenne par jour en novembre à 20,9 % !

2. Émile Moreau, *Souvenir d'un gouverneur de la Banque de France. Histoire de la stabilisation du franc (1926-1928)*, Paris, Éditions M.-Th. Génin, Librairie de Médicis, 1954, p. 38.

3. La déclaration d'investiture du nouveau gouvernement est lue devant le Parlement le 27 juillet 1927 et provoque une légère baisse du franc (Bertrand Blancheton, *Le Pape et l'Empereur. La Banque de France, la Direction du Trésor et la Politique monétaire de la France (1914-1928)*, Paris, Albin Michel, 2001, p. 387).

la faveur du public. Or, il est difficile de comprendre cette faveur. En tout cas, le fait de pouvoir convertir les rentenmarks en titres de rente (*Rentenbriefe*) libellés en marks-or et procurant un intérêt de 5 % ne fournit pas l'explication recherchée. Pour diverses raisons : d'une part, à l'époque considérée, le rendement des titres indexés est bien supérieur aux 5 % des *Rentenbriefe*, entre 15 % et 20 %. D'autre part, dans la situation de crise budgétaire du gouvernement allemand, en cas de conversion généralisée des rentenmarks, le paiement des intérêts serait devenu rapidement problématique. C'est d'ailleurs un fait que les porteurs des nouveaux billets n'ont pas usé de la faculté de conversion : « La délivrance de titres de rente contre billets n'a pas dépassé 230 000 marks-or pour une circulation qui a atteint la limite d'émission fixée par les statuts de la Rentenbank, soit 3 200 millions de marks-or[1]. » Techniquement, on a simplement remplacé une dette par une autre !

Dans les deux épisodes, le retournement ne trouve pas sa source dans les mesures de politique économique. Il s'agit d'un pur mouvement d'adhésion collective, de croyance mimétique de tout le groupe, conforme à notre modèle. Cela explique sa brutalité et son caractère « miraculeux ». Sa réussite tient pour partie au rôle que jouent certains symboles forts, aptes à réunir la population autour de la nouvelle norme monétaire. Dans le cas français, c'est le nom même de Poincaré qui est central, mais aussi sa capacité à former un cabinet d'Union nationale restreint[2], propre à frapper les esprits. Le cas allemand est plus complexe. Il tient à la nature même de la Rentenbank qui réunit toutes les classes possédantes :

---

1. André Fourgeaud, *La Dépréciation et la Revalorisation du mark allemand et les Enseignements de l'expérience monétaire allemande*, Paris, Payot, 1926, p. 202.
2. Les socialistes en sont exclus.

agriculteurs, industriels, commerçants et banquiers. De manière tout à fait révélatrice, Wilfrid Baumgartner dans son fameux livre consacré au *rentenmark*, après avoir souligné l'insuffisance du gage obligataire, cite Hans Luther, le ministre allemand des Finances, déclarant : « La solidarité des classes productrices, qui s'exprime dans l'acte de fondation de la Rentenbank, est la meilleure garantie de la confiance qu'inspirera l'instrument de paiement émis par le nouvel institut[1]. » On ne peut être plus clair. La confiance dans cette nouvelle monnaie résulte directement de la garantie que lui apportent les puissances économiques coalisées, désormais responsables de son émission.

Il est clair que les succès à long terme qu'ont connus ces deux expériences ne peuvent s'interpréter uniquement comme des faits de pure confiance. Leur réussite a dépendu fortement des choix de politique économique qui ont été faits par la suite. D'ailleurs, à divers moments, des difficultés ont surgi qui auraient pu conduire à une nouvelle crise. Cependant, il apparaît que la constitution d'une représentation légitime de la valeur marchande sous la forme d'une nouvelle norme monétaire s'imposait comme un préalable indispensable à tout retour à la stabilité. La croyance collective a permis que se mette en place un nouveau régime monétaire, condition indispensable pour qu'une nouvelle politique économique puisse voir le jour. Ce faisant, ces épisodes soulignent le rôle que joue *ex ante* la confiance monétaire. Ils montrent l'autonomie que possède le monétaire à l'égard de l'économique. Certes, c'est là une autonomie réduite, car la confiance monétaire ne saurait perdurer si la monnaie ne réalise pas ce pour quoi elle est faite : acheter des marchandises. Mais, autonomie quand même qui peut anticiper sur des

---

1. Wilfrid Baumgartner, *Le Rentenmark*, Paris, PUF, 1925, p. 35.

changements à venir et, ce faisant, leur donner réalité, pour le meilleur comme pour le pire.

Cette deuxième partie avait pour but de démontrer qu'il existe une alternative possible aux théories de la valeur substance. Celles-ci relèvent de ce que Slavoj Žižek nomme « l'illusion fétichiste » : « Nous sommes victimes de l'illusion fétichiste quand nous percevons en tant que propriété immédiate, "naturelle", de l'objet fétiche ce qui est conféré à cet objet par sa position au sein de la structure[1]. » N'est-ce pas très exactement ce que nous proposent les théories de la valeur lorsqu'elles postulent que tous les exemplaires d'une même valeur d'usage ont, par définition, la même valeur ? Ce que la théorie marginaliste confirme explicitement en soutenant que la valeur a pour origine l'utilité des objets. Notre approche procède différemment. Notre point de départ est la séparation marchande, c'est-à-dire un monde dans lequel chaque individu est coupé de ses moyens d'existence. Seule la puissance de la valeur, investie dans l'objet monétaire, permet l'existence d'une vie sociale sous de tels auspices. Elle réunit les individus séparés en leur construisant un horizon commun, le désir de monnaie, et un langage commun, celui des comptes. L'obtention de monnaie se fait, selon la formule M – A, par la vente de marchandises. Plus la marchandisation s'intensifie, plus la monnaie accroît son empire sur le monde social. Dans un tel cadre, l'idée d'une « valeur fondamentale », d'un « vrai prix », ou encore d'un « juste prix », n'a plus lieu d'être. Autrement dit, contrairement à ce qu'ont cru des générations d'économistes, la question de la valeur ne se confond nullement avec la question du juste prix. Ce qui est objectif, qui s'impose aux agents, par quoi un ordre

1. Slavoj Žižek, « Fétichisme et subjectivation interpassive », *Actuel Marx*, n° 34, 2003, p. 101.

économique est rendu possible, ce sont les mouvements monétaires. Pour ce qui est des prix des marchandises, ils sont variables : ils sont ce que les luttes d'intérêt entre producteurs et consommateurs font qu'ils sont[1]. Il n'y a pas lieu de doter le prix de concurrence pure et parfaite d'une dignité particulière. Si Walras le distingue, c'est en vertu de considérations éthiques *a priori*[2], et non pas en vertu d'une analyse positive portant sur les économies marchandes telles qu'elles sont. Il n'est même pas nécessaire de postuler l'unicité du prix : un même bien, en un même lieu, peut avoir différents prix sans que cela ne remette en cause l'objectivité de la valeur. C'est l'étude de la concurrence et des dispositifs d'échange qui permet de savoir ce qu'il en est. Dans notre cadre conceptuel, l'intelligibilité des configurations économiques n'est donc pas à chercher dans des valeurs objectives calculables *a priori* qui détermineraient le destin des acteurs, mais bien dans des jeux monétaires d'échange et de production continuellement transformés par les luttes concurrentielles. En d'autres termes, notre approche substitue une « économie des relations » à une « économie des grandeurs ». L'étude des marchés financiers va nous permettre de montrer à quel point une telle perspective transforme notre compré-

---

1. « L'économie rationnelle est une activité objective. Elle s'oriente à partir des prix *monétaires*, qui se forment sur le *marché* dans le cadre de la lutte d'intérêts que les hommes mènent les uns contre les autres. Sans évaluation en prix monétaires, donc sans cette lutte, il n'y a aucun *calcul* possible. L'argent est ce qu'il y a de plus abstrait et de plus "impersonnel" dans la vie des hommes » (Max Weber, *Sociologie des religions*, Paris, Gallimard, 1996, p. 421).

2. Nous suivons ici de nouveau l'analyse d'Arnaud Berthoud : « On doit affirmer, d'abord, que la théorie de l'équilibre général n'est pas une hypothèse dont la valeur est attendue de la validation dans l'expérimentation, mais la construction d'un concept dont la valeur vient des principes moraux posés *a priori* » (« Économie politique et morale chez Walras », art. cit., p. 85).

hension en profondeur. Sans la béquille d'une prétendue « vraie valeur », non seulement il est possible de rendre intelligible l'évolution des prix, mais une plus grande conformité aux faits est obtenue.

Troisième partie

LA FINANCE DE MARCHÉ

Chapitre VI
L'évaluation financière

Après avoir présenté les fondements de notre approche théorique dans la partie précédente, il importe désormais de la faire travailler sur un objet spécifique pour en montrer toute la pertinence et toute la fécondité. Telle est la finalité que poursuit cette troisième partie consacrée aux marchés financiers. Pour ce faire, nous commencerons, dans le chapitre VI, par montrer que l'approche néoclassique de l'efficience financière repose sur une hypothèse erronée quant à la manière dont les investisseurs perçoivent le futur et ses incertitudes, ce que nous avons nommé « l'hypothèse probabiliste ». Une fois cette dernière abandonnée, il n'est plus possible de définir une valeur objective des titres. De même, il faut renoncer à l'idée d'efficience. Pour comprendre dans une telle perspective comment les marchés financiers fonctionnent, le chapitre VII mobilise le concept de liquidité déjà présenté au chapitre IV. Comme pour la monnaie, la liquidité des titres repose sur l'émergence d'une croyance partagée, ce que nous nommerons une « convention financière ». Pour en expliciter la logique, le modèle de concurrence mimétique sera à nouveau utilisé.

Hypothèse probabiliste et valeur intrinsèque des titres

Ce qui distingue la finance des autres domaines étudiés par la théorie économique est le fait qu'elle a pour objet, non pas le rapport des individus aux marchandises, comme le plus souvent en économie, mais le rapport des individus au temps. En effet, rappelons qu'un actif financier est un droit sur des revenus à venir, de sorte que l'investisseur qui entre en sa possession échange de la monnaie aujourd'hui, d'un montant égal au prix du titre, contre de la monnaie demain, par exemple sous forme de dividendes s'il s'agit d'une action. En conséquence, l'investisseur doit impérativement se projeter dans le futur de façon à anticiper ce que seront ces rendements à venir pour en estimer la valeur aujourd'hui et la confronter au prix qui lui est demandé. Comparée à l'estimation des marchandises, l'estimation d'une valeur financière est simplifiée dans la mesure où les grandeurs considérées sont directement des grandeurs monétaires, par exemple des dividendes, et non des utilités. Cependant, une difficulté majeure se trouve introduite du fait de la nature intrinsèquement incertaine de ces grandeurs. En effet, les investisseurs ne connaissent pas de manière certaine ce que seront ces revenus futurs. Ils s'efforcent de les anticiper au mieux, compte tenu des informations dont ils disposent. Comme l'écrit Keynes, l'utilité sociale des marchés financiers se mesure à leur aptitude à « vaincre les forces obscures du temps et percer le mystère qui entoure le futur[1] » ; ou encore à : « triompher des forces secrètes du temps et de l'ignorance de l'avenir[2] ». Pour le dire autrement,

1. *Théorie générale de l'emploi*, *op. cit.*, p. 167.
2. *Ibid.*, p. 169.

dans la perspective libérale, le marché boursier est l'équivalent fonctionnel du planificateur socialiste. Il a en charge de déterminer les secteurs et les entreprises où il convient prioritairement d'investir cette ressource rare qu'est le capital, sans le gaspiller dans des projets à la rentabilité insuffisante. La théorie financière examine ces questions : les marchés boursiers jouent-ils bien leur rôle ? Sont-ils efficaces ? Le cours boursier est-il un estimateur fiable de la rentabilité à venir de l'entreprise ? Fournit-il aux investisseurs l'information dont ils ont besoin pour agir de manière pertinente ?

Pour faire face à ces questions complexes, la théorie financière néoclassique dispose d'un acquis important : les réflexions suscitées par l'étude du comportement individuel en situation d'incertitude[1]. Considérons l'exemple bien connu que propose Leonard Savage. Vous souhaitez faire une omelette. Quand vous entrez dans la cuisine[2], vous trouvez déjà 5 œufs cassés et mélangés dans un bol, à côté duquel se trouve le 6e œuf. Vous devez décider quoi faire de cet œuf. Parce que votre connaissance de la situation vous conduit à savoir que le 6e œuf peut être pourri, trois actions sont envisageables : casser l'œuf dans le bol où se trouvent déjà les 5 premiers œufs ; le casser dans une soucoupe à part de façon à pouvoir au préalable l'inspecter ; le jeter sans l'inspecter. L'existence d'une incertitude quant à la nature du 6e œuf, qui peut être sain ou pourri, fait que chaque action a elle-même des conséquences incertaines. Il est alors possible de décrire cette incertitude en distinguant les conséquences

1. Les travaux fondateurs datent des années 1940 et 1950 : Oskar Morgenstern et John von Neumann (*Theory of Games and Economic Behaviour*, Princeton, Princeton University Press, 1944) et Leonard Savage (*The Foundations of Statistics*, New York, Dover Publications, 1954).

2. Savage considère un mari qui souhaite aider son épouse et trouve la cuisine telle que celle-ci l'a laissée.

de chaque action selon les différents états de la nature possibles. Savage obtient le tableau qui suit :

Action	État de la nature	
	Sain	Pourri
Casser l'œuf dans le bol	Une omelette de 6 œufs	Aucune omelette et 5 œufs perdus
Casser l'œuf dans la soucoupe	Une omelette de 6 œufs et une soucoupe à laver	Une omelette de 5 œufs et une soucoupe à laver
Jeter l'œuf	Une omelette de 5 œufs et un œuf comestible perdu	Une omelette de 5 œufs

La notion d'état de la nature est fondamentale. C'est par son biais que l'incertitude se trouve modélisée. Elle saisit les éléments du contexte susceptibles d'affecter le résultat d'une action. Lorsqu'il prend sa décision, l'individu ne sait pas quel état sera choisi par la nature, mais il étudie la situation qui se présente à lui et, sur la base de ses connaissances et de ses informations, il dresse la liste des diverses éventualités possibles. Une fois ce travail fait, lorsque sont définis toutes les actions et tous les états de la nature, l'analyse théorique fournit un critère pour déterminer quelle action doit être choisie. Ce critère[1] met en jeu deux types de données. D'une part, comme on pouvait s'y attendre, le choix dépend de la satisfaction que procure chacune des situations finales. Cette donnée varie avec les individus. Par exemple, si l'individu préfère les omelettes de 5 œufs aux omelettes de 6 œufs, il choisira de jeter le

1. Ce qu'on nomme l'« espérance d'utilité ».

6e œuf qui ne peut lui apporter que du désagrément. Peu lui importe alors qu'il soit pourri ou sain. D'autre part, le choix dépend des probabilités associées aux états de la nature. C'est là encore un résultat tout à fait intuitif : si la probabilité que l'œuf soit pourri est très faible, ce sont les satisfactions obtenues lorsque l'œuf est sain qui, en général, l'emporteront dans la décision. On distingue d'ordinaire deux cas : celui des probabilités objectives, quand ces probabilités sont calculables *a priori*, et celui des probabilités subjectives, lorsque les individus sont contraints de les estimer sur la base de leurs croyances.

Ce cadre conceptuel se transpose directement aux décisions d'investissement. Quand un homme achète un bien de capital, il acquiert le flux des revenus qui seront engendrés par ce capital toute sa vie durant. Or ces revenus attendus ne sont pas connus avec certitude. Ils dépendent de nombreuses variables, comme les goûts des consommateurs, le coût de l'énergie, l'intensité de la concurrence ou l'état de la conjoncture. L'investisseur est conduit à s'intéresser aux différentes valeurs prises par ces variables dans la mesure où elles affectent ses revenus futurs, ce qu'on a nommé précédemment les états de la nature[1]. Prendre en compte la totalité de ces incertitudes requiert que soit dressée la liste exhaustive de tous les états de la nature possibles pour toutes les dates futures. C'est là une étape nécessaire. À partir de quoi, pour chaque état du monde, l'investisseur établit au mieux de ses connaissances ce que sera le rendement attendu. Une fois ces opérations terminées, la décision de l'investisseur entre parfaitement

1. Dans l'exemple choisi par Savage, la situation est particulièrement simple puisqu'il n'existe qu'une seule variable, à savoir l'état de l'œuf, et que cette variable ne peut prendre que deux valeurs, sain ou pourri. Dans le cas général, plusieurs variables sont actives et elles peuvent prendre de très nombreuses valeurs. Cela complexifie le problème mais n'en change pas la nature.

dans le cadre conceptuel décrit précédemment : choisir un investissement parmi plusieurs revient à choisir une « action » parmi différentes « actions » dont les résultats dépendent des états de la nature.

C'est ce même cadre conceptuel qu'a retenu la théorie néoclassique pour aborder la question financière. Son hypothèse de base est que le futur peut se représenter sous la forme d'une liste exhaustive d'états de la nature, supposée décrire toutes les incertitudes qui affectent l'économie considérée. Cette hypothèse a été présentée au chapitre II sous le nom d'« hypothèse probabiliste », ou d'« hypothèse de nomenclature des états du monde ». Une fois cette hypothèse posée, tout actif se décrit comme un flux de revenus dépendant des états du monde. Cette description extrêmement synthétique est le point de départ de toute la réflexion néoclassique. Elle joue un rôle capital dans les résultats qu'obtient ce corps de doctrine. À titre d'exemple, considérons une action. À chaque état *e* du monde est associée une valeur donnée du dividende distribué. Aussi une action sera-t-elle décrite par le dividende qu'elle génère dans chaque état. On trouve cette hypothèse clairement exposée chez Robert Kast et André Lapied :

> « [On peut décrire] l'incertitude de la manière suivante : toutes les situations économiques pertinentes pour les agents sont répertoriées dans un ensemble *E*. Chaque élément *e* de cet ensemble *E* caractérise une description complète d'un état possible de l'économie… Pour un *e* quelconque, le dividende de chaque action sera connu. L'incertitude est donc, par cette méthode, reportée des dividendes vers les *e* appelés états de la nature ou états du monde (ou plus simplement états). Un titre sera finalement décrit par les paiements qu'il génère dans chaque état : *d(e)* pour *e* appartenant à *E*[1]. »

1. Robert Kast et André Lapied, *Fondements microéconomiques de la théorie des marchés financiers*, Paris, Economica, 1992, p. 23.

En conséquence, tout bon manuel de finance néoclassique commence par postuler une liste exhaustive d'états de la nature, encore nommée « espace des états », puis introduit un ensemble d'actifs, chaque actif étant défini par les revenus auxquels il donne droit dans tous les états de la nature. Il est frappant d'observer que l'introduction de ces hypothèses se fait généralement sans aucune discussion, sans qu'il soit même besoin de les justifier[1]. Il ne faut pas s'en étonner, ces hypothèses sont utilisées si communément par la théorie néoclassique[2] qu'elles apparaissent aux économistes comme des évidences, à la manière de l'hypothèse de nomenclature des biens. Pourtant, cette manière de concevoir la relation au futur est sujette à de nombreuses réserves, bien plus fortes que celles formulées à l'encontre de l'hypothèse de nomenclature des biens.

Une première critique renvoie au fait que l'espace des états intervenant dans l'analyse proposée par Savage est d'une nature essentiellement subjective. Si, face à

1. Par exemple Stephen Ross (*Neoclassical Finance*, Princeton-Oxford, Princeton University Press, 2005) ou Robert Kast et André Lapied (*Fondements microéconomiques de la théorie des marchés financiers*, *op. cit.*) ou encore Darrell Duffie (*Modèles dynamiques d'évaluation*, Paris, PUF, 1994). Duffie est le plus concis. Deux phrases suffisent : « L'incertitude est représentée par un ensemble fini d'états, dont un seul se réalisera. Les N titres sont représentés par une matrice D [...] où D_{ij} représente le nombre d'unités de compte payées par le titre i dans l'état j » (*ibid.*, p. 3).

2. Le point de départ de cette tradition est à trouver dans le modèle Arrow-Debreu. Voir Kenneth J. Arrow (« The Role of Securities in the Optimal Allocation of Risk-Bearing », *The Review of Economic Studies*, vol. 31, n° 2, avril 1964), Gérard Debreu (*Théorie de la valeur. Analyse axiomatique de l'équilibre économique*, *op. cit.*) ou Jack Hirshleifer (« Investment Decision under Uncertainty : Choice-Theoretic Approaches », *The Quarterly Journal of Economics*, vol. LXXIX, n° 4, novembre 1965).

l'incertitude du futur, chaque investisseur est conduit, par nécessité, à se représenter de quoi le futur sera fait, cette représentation demeure personnelle : elle est l'expression des connaissances et des croyances propres à l'individu concerné. Sur la base de celles-ci, l'acteur propose la description qui lui semble, autant qu'il peut en juger, la meilleure possible. Il peut considérer que le risque consiste en la possibilité d'un 6e œuf pourri, ou bien qu'il s'agit essentiellement de cuisiner rapidement car les convives sont impatients. En conséquence, rien n'assure *a priori* que deux individus aboutissent à une même analyse de la situation. Cette subjectivité de la représentation ne constitue en rien une faiblesse du modèle de Savage. Elle est dans la nature des choses et il est heureux que ce formalisme en tienne compte. Tout au contraire, c'est l'hypothèse d'une représentation collectivement admise qui ne va pas de soi et qui demande à être justifiée. Comment est-il possible que tous les agents partagent une même conception de l'avenir ? D'où vient une telle unanimité ? La manière la plus simple et la plus directe de justifier ce consensus est de faire valoir que le risque est d'une nature objective. Pour cette raison, il ne peut manquer de s'imposer uniformément à tous les individus rationnels et informés, de même que s'impose à leur perception la présence d'un objet au milieu d'une pièce. Cette objectivité postulée justifie non seulement que tous les acteurs s'accordent sur une même liste des états futurs, mais également qu'ils s'accordent sur la valeur des rendements que procurent les actifs dans chacun des états. Tel est effectivement le point de départ obligé des manuels de finance néoclassique : un accord de tous les individus rationnels, bien informés, quant aux rendements attendus de tous les actifs pour tous les états de la nature. C'est ce qu'on nomme également l'hypothèse d'anticipation rationnelle. L'anticipation rationnelle est celle à laquelle est nécessairement conduit un statisticien examinant la chronique historique des rendements et ayant accès à toute l'information dont dispose l'économie à l'instant *t*.

À partir de cette hypothèse qui stipule que, pour chaque titre, sont connus et les rendements attendus et les probabilités associées, la question de l'évaluation se trouve résolue pour l'essentiel. Il reste seulement à déterminer ce que les économistes appellent le taux d'actualisation[1]. Classiquement, on utilise le taux d'intérêt[2]. Concluons en disant que l'hypothèse probabiliste rend possible la détermination d'une valeur de référence, pour n'importe quel titre, ce que nous nommerons sa « valeur fondamentale », dite encore « valeur intrinsèque[3] ». Dans la mesure où les investisseurs rationnels partagent une même information, à savoir l'information disponible à l'instant considéré, et une même représentation du futur, à savoir

---

1. Le principe d'évaluation d'un titre est simple. Il consiste à calculer la somme des revenus que le titre engendre tout au long de sa vie. Mais deux difficultés se présentent. D'une part, le revenu n'est connu qu'en probabilité. Aussi on utilise son espérance mathématique. D'autre part, il faut tenir compte du fait que 1 euro dans 10 ans ne vaut pas 1 euro aujourd'hui. Cela vaut beaucoup moins comme en témoigne le fait que, avec 1 euro aujourd'hui, j'obtiendrai dans 10 ans, en le plaçant au taux d'intérêt en vigueur, une somme bien plus élevée, très exactement $(1+r)^{10}$ euros, si le taux d'intérêt *r* reste constant au cours de ces 10 années. L'actualisation est l'opération qui consiste à transformer 1 euro à l'horizon *t* en euros à l'instant *0*. Comme on le voit, l'actualisation dépend du taux d'intérêt mais elle dépend également du fait que l'individu a une préférence marquée ou non pour le présent, ce qu'on nomme aussi aversion au risque. *In fine*, la valeur du titre s'obtient en calculant ce qu'on appelle l'espérance mathématique du flux actualisé des rendements attendus.

2. L'utilisation du taux d'intérêt correspond à l'évaluation que ferait un investisseur « neutre au risque ». Il est également possible d'intégrer une prime de risque exprimant l'aversion au risque de la population concernée.

3. Les anglo-saxons utilisent fréquemment le terme de « *present value* ».

celle que suppose l'hypothèse probabiliste, leur calcul, mené sur la base des mêmes rendements objectifs, des mêmes probabilités et du même taux d'actualisation, les conduira à un résultat identique. Les opinions personnelles ne jouent plus ici aucun rôle. Cela résulte directement de l'hypothèse d'objectivité du futur. *A contrario* des divergences d'évaluation supposent nécessairement, soit que les agents ne sont pas rationnels, soit qu'ils ne disposent pas des mêmes informations. Notons que la rationalité mise en jeu par l'investisseur rationnel est d'une nature essentiellement statisticienne. Elle analyse la variabilité objective des revenus dans le but d'en inférer leurs lois de probabilité et de pouvoir calculer avec précision les valeurs fondamentales des titres. Elle sera qualifiée de « fondamentaliste[1] ». Dans la théorie néoclassique, la rationalité fondamentaliste joue un rôle prépondérant, car c'est en évaluant au mieux la valeur fondamentale des titres que le spéculateur obtient son profit tout en rendant les cotations plus efficaces. La stratégie fondamentaliste consiste à acheter (respectivement vendre) les titres pour lesquels le prix observé est inférieur (respectivement supérieur) à la valeur fondamentale calculée.

La suite du livre s'attachera à démontrer que cette hypothèse d'objectivité du futur doit être rejetée parce qu'elle ne fournit pas une description satisfaisante de l'incertitude marchande. Mais, avant de procéder à cette démonstration, il importe de comprendre d'où vient l'attraction si puissante qu'elle exerce sur les économistes. Pourquoi retenir une analyse si étrange et si contraire à l'intuition ? La réponse est simple : l'hypothèse probabiliste conserve

1. Sur ce point, se reporter à André Orléan (« Efficience, finance comportementale et convention : une synthèse théorique », *in* Robert Boyer, Mario Dehove et Dominique Plihon (dir.), *Les Crises financières*, compléments A, rapport du Conseil d'analyse économique, octobre 2004).

l'idée cruciale d'objectivité de la valeur et permet de maintenir les croyances collectives hors du champ de l'économie. Ce faisant, elle s'affirme comme le prolongement naturel, dans le domaine financier, des théories de la valeur substance dont elle reproduit le geste fondateur : établir l'existence de grandeurs en surplomb des échanges, échappant aux opinions et aux rapports de force. De même que les valeurs des marchandises sont l'expression des raretés objectives, de même les valeurs des actifs sont-elles l'expression des rendements objectifs. Dans un cas comme dans l'autre, la valeur se donne à comprendre comme indépendante des opinions humaines, comme échappant aux manipulations stratégiques, comme l'expression de contraintes qu'il n'est pas dans le pouvoir des hommes de nier. L'hypothèse probabiliste tire sa puissance de cette capacité à étendre la logique de la valeur à la finance, sans solution de continuité. L'hypothèse de nomenclature des états du monde joue, dans le rapport au temps, le même rôle que l'hypothèse de nomenclature des biens, dans le rapport aux valeurs d'usage. Dans les deux cas, des médiations objectives sont postulées qui viennent faire obstacle aux interactions directes entre individus. Du fait de la présence de ces repères communs (valeurs d'usage ou états du monde), connus de tous, les individus peuvent s'en remettre à la seule rationalité paramétrique pour se coordonner. La rationalité fondamentaliste est la forme que prend cette rationalité paramétrique dans le domaine financier. Elle prend appui sur la connaissance commune des états du monde. Il s'ensuit un édifice théorique néo-classique d'une grande cohérence quant à sa conception de la coordination marchande. C'est ce que le concept d'objectivité marchande développée au chapitre II s'est efforcé de synthétiser. Cette cohérence globale est poussée à son extrême lorsque les théoriciens néoclassiques transposent aux marchés financiers les mêmes propriétés d'efficacité que celles mises au jour pour les marchés de biens ordinaires. Autrement dit, la concurrence financière serait productrice d'autorégulation comme l'est la concurrence des marchandises. La même loi de l'offre et de la demande serait à l'œuvre pour imposer la justesse des prix et la stabilité. Cette thèse connue sous le nom d'« efficience financière » a joué un rôle primordial dans la légitimation du processus de déréglementation financière qui, depuis plus de trente ans, a transformé en profondeur le capitalisme.

Efficience des marchés financiers

L'efficacité des marchés constitue sans conteste la question qui, par excellence, mobilise l'intérêt des économistes. Il s'agit de savoir si le mécanisme concurrentiel permet une gestion des ressources rares au mieux des besoins, sans gaspillage. Les économistes parlent alors d'« efficacité allocative ». C'est le critère essentiel pour juger des performances marchandes. L'efficacité allocative a pour condition première des prix justes, permettant aux acheteurs et aux vendeurs de prendre les bonnes décisions en matière d'investissement et de consommation. Autrement dit, les prix doivent exprimer toute l'information pertinente quant à la valeur des biens échangés. Comme l'écrit Eugene Fama, « l'idéal est un marché sur lequel les prix fournissent des signaux appropriés pour allouer les ressources[1] », ce qu'on nomme également l'« efficacité informationnelle ». Il en découle qu'efficacité informationnelle et efficacité allocative sont étroitement liées. Cette proposition se transpose sans difficulté à la sphère financière : un marché financier efficient est celui

---

1. Eugene Fama, « Efficient Capital Markets : A Review of Theory and Empirical Work », *Journal of Finance*, vol. 25, 1970, p. 383.

sur lequel les actifs financiers sont évalués correctement, compte tenu de l'information disponible à l'instant considéré[1]. À l'évidence, cette définition suppose que le théoricien soit capable de définir ce qu'est une évaluation correcte. Dans le cadre néoclassique, la notion de valeur fondamentale, ou de valeur intrinsèque, remplit ce rôle. Il s'ensuit qu'un marché financier est efficient si la concurrence fait en sorte qu'à tout instant le prix formé soit conforme à la valeur intrinsèque de l'actif considéré. C'est très précisément ce que dit Fama : « Sur un marché efficient, le prix d'un titre constituera, à tout moment, un bon estimateur de sa valeur intrinsèque[2]. » Ou encore : « Sur un marché efficient, la concurrence fera en sorte qu'en moyenne toutes les conséquences des nouvelles informations quant à la valeur intrinsèque soient instantanément reflétées dans les prix[3]. » On utilisera le signe [HEF] pour désigner cette approche de l'efficience[4]. Robert Shiller en propose une définition très complète, même si elle a l'inconvénient de recourir à la notion d'espérance mathématique conditionnelle, c'est-à-dire la meilleure anticipation qui puisse être faite compte tenu de l'hypothèse probabiliste[5] :

---

1. Robert J. Shiller, *Irrational Exuberance*, Princeton (New Jersey), Princeton University Press, 2001, p. 171.
2. Eugene Fama, « Random Walks in Stock Market Prices », *Financial Analysts Journal*, vol. 21, n° 5, septembre-octobre 1965, p. 55.
3. *Ibid.*, p. 56.
4. Pour « Hypothèse d'Efficience Financière ».
5. Autrement dit, une fois connue la structure probabiliste, il est possible de définir l'anticipation optimale sachant l'information I. Cette anticipation optimale s'exprime mathématiquement au travers de l'opérateur d'espérance conditionnelle, sachant I. Cette notion mathématique correspond très exactement à la notion économique d'anticipation rationnelle, à savoir la meilleure estimation que les agents rationnels et anticipés sont capables de faire sachant l'information I.

> « La théorie des marchés efficients peut se formuler comme établissant que le prix Pt d'une action est égal à l'espérance mathématique de la valeur présente Pt* des dividendes futurs de cette action, conditionnellement à toute l'information disponible à cet instant. Pt* n'est pas connue à l'instant *t* et doit être anticipée. L'hypothèse des marchés efficients dit que le prix est égal à l'anticipation optimale de cette grandeur. Selon le choix du taux d'actualisation utilisé dans le calcul de la valeur fondamentale, sont obtenues des formes différentes d'efficience, mais l'hypothèse générale d'efficience peut toujours s'écrire sous la forme de $Pt = E_t Pt^*$ où E_t désigne l'espérance mathématique conditionnelle à l'information publique disponible en *t*. Cette équation implique que tous les mouvements non prévus affectant le marché boursier doivent avoir pour origine quelque information nouvelle quant à la valeur fondamentale Pt*[1]. »

À l'évidence, sans l'hypothèse d'une valeur fondamentale objective, définie sans ambiguïté, cette approche n'aurait aucun sens. Dans le cadre néoclassique, la valeur fondamentale préexiste objectivement aux marchés financiers et ceux-ci ont pour rôle central d'en fournir l'estimation la plus fiable et la plus précise. Aussi l'hypothèse d'efficience financière conçoit-elle le marché financier comme étant un « reflet » fidèle de l'économie réelle. Dans une telle perspective, l'évaluation financière ne possède aucune autonomie, et c'est précisément parce qu'il en est ainsi qu'elle peut être mise tout entière au service de l'économie productive à laquelle elle livre les signaux qui feront que le capital s'investira là où il est le plus utile. Dans l'obtention de ce résultat, la concurrence n'est qu'un aiguillon. La force réelle à l'œuvre, celle qui permet

1. Robert J. Shiller, « From Efficient Markets Theory to Behavioral Finance », *Journal of Economic Perspectives*, vol. 17, n° 1, hiver 2003, p. 84 et 85.

l'obtention du résultat considéré, est de nature cognitive à savoir : la rationalité fondamentaliste, c'est-à-dire la capacité des investisseurs à percer les mystères du futur.

Tester directement l'efficience allocative est délicat car, pour démontrer que la dynamique des prix suit l'évolution de la valeur fondamentale, encore faut-il pouvoir expliciter cette dernière. C'est seulement lorsqu'on dispose d'une telle explicitation qu'il est possible d'examiner si les prix se conforment ou non à la valeur fondamentale. Aussi l'économiste est-il contraint d'introduire une hypothèse supplémentaire portant sur la valeur fondamentale elle-même. C'est ce que Fama appelle le problème de l'hypothèse jointe. En conséquence, dans le cas d'un test négatif, on ne sait jamais avec certitude s'il faut rejeter l'efficience ou bien si c'est le modèle d'évaluation fondamentale qui n'est pas pertinent. Pour cette raison, une autre approche de l'efficience est avancée qui se prête mieux aux tests empiriques. C'est la fameuse « marche au hasard » (*random walk*), qui dit que les variations successives des cours sont statistiquement indépendantes : « Les rendements financiers ne sont pas corrélés et sont imprévisibles statistiquement[1]. » Comme elle met l'accent sur la non-prédictibilité des rendements, nous la noterons [NPR]. Les travaux statistiques ont confirmé très largement cette conception de l'efficience. Néanmoins, des anomalies ont été mises en évidence, ce que Malkiel définit comme « des évolutions de rendements montrant une prévisibilité statistiquement significative[2] ». Il s'agit d'évolutions qui, de par leur systématicité, violent l'hypothèse de non-prédictibilité des rendements. Il en est ainsi, par exemple, de l'effet janvier, à savoir la tendance des

1. Stephen A. Ross, *Neoclassical Finance*, *op. cit.*, p. 44.

2. Burton G. Malkiel, « The Efficient Market Hypothesis and its Critics », *Journal of Economic Perspectives*, vol. 17, n° 1, hiver 2003, p. 71.

titres de petite capitalisation à plonger considérablement fin décembre et à rebondir durant la première semaine de janvier. La raison couramment invoquée est de nature fiscale : le gestionnaire a intérêt à faire apparaître des moins-values déductibles avant de clore les comptes de façon à payer moins d'impôts. L'existence de telles structures de corrélation prévisibles ouvre des opportunités de profit. Ainsi peut-on exploiter l'effet janvier en achetant des petites capitalisations fin décembre, lorsque leur cours est bas, pour les revendre à la fin de la première semaine de janvier, lorsque leur cours est élevé. C'est pourquoi la théorie néoclassique prévoit que ces anomalies, quelles qu'elles soient, doivent nécessairement disparaître au fur et à mesure qu'elles sont découvertes et exploitées[1].

En fait, cette définition [NPR] de l'efficience est encore trop forte dans la mesure où elle identifie d'une manière excessive anomalie statistique et anomalie économique. Elle néglige le fait que les investisseurs financiers, lorsqu'ils tentent d'exploiter ces anomalies statistiques, supportent des coûts de transaction qui viennent en déduction des profits réalisés. Pensons, par exemple, aux commissions qu'exigent certains intermédiaires ou bien encore à l'existence d'un écart structurel entre prix d'achat et prix de vente[2]. Aussi une anomalie statistique qui engendrerait des profits trop faibles par rapport aux coûts nécessaires à son élimination pourrait-elle se maintenir sans que ce soit la preuve d'une véritable inefficience. Tenir compte de cette réalité conduit à une troisième conception de l'efficience qui prend pour critère les profits effectivement réalisés par les agents et non les corrélations statistiquement significatives. Cette conception met en avant le fait que, sur marché efficient, la seule manière d'accroître son

1. *Ibid.*, p. 72.
2. Ce qu'on nomme le *spread bid-ask* désignant la fourchette de cotations d'un titre entre le meilleur vendeur et le meilleur acheteur.

profit est de prendre plus de risque. Il n'existe pas de « repas gratuit[1] ». Comme l'écrit Malkiel, « les marchés financiers sont efficients parce qu'ils ne permettent pas aux investisseurs d'obtenir des rendements supérieurs à la moyenne une fois le risque pris en compte (*above-average risk adjusted returns*[2]) ». Nous la noterons [NPBM] pour : « on ne peut pas battre le marché », ce qui signifie que les investisseurs ne peuvent surperformer le marché pour un risque donné.

Ces trois approches sont étroitement liées. On peut montrer, sans trop de difficultés, que la première est la plus restrictive[3]. On a :

[HEF] => [NPR] et [HEF] => [NPBM]

Mais il importe de souligner que les relations inverses ne sont pas vérifiées. Ainsi peut-on avoir [NPBM] sans avoir [HEF], et même sans avoir [NPR]. C'est ce qui vient d'être démontré. Lorsqu'une anomalie est d'ampleur insuffisante, du fait de ses coûts de transactions, pour être exploitable, le marché ne peut pas être battu alors même que la non-prévisibilité des rendements est rejetée. Autrement dit, il ne suffit pas de repérer économétriquement des anomalies statistiques pour dire qu'il y a inefficience financière. Il s'ensuit une tendance à privilégier la définition [NPBM] comme constituant la bonne approche de l'efficience. Par exemple, Ross écrit : « [Ces anomalies] sont généralement petites, ce qui signifie qu'elles n'impliquent que quelques dollars en comparaison de

1. Au-delà du taux d'intérêt sans risque, celui que fixe la Banque centrale.

2. Burton G. Malkiel, « The Efficient Market Hypothesis and its Critics », art. cit., p. 60.

3. Par exemple, se reporter au chapitre III de Stephen A. Ross, *Neoclassical Finance*, *op. cit.*

la taille des marchés de capitaux[1]. » Ou Richard Roll également : « J'ai personnellement essayé d'investir de l'argent [...] dans chaque anomalie spécifique [...]. *Et jusqu'à maintenant je n'ai pas été capable de gagner un seul centime sur ces supposées inefficiences de marché* [...]. Une vraie inefficience devrait être une opportunité exploitable[2]. » Malkiel indique lui aussi clairement sa préférence pour [NPBM]. Notons cependant que tester [NPBM] est plus délicat que tester [NPR], car il s'agit de montrer que le profit obtenu par les investisseurs est toujours en proportion du risque qu'ils ont pris. En conséquence, ces tests, pour être probants, supposent que le statisticien dispose d'un modèle robuste et convaincant du risque. On retrouve ici le problème de l'hypothèse jointe[3]. En l'absence d'un tel modèle, la tentation sera forte, pour les partisans de l'efficience, face à l'observation d'une situation de rendements anormaux, d'y voir simplement la conséquence d'un risque élevé. C'est ce point que souligne Shleifer, lorsqu'il écrit que « [les partisans de l'efficience] sont prompts à suggérer un modèle de risque qui réduit les surprofits à n'être que la compensation équitable de la prise de risque[4] », ce qui veut dire qu'ils ne sont précisément plus des « surprofits » et que l'hypothèse d'efficience [NPBM] peut être conservée.

Notons également que [NPR] n'entraîne nullement [HEF]. En conséquence, le fait que [NPR] soit vérifiée ne nous dit rien quant à l'efficacité allocative des marchés financiers. C'est là un point beaucoup plus délicat

1. *Ibid.*, p. 67.

2. Richard Roll cité *in* Burton G. Malkiel, « The Efficient Market Hypothesis and its Critics », art. cit., p. 72.

3. Stephen A. Ross, *Neoclassical Finance*, *op. cit.*, p. 50. Même point de vue chez Burton G. Malkiel, « The Efficient Market Hypothesis and its Critics », art. cit.

4. Andrew Shleifer, *Inefficient Markets. An Introduction to Behavioral Finance*, Oxford, Oxford University Press, 2000, p. 50.

et rarement reconnu par la finance néoclassique avec toute la force qu'il conviendrait[1]. Il est pourtant d'une importance capitale puisque c'est bien la capacité du marché boursier à fournir au reste de l'économie les bons signaux, à savoir ce que nous avons noté [HEF], qui constitue, pour tous les économistes, la propriété significative. Burton Malkiel reconnaît ce point[2] à propos de la bulle Internet, puisqu'il écrit : « Les marchés peuvent être efficients même s'ils commettent quelquefois des erreurs d'évaluation, ce qui fut certainement le cas durant la bulle Internet en 1999 et début 2000[3]. » Autrement dit, Malkiel concède que son critère d'efficience, en l'espèce [NPR] ou [NPBM], n'assure pas l'efficacité allocative ; les marchés peuvent être efficients au sens de [NPR] et engendrer de mauvais prix ! Un tel aveu chez les partisans de l'efficience est rarissime. Il en tire la conclusion importante que, durant la bulle Internet, du capital s'est trouvé inutilement gaspillé : « Le résultat a été que trop de capitaux nouveaux se sont investis dans les compagnies Internet et dans les compagnies de télécommunications qui leur étaient liées. En conséquence, le marché financier a bien pu temporairement faillir à son rôle d'allocateur efficace du capital[4]. » Il est vrai que Malkiel poursuit en soulignant que de tels dérapages ne sont que des « erreurs occasionnelles », qu'ils constituent « l'exception plutôt que la règle », car, « [à] la fin, la vraie valeur l'emporte[5] ». On ne

1. Avec une exception notable : pour la théorie des bulles rationnelles, [NPR] est vérifiée mais pas [HEF].

2. On trouve cette même idée chez Shiller dans sa conclusion (« From Efficient Markets Theory to Behavioral Finance », art. cit., p. 101).

3. Burton G. Malkiel, « The Efficient Market Hypothesis and its Critics », art. cit., p. 60.

4. *Ibid.*, p. 75-76.

5. *Ibid.*, p. 61.

trouve pas de tels aveux sous la plume de Ross. Néanmoins, il est un point sur lequel ce dernier confie son embarras : le fait qu'*ex post*, une fois les informations connues, il n'est qu'une si petite partie de l'évolution constatée des prix qui puisse être expliquée par les informations nouvelles[1]. Autrement dit, la plus grande partie du mouvement des prix reste énigmatique pour qui adhère à la conception de la valeur objective. Elle ne trouve pas dans l'évolution des fondamentaux une explication satisfaisante. Ce faisant, c'est directement l'hypothèse [HEF] qui se trouve mise en cause, bien que [NPR] soit généralement vérifiée.

Distinguer ces trois approches et comprendre les liens qui les unissent est important d'un point de vue conceptuel comme d'un point de vue pratique. Or, à lire les déclarations des financiers néoclassiques, il pourrait sembler que la non-prévisibilité des rendements suffit à assurer l'efficience véritable. En effet, c'est ce critère qui est systématiquement mis en avant par les théoriciens de la finance lorsqu'il est question d'efficience. Pourtant, il ne devrait pas être ainsi. Il faut toujours garder à l'esprit que la propriété stratégique reste l'efficacité allocative, ce que nous avons nommé [HEF]. Ainsi, lorsqu'il faut statuer sur l'opportunité de laisser une plus grande place à la concurrence et aux marchés financiers, importe-t-il avant tout de prendre en compte leur aptitude à permettre une gestion satisfaisante du capital, sans gaspillage, et non pas de savoir si les rendements sont ou non prévisibles. Comme on l'a vu, la non-prévisibilité est une propriété peu exigeante en comparaison de [HEF]. Elle dit simplement que, s'il existe des structures de corrélation, les acteurs finiront par les découvrir en sorte que, si elles sont économiquement significatives, ils les feront disparaître en jouant contre elles. Pour désigner cette propriété, le

1. Stephen A. Ross, *Neoclassical Finance*, *op. cit.*, p. 64.

terme d'« efficience technique » ou « opérationnelle » paraît approprié[1]. Cette efficience technique repose sur une rationalité bien moins élaborée que la rationalité fondamentaliste. Il suffit d'être capable de découvrir ce que nous avons nommé des « structures de corrélation », et ce que les anglo-saxons nomment des « *patterns* ». C'est là une tâche plus aisée que celle consistant à calculer la valeur fondamentale des titres, comme l'indique clairement le fait qu'elle est indépendante de l'hypothèse probabiliste. Rappelons que le recours à la conception [NPR] trouve précisément son origine et sa justification dans la nécessité de concevoir des tests qui évitent les difficultés que pose l'hypothèse jointe. Aussi ne faut-il pas être étonné que les tests ainsi conçus soient plus faibles et ne puissent conclure sans ambiguïté à l'efficience. En conclusion, il importe de ne pas confondre ces deux approches. Pourtant cette confusion est couramment faite, et même sous la plume des meilleurs spécialistes. Ainsi, lorsqu'Eugene Fama, le « pape de l'efficience », est interrogé par John Cassidy quant à la présence de bulles financières lors de l'euphorie précédant la crise des subprimes, il les rejette catégoriquement, non pas en faisant valoir que les prix auraient été au bon niveau, mais en déclarant qu'il s'agit d'évolutions non prévisibles. « Êtes-vous en train de dire que les bulles ne peuvent pas exister ? », demande alors le journaliste du *New Yorker*[2], quelque peu déstabilisé par les réponses de Fama niant toute responsabilité des marchés financiers dans la crise des subprimes. À quoi Fama

1. Se reporter à l'introduction générale de David Bourghelle, Olivier Brandouy et André Orléan dans *Croyances, Représentations collectives et Conventions en finance*, (en collaboration avec Daniel Bourghelle, Olivier Brandouy et Roland Gillet, Paris, Economica, 2005).

2. Se reporter à l'entretien d'Eugene Fama avec John Cassidy paru dans le *New Yorker* du 13 janvier 2010 : http://www.newyorker.com/online/blogs/johncassidy/2010/01/interview-with-eugene-fama.html.

répond : « Elles doivent être des phénomènes prévisibles. Je pense qu'aucune ne fût particulièrement prédictible. » On trouve une réponse similaire de la part de Robert Lucas dans *The Economist*[1]. Ces économistes ne semblent pas concevoir qu'il puisse exister des évolutions de prix sans rapport avec les fondamentaux, qui ne soient pas prévisibles au sens de [NPR] ! Pourtant, les prix peuvent monter sans que cette hausse soit perçue par tous les agents comme absolument inévitable. Il n'y a pas lieu d'assimiler « bulle » et « prévisibilité des rendements ». On peut reprendre le raisonnement des partisans de l'efficience et faire valoir que, chaque jour, des informations nouvelles étaient divulguées, non anticipées, mais majoritairement interprétées comme justifiant la hausse des cours. Il s'ensuit un processus de dérive des prix à la hausse sur une longue période et, conséquemment, un important gâchis de capital qui donne à voir pleinement l'inefficience des marchés financiers, bien que l'hypothèse [NPR] soit satisfaite.

Il faut conclure de ces analyses que l'approche néoclassique ne fournit pas de preuve statistique convaincante permettant d'affirmer que les marchés sont efficients. Son recours systématique aux tests de non-prévisibilité ne constitue en rien une telle preuve car l'efficience allocative requiert bien plus que la non-prévisibilité, à savoir la présence d'une valeur objective. Sans un tel concept, il est impossible de déterminer sans ambiguïté si les prix constatés sont au bon niveau ou non. Or, comme on l'a vu, l'objectivité de la valeur financière repose sur l'hypothèse d'un futur objectivable, pouvant faire l'objet d'une description exhaustive *ex ante*, ce qu'on a nommé « l'hypothèse de nomenclature des états du monde ». Examinons cette conception si contraire au sens commun.

1. 6 août 2009.

Incertitude knightienne et irréductible subjectivité des estimations individuelles

Cette hypothèse est assurément déroutante. Elle conçoit l'incertitude selon le modèle de l'aléa météorologique. Dans une telle perspective, les probabilités mesurent la variabilité objective[1] du monde économique telle que l'engendre la volatilité naturelle, intrinsèque, des facteurs exogènes (ressources, productivité, préférences) qui conditionnent l'activité économique. L'hypothèse de nomenclature des états du monde en établit la liste exhaustive. Autrement dit, dans une telle approche, avant même que s'ouvrent les marchés financiers, le futur est déjà écrit et connu[2]. Certes, il s'agit d'une écriture probabiliste mais cette concession est toute relative. Par rapport à la logique du certain, elle n'introduit au plus qu'une inflexion, comme l'avait bien compris Keynes : « Le calcul des probabilités [est] supposé capable de réduire l'incertain au même statut [...] que le certain lui-même[3]. » Il importe de faire beaucoup mieux :

---

1. Une autre conception est possible dans laquelle la probabilité mesure l'incertitude subjective qu'éprouve l'acteur face au phénomène. Pensons à un individu qui prévoit que le prix demain vaudra 100 mais qui néanmoins introduit un intervalle de variation parce qu'il n'est pas absolument sûr de son chiffre. Dans ce cas, la probabilité exprime la méconnaissance du sujet et non pas la variabilité intrinsèque du phénomène. Le même concept mathématique, la probabilité, renvoie à deux réalités tout à fait différentes.

2. Rappelons que, dans le cadre du modèle Arrow-Debreu d'équilibre général intertemporel, les marchés n'ouvrent qu'à la date initiale. À cette date sont déterminés les prix pour toutes les marchandises, pour toutes les dates futures, pour tous les états susceptibles de se réaliser. À la date t, quand est connu l'état e, les transactions correspondant à cette éventualité s'effectuent conformément au prix déterminé à la date initiale.

3. John Maynard Keynes, « The General Theory of Employment », art. cit., p. 212-213.

proposer une modélisation de la temporalité économique qui soit fidèle à sa nature radicalement opaque. Pour ce faire, il suffit de prendre pour point de départ l'idée banale, majoritairement acceptée par les économistes, selon laquelle le futur ne préexiste pas aux actions individuelles mais en est le produit. Dans ce cadre alternatif, les évaluations des investisseurs s'analysent comme des *paris* concernant un futur qui, non seulement n'est pas encore écrit, mais qui surtout dépend étroitement des paris qui auront été faits sur lui. Le rapport au temps ainsi conçu met en jeu deux boucles d'interaction : la première, qui va du futur au présent sous la forme d'anticipations concernant ce que sera demain, et la seconde, du présent au futur, par le fait que ce qui adviendra demain est le résultat des choix effectués aujourd'hui sur la base des anticipations faites sur le futur. Dans une telle perspective, l'idée d'une objectivité du futur, même de nature probabiliste, est totalement inutile, pour ne pas dire incongrue. Pour ce qui est des anticipations individuelles, on peut conserver le formalisme antérieur, à la Savage, mais en soulignant bien qu'il s'agit d'estimations subjectives formées par les différents investisseurs, et non pas la simple prise en compte d'un futur objectivement donné. Cela fait une grande différence. La question est alors de comprendre sur quelles bases les acteurs forment leurs anticipations, lorsqu'on ne postule plus *a priori* qu'une seule représentation est conforme à la rationalité. Quelle part de subjectivité entre dans ces anticipations ? Est-il possible que tous les investisseurs convergent spontanément vers la même représentation du futur ? On retrouve par ce biais la théorie néoclassique dont le formalisme correspond au cas particulier où tous les acteurs partagent une même analyse des rendements futurs[1]. À quelle condition cette unanimité est-elle plausible ?

---

1. Notons cependant que, même lorsqu'un tel consensus prévaut, cela n'implique en rien que les probabilités associées aux divers

Pour aborder cette question des anticipations, il n'est pas inutile d'en revenir aux réflexions de Frank Knight dans son grand livre *Risk, Uncertainty and Profit*. Son idée est que la forme probabiliste ne suffit pas à définir la nature d'une estimation parce qu'il existe plusieurs « probabilités[1] » associées à des formes diverses d'incertitude. Autrement dit, l'énoncé « tel événement a une probabilité de 1/3 » ne peut être pleinement compris tant que n'a pas été explicitée la nature de la situation et de la probabilité. Knight distingue trois types de probabilités. Le premier correspond à des loteries, à la manière du jeu de roulette, pour lesquelles, par construction, nous sommes en présence d'événements se répétant à l'identique. Dans de telles configurations, le calcul des probabilités s'applique entièrement, sans restriction. Knight parle alors de « probabilités *a priori* ». Le deuxième type correspond à des configurations où l'événement considéré est suffisamment commun pour que des fréquences empiriques puissent être observées et calculées. L'exemple proposé par Knight est celui du risque d'incendie. La proposition « telle maison ayant la caractéristique X a la probabilité p de brûler » résulte de l'observation empirique des incendies concernant des maisons ayant la caractéristique X, par

scénarios mesurent les probabilités objectives de survenance de ces scénarios. Cela supposerait non seulement qu'il y ait un consensus mais que ce consensus porterait sur la description réelle du futur et, qui plus est, que ce futur serait d'une nature probabiliste. Formellement, une telle situation n'est pas à proprement parler impossible. On sait que certaines croyances ont la propriété de s'autoréaliser, ce qu'on nomme les « prophéties autoréalisatrices ». Ce phénomène a été observé et ne peut être rejeté. Mais, lorsqu'il s'agit de l'économie dans son entier, à savoir tous les rendements futurs de tous les actifs, cela relève de la science-fiction.

1. C'est le vocabulaire qu'emploie Knight, mais il serait plus judicieux d'écrire qu'il existe plusieurs usages des probabilités et non plusieurs « probabilités » car, *stricto sensu*, c'est le même concept de probabilité qui se trouve employé.

exemple, avoir été construites au siècle dernier. Knight insiste sur le fait que ce type d'évaluation repose sur la possibilité de former des groupes d'occurrences homogènes (les maisons construites au siècle dernier) suffisamment nombreux pour que les fréquences observées puissent fournir une approximation acceptable des probabilités. Knight propose le terme « probabilité statistique[1] » pour désigner ce deuxième type de probabilité. Enfin, un dernier type de probabilité est mis en jeu lorsque l'événement est « si entièrement unique[2] » qu'il n'est pas possible de calculer des fréquences. L'outil statistique devient impuissant. Knight donne l'exemple d'un entrepreneur devant estimer l'opportunité d'accroître ses capacités de production. Cette situation est trop particulière (métier spécifique, conjoncture spécifique) pour que puisse être composé un échantillon significatif permettant de déterminer la probabilité de succès de cette stratégie. Dans ce cas, l'individu doit recourir à son opinion personnelle. Knight parle alors de « jugements » ou d'« estimations ». En conclusion, il propose de réserver le terme « incertitude » pour cette dernière situation et nomme « risque » les deux autres[3].

La force de cette analyse est de montrer que l'acteur économique ne peut pas toujours compter sur les outils probabilistes et statistiques (situations un et deux) pour former ses anticipations et prendre sa décision. Dans les situations d'incertitude, l'acteur n'a d'autre instrument que sa faculté de juger. Ce résultat est essentiel car il établit que les estimations individuelles face à l'incertitude ont une dimension irréductiblement subjective : ce sont des opinions personnelles. Comme le comprend

---

1. « *Statistical probability* ».
2. Frank H. Knight, *Risk, Uncertainty, and Profit*, Boston-New York, Houghton Mifflin Company, 1921, p. 226.
3. *Ibid.*, p. 233.

bien Knight, un monde sans incertitude serait un monde du « savoir parfait » dans lequel l'intelligence ne serait même pas nécessaire[1]. Par là, il faut comprendre que la seule rationalité, identifiée à la maîtrise des techniques logiques et mathématiques, suffirait à résoudre tous les problèmes : par le biais de l'inférence statistique, l'acteur serait capable d'estimer toutes les éventualités. Dans un tel monde hypothétique, des individus rationnels et également informés sont nécessairement conduits aux mêmes estimations, car des techniques statistiques identiques associées à une information identique débouchent nécessairement sur un diagnostic identique. Les acteurs peuvent diverger quant à leur action car leurs préférences divergent, mais pas quant à leur constat dès lors qu'ils sont rationnels et informés. On reconnaît là le monde néoclassique. La prise en compte de l'incertitude modifie radicalement cette analyse. Elle introduit la possibilité d'évaluations diverses, selon les personnes, indépendamment de leur rationalité. Pour Knight, ce résultat est d'autant plus important que, à ses yeux, l'incertitude est ce qui caractérise la vaste majorité des situations auxquelles un homme d'affaires est confronté : « [Les décisions qu'il prend] se rapportent à des situations qui sont bien trop uniques pour que les outils statistiques aient une quelconque valeur pour ce qui est du choix de la conduite à suivre[2]. » Autrement dit, l'aptitude à décider quoi faire, parce qu'elle ne se réduit pas à la seule rationalité, devient une ressource rare, inégalement partagée, qui distingue les bons entrepreneurs des mauvais. Pour Knight, cette aptitude exige bien plus que de savoir calculer. Elle demande du *jugement*[3].

Ce concept d'incertitude knightienne a pour trait

1. *Ibid.*, p. 268.
2. *Ibid.*, p. 231.
3. Cet argumentaire conduit à un discours libéral qui justifie l'entrepreneur comme celui qui possède une faculté de juger supé-

distinctif la prise en compte de la nouveauté dans les évolutions marchandes. C'est parce que les acteurs se trouvent confrontés à des réalités jamais observées que la rationalité statistique se révèle impuissante à leur fournir des estimations satisfaisantes. Knight ne cesse de revenir sur cette idée : « Le fait marquant et essentiel est que l'événement en question est si totalement unique [...] qu'il est impossible d'en exhiber un échantillon sur la base duquel il serait possible d'en inférer une estimation de la probabilité sous-jacente[1]. » Pour le dire en termes techniques, le monde économique n'est pas « stationnaire ». Sa structure évolue et se transforme : de la nouveauté se fait connaître[2]. Or l'hypothèse de stationnarité est essentielle pour que l'inférence statistique soit recevable. En effet, celle-ci ne fait rien d'autre que de projeter dans le futur les relations que l'observation statistique du passé a mises en évidence. À l'évidence, cette technique fournit des prévisions justes, pour autant que l'économie ne se modifie pas fortement (hypothèse de stationnarité). Dès lors que le monde économique change en profondeur sous l'action des innovations, il n'est plus légitime de supposer que le futur sera semblable au passé. En conséquence, la rationalité statistique n'est plus opérante. Il entre alors dans l'anticipation un élément irréductible de jugement personnel. C'est ce que Knight souligne. Le savoir inductif ne suffit plus.

L'incertitude knightienne est la bonne hypothèse pour qui cherche à comprendre l'économie financière. Elle rend bien compte de la faiblesse des bases objectives dont disposent les investisseurs pour justifier leurs estimations. On

---

rieure aux autres, le profit étant la rémunération de cette ressource rare et utile à la société.

1. Frank H. Knight, *Risk, Uncertainty, and Profit*, *op. cit.*, p. 226.

2. Ce qui distingue radicalement le monde physique du monde social.

reconnaît là un thème sur lequel Keynes, fin connaisseur des marchés boursiers, insiste avec beaucoup de force :

> « Le fait marquant en la matière est l'extrême précarité des bases sur lesquelles nous sommes obligés de former nos évaluations des rendements escomptés. Notre connaissance des facteurs qui gouverneront le rendement d'un investissement quelques années plus tard est en général très frêle et souvent négligeable. À parler franc, on doit avouer que, pour estimer dix ans ou même cinq ans à l'avance le rendement d'un chemin de fer, d'une mine de cuivre, [...] d'un transatlantique, les données dont on dispose se réduisent à bien peu de choses, parfois à rien[1]. »

C'est ce constat que la théorie économique doit prendre au sérieux. Il est aux antipodes de la théorie néoclassique dont le point de départ consiste à supposer que tous les acteurs connaissent tous les rendements futurs de tous les actifs. *A contrario*, les analyses empiriques attestent des difficultés que rencontrent les investisseurs pour estimer les valeurs fondamentales, surtout en présence d'innovations, sans même parler des agences de notation et des analystes financiers dont c'est pourtant la mission première. Prenons comme illustration la « bulle Internet » de la fin des années 1990. Ce fut une époque qui connut des estimations extravagantes. Comment cela fut-il possible ? Les raisons en sont multiples mais il est clair que la révolution qu'ont connue les techniques d'information avec Internet a constitué à elle seule un facteur puissant d'incertitude knightienne. Elle a nourri la thèse de l'émergence d'une « nouvelle économie », conduisant à un régime inédit de fonctionnement du capitalisme contemporain. En conséquence, lorsque certains économistes se montraient critiques et sceptiques face à

1. John Maynard Keynes, *Théorie générale de l'emploi, de l'intérêt et de la monnaie*, *op. cit.*, p. 162.

des cours boursiers qui semblaient totalement déconnectés des réalités économiques, et faisaient valoir que jamais dans le passé une telle valorisation n'avait été constatée, il leur était répondu qu'ils manquaient singulièrement d'imagination et que ce n'était pas parce qu'un événement n'avait jamais été observé qu'il ne pouvait pas advenir. Et assurément, cet argument ne manque pas de poids. Cependant, dès lors qu'on s'autorise à repousser les enseignements du passé au motif, par ailleurs exact, que le monde n'est en rien stationnaire et que du nouveau y apparaît de manière récurrente, il est possible de neutraliser toutes les objections. Telle est précisément la difficulté à laquelle nous confronte l'incertitude knightienne. Elle met l'individu face à des événements pour lesquels la connaissance objective est si imparfaite et floue qu'elle autorise les avis les plus opposés. Il faut alors reconnaître notre ignorance, comme l'écrit Keynes : « En cette matière, il n'existe aucune base scientifique permettant de calculer une quelconque probabilité. Nous ne savons pas, tout simplement[1]. » Une telle situation se caractérise par le fait que deux individus rationnels, parfaitement informés et pouvant mobiliser les avis d'autant d'experts qu'ils le souhaitent, peuvent néanmoins conserver des avis divergents, sans violer leur rationalité ni les faits[2]. Ce résultat

1. *Ibid.*, p. 144.

2. On peut rapprocher ces réflexions des intéressants travaux développés par Mordecai Kurz à propos de ce qu'il appelle les « croyances rationnelles » (*rational beliefs*) (Mordecai Kurz, « On the Structure and Diversity of Rational Beliefs », *Economic Theory*, vol. 4, 1994, et « Rational Beliefs and Endogenous Uncertainty : Introduction », *Economic Theory*, vol. 8, 1996). Cet auteur démontre que, dans le cadre d'une économie non stationnaire, des agents parfaitement rationnels, possédant la même information, en l'occurrence une information exhaustive contenant l'observation de toutes les variables économiques depuis le début d'existence de l'économie, peuvent néanmoins former des croyances divergentes. Pour nous comme pour cet auteur, c'est la question de la non-stationnarité qui

est fondamental. Il établit la subjectivité irréductible des évaluations financières[1].

Il découle directement de cette analyse qu'il n'est plus possible, dans un monde knightien, de définir ce qu'est la vraie valeur d'un titre. Ce qu'on observe est une grande diversité d'estimations individuelles entre lesquelles il n'est pas possible *ex ante* de trancher. Aucune ne peut se prévaloir d'une légitimité scientifique supérieure, puisqu'elles sont toutes compatibles avec l'exploitation rationnelle, c'est-à-dire statistique, des données disponibles. L'économiste ne saurait faire mieux, étant soumis également à l'incertitude. Ce qui est en cause est la faiblesse du savoir collectif à l'instant *t*, concernant des faits économiques inédits sur lesquels la société ne dispose pas d'un recul suffisant. En conséquence, l'hypothèse knightienne conduit à rompre radicalement avec l'idée qu'il serait possible de calculer, à l'instant *t*, la valeur objective des titres. C'est là assurément une révolution conceptuelle. De fait, l'attachement des économistes[2] à l'objectivité de la valeur les a conduits à rejeter vigoureusement la vision knightienne, pourtant si intuitive. Robert Lucas soutient ainsi que l'introduction de l'incertitude conduit la théorie économique dans une impasse :

---

est essentielle, de par la multiplicité des interprétations compatibles avec les données observées qu'elle autorise. Kurz note même à ce propos qu'il n'est pas nécessaire que l'économie soit véritablement stationnaire et qu'il suffit que les agents le croient, parce qu'il « n'existe aucun moyen statistique grâce auquel les agents pourraient certifier qu'un système stationnaire est, en fait, stationnaire » (« On the Structure and Diversity of Rational Beliefs », art. cit., p. 877).

1. Indiquons que cette propriété est testable. Il est possible de vérifier qu'il n'existe pas de procédure systématique permettant la convergence des estimations individuelles hors marché.

2. Une preuve de cet attachement est à trouver dans le fait que la finance comportementale adhère à cette hypothèse, malgré tout ce qui la sépare par ailleurs de la finance néoclassique – et qui n'est pas rien, par exemple l'efficience.

> « John Muth a proposé d'identifier les probabilités subjectives des agents aux fréquences observées des événements qu'ils cherchent à anticiper, ou aux probabilités "vraies", nommant "anticipation rationnelle" l'identité postulée des probabilités subjectives et "vraies". À l'évidence, cette hypothèse ne peut s'appliquer dans les situations où on ne peut déterminer quelles fréquences observées, si même elles existent, sont pertinentes : situations que Knight a nommées "incertitude". Cette hypothèse aura le plus de chances d'être utile dans des situations où les probabilités considérées concernent un événement récurrent, bien défini, situation nommée "risque" dans la terminologie de Knight… *Dans les situations d'incertitude, le raisonnement économique ne sera d'aucune valeur*[1]. » [Je souligne.]

On ne saurait dire les choses plus clairement. Dans un monde d'incertitude radicale à la Knight, l'économiste est livré à l'infinie variabilité des estimations subjectives. Il n'existe plus de valeur objective. Dans ces conditions, « le raisonnement économique n'est plus d'aucune valeur », faute de pouvoir avancer quoi que ce soit quant aux anticipations individuelles. En conséquence, Lucas circonscrit l'espace de validité du raisonnement économique aux seules situations de risque, au sens knightien du terme, à savoir des situations pour lesquelles l'hypothèse probabiliste est pertinente. Tel est le sens de l'hypothèse d'anticipation rationnelle : identifier les probabilités subjectives des individus aux probabilités objectives, ce qui suppose l'existence de ces dernières. Cette prise de position conduit les économistes à restreindre leur analyse à un monde d'événements récurrents dans lequel les fréquences empiriques observées constituent de bons

1. Robert Lucas, « Understanding Business Cycles » (in *Studies in Business-Cycle Theory*, Cambridge (MA)-Londres, The MIT Press, 1984), p. 223-224.

estimateurs des probabilités sous-jacentes. Autrement dit, un monde où la rationalité statistique est toute-puissante, où le savoir inductif suffit. Le prochain chapitre se propose de démontrer que le pessimisme de Lucas n'est pas fondé. Les économistes ne sont pas contraints de limiter leur réflexion au seul monde factice du risque stationnaire. Le vrai monde financier, avec son incertitude radicale, peut être rendu intelligible. Par ailleurs, nous situant dans un cadre théorique qui rejette l'idée d'une valeur objective, définissable *ex ante*, nous sommes conduits à nous intéresser de près aux jeux marchands en tant qu'ils sont au cœur du processus de production du prix. Autrement dit, pour nous, les interactions marchandes ont de l'importance ; elles façonnent les individus et leurs croyances. La valeur ne préexiste pas au marché. C'est ce processus qu'il nous faut maintenant étudier.

Chapitre VII
Liquidité et spéculation

Dans les parties précédentes, deux modèles de marché aux propriétés contrastées ont été analysés. Le premier, à rétroactions négatives, prévaut lorsque la relation individuelle à l'objet échangé se construit indépendamment du marché, préalablement à son ouverture. Autrement dit, le marché a pour unique fonction de répartir la quantité limitée des biens au mieux des désirs exogènes des échangistes. L'archétype d'un tel modèle est le marché walrassien, qui a pour hypothèse centrale l'exogénéité des préférences individuelles : les échanges n'affectent en rien la manière dont les acteurs évaluent les objets. Les conditions institutionnelles pour qu'un tel modèle fonctionne sont très contraignantes, à savoir ce qu'on a nommé l'objectivité marchande qui suppose : (1) une définition stricte des qualités, (2) l'exogénéité des préférences individuelles, et (3) l'absence de tout phénomène parasite d'influences interpersonnelles lors des transactions qui viendrait polluer l'expression des préférences individuelles. En règle générale, lorsque ces conditions sont vérifiées, la concurrence garantit la stabilité du marché en raison de la fameuse loi de l'offre et de la demande. En cas de perturbations, elle produit des forces de rappel qui ont pour origine l'invariance de l'utilité : lorsque le prix s'écarte de son niveau d'équilibre, par exemple à la hausse, il s'ensuit un déséquilibre provisoire entre l'utilité inchangée des biens et le nouveau prix, ce qui conduit les consommateurs à se tourner vers d'autres biens devenus moins chers relativement. Cette forme d'arbitrage concurrentiel entre biens substituables provoque mécaniquement une diminution de la demande qui pèsera à la baisse sur les prix, et cela tant que les prix ne reviendront pas au niveau des utilités marginales. Telle est l'idée centrale : l'ancrage dans l'utilité intrinsèque des marchandises interdit toute dérive des prix. Un tel fonctionnement suppose impérativement que les utilités ne dépendent pas des échanges.

Les marchés à rétroactions positives correspondent précisément à ces situations dans lesquelles la relation de l'individu à l'objet échangé n'est plus fixée hors de la sphère des échanges. Il s'ensuit un bouleversement des propriétés marchandes : la concurrence n'est plus nécessairement stabilisante, car les conditions de validité de la loi de l'offre et de la demande ne sont plus réunies. Quatre illustrations ont été présentées : les asymétries d'information (chapitre II) ; les rendements croissants (chapitre II) ; le prestige (chapitre III) ; la liquidité (chapitre IV). Dans toutes ces situations, les jugements que les individus portent sur les objets échangés, la manière dont ils les évaluent subjectivement, sont influencés par ce qui se passe sur le marché, conduisant à une demande qui n'est plus nécessairement décroissante avec le prix. Notons néanmoins que ces illustrations diffèrent fortement dans leur manière de concevoir les jugements individuels. Divers registres de valeur se trouvent mobilisés. Les deux premiers cas (asymétries d'information et rendements croissants) conservent le cadre traditionnel d'une relation aux marchandises strictement utilitaire : les individus jugent de l'utilité des biens. « Simplement », cette utilité n'est plus invariable. Elle dépend soit de la qualité des produits, soit des externalités de réseau. Si la prise en compte de ces phénomènes transforme notablement la logique walrassienne en introduisant de l'inefficience dans l'allocation des ressources rares, la théorie de la valeur quant à elle se trouve intégralement maintenue. L'hypothèse de la valeur utilité n'est nullement remise en question puisque les acteurs sont mus uniquement par la recherche de l'utilité et que le prix reste l'expression de cette utilité. Une telle conformité aux canons de la discipline explique la très large diffusion de ces analyses chez les économistes, allant jusqu'à la remise du prix Nobel à Akerlof, Spence et Stiglitz en 2001.

Le troisième cas est d'une autre nature puisqu'une nouvelle valeur s'y trouve prise en considération : le prestige. Veblen met au jour l'existence d'une consommation de pur gaspillage, « pour la montre », qui tire son origine d'une culture prédatrice, barbare, archaïque. Que l'économie la plus développée puisse ainsi autoriser en son sein de telles irrationalités d'un autre âge constitue un scandale éthique dont la dénonciation fait toute la force du livre *Théorie de la classe de loisir,* jusqu'à aujourd'hui. Les valeurs marchandes s'y trouvent ouvertement bafouées. Soulignons que, d'un point de vue conceptuel, l'analyse de Veblen est intéressante justement par le fait qu'elle donne à voir une situation dans laquelle l'espace des prix ne se trouve plus identifié à la seule utilité, ouvrant ainsi la possibilité de penser les valeurs marchandes par elles-mêmes. Cependant, Veblen n'empruntera pas cette voie. Il n'interprète pas l'écart entre prix et utilité dans la perspective d'une autonomie des valeurs marchandes. Pour Veblen, il s'agit simplement de reconnaître que d'autres valeurs que l'utilité sont au fondement du comportement individuel, hypothèse conduisant, non pas à une critique de la valeur substance, mais à une redéfinition de cette dernière qui se trouve désormais analysée comme un mixte d'utilité et de prestige. Penser l'autonomie des valeurs marchandes exige de rompre avec cette vision, ce que propose la dernière illustration.

La dernière modélisation donne à voir une configuration qui peut être dite « autoréférentielle », au sens où le conflit entre les acteurs ne porte plus sur l'utilité, ni sur le prestige, mais sur la puissance marchande elle-même. Autrement dit, les biens liquides, ou « monnaies privées », ne sont pas désirés en tant qu'ils seraient utiles, ni même en raison d'un quelconque prestige, mais en tant qu'ils sont les moyens de la puissance marchande. La compétition porte directement sur les valeurs marchandes elles-mêmes, à savoir la liquidité. Cette compétition est d'une nature fondamentalement mimétique, chacun copiant son voisin, tant que les valeurs marchandes n'ont pas trouvé, avec la monnaie élue, leur pleine reconnaissance sociale. Lorsque l'élection monétaire a eu lieu, l'autoréférentialité cesse puisque la puissance marchande a désormais un visage : la monnaie. Une référence a été construite qui permet à l'ordre marchand d'accéder à une existence stable. Il a pour fondement, non pas la recherche de l'utilité, mais le désir de monnaie. Cette analyse ne nie pas l'importance du rapport utilitaire aux biens mais l'appréhende, non comme une ressource déjà là dans laquelle l'économie n'aurait qu'à puiser, mais comme une création de la logique marchande grâce à laquelle elle construit son empire sur les hommes.

L'entreprise et la spéculation

Analyser les marchés financiers, c'est d'abord se demander lequel de ces modèles est pertinent. Pour les économistes néoclassiques, la réponse ne fait aucun doute : le cadre walrassien leur semble parfaitement adapté parce que, à leurs yeux, la concurrence financière n'est pas fondamentalement différente de la concurrence marchande telle qu'elle s'exerce sur les marchés de biens ordinaires. Toutes deux relèveraient d'une même conceptualisation. Cette proposition a de quoi étonner car, sur les marchés financiers, on ne trouve point d'utilité intrinsèque, extérieure aux échanges, permettant de stabiliser les prix. Mais la finance néoclassique propose une référence exogène d'une autre nature. Cette référence exogène, qui assure l'ancrage des prix financiers hors de la sphère des échanges, c'est la valeur fondamentale du titre. C'est à partir de cette valeur estimée que l'investisseur néoclassique se détermine. Elle est son point de référence, car son profit attendu dépend de l'écart existant entre ce que le titre vaut et le prix auquel il est possible de l'acquérir : entre la valeur estimée et le prix[1]. Lorsque cette valeur estimée reste fixe, une baisse du prix provoque mécaniquement une hausse du profit attendu et, corrélativement, une hausse de la demande[2]. Telle est la conception néoclassique, dont on note qu'elle transpose directement la logique concurrentielle marchande aux marchés boursiers, à ceci près que l'ancrage des prix n'a plus pour source l'utilité mais la valeur. Par le biais des estimations dont cette valeur fait l'objet, le prix financier se trouve enraciné dans une réalité économique extérieure au marché, enracinement qui fait obstacle à toute dérive des prix. *A contrario*, si

---

1. Nous reviendrons plus loin sur le paradoxe de deux « valeurs » pour un même titre.

2. Le lecteur soucieux de rigueur logique pourrait faire remarquer que seulement deux situations sont à prendre en compte : soit le prix est au-dessous de la valeur et l'investisseur achète tout ce qu'il peut acheter ; soit le prix est au-dessus de la valeur et l'investisseur vend tout ce qu'il peut vendre. En conséquence, si le prix augmente alors même qu'il est déjà au-dessus de la valeur estimée, l'investisseur considéré ne modifie pas son comportement. Cette analyse est exacte *stricto sensu* pour autant que le risque soit nul. En fait, il est possible de montrer que l'introduction du risque conduit à ce que l'investissement soit sensible au prix. Ce résultat est d'ailleurs intuitif. Par exemple, considérons un titre dont on pense que sa valeur est 100. On sera prêt à en acheter beaucoup plus si le prix proposé est 10 que si le prix proposé est 99. Cette intuition trouve dans la théorie économique sa justification.

cette valeur estimée fluctuait en même temps que le prix, rien n'assurerait plus qu'une baisse des prix provoque une hausse de la demande. Pour le comprendre, imaginons que, confrontés à une baisse du prix, les acteurs, par mimétisme, en infèrent qu'il leur faut revoir à la baisse leur estimation de la valeur fondamentale. Si cette baisse induite est plus importante que celle du prix de marché, il ne sera plus profitable pour les investisseurs de se porter acquéreurs de ce titre qui est devenu plus cher que ce qu'il vaut réellement. La loi de l'offre et de la demande n'est donc valide que lorsque l'hypothèse d'exogénéité des estimations fondamentalistes est respectée. Cela n'a rien pour nous surprendre. Nous avons beaucoup insisté précédemment sur le fait que les rétroactions négatives ont pour condition que « la relation individuelle à l'objet échangé se construise indépendamment du marché ». Soulignons que pour obtenir ce résultat de stabilité il n'est pas nécessaire de supposer que tous les investisseurs partagent une même estimation de la valeur fondamentale. La condition pour que la logique des rétroactions négatives l'emporte est que l'évaluation de chacun soit exogène, qu'elle ne subisse pas l'influence du prix et des échanges. Peu importe que ces estimations soient divergentes. Le prix qui émerge est égal à la moyenne des estimations subjectives de l'ensemble des protagonistes. Ce résultat n'est pas satisfaisant du point de vue de l'efficience, qui requiert impérativement que le prix se fixe au « bon niveau ». L'hypothèse probabiliste est introduite en conséquence pour satisfaire à cette exigence particulière qui s'ajoute à l'exigence de stabilité[1]. D'une part, elle assure qu'on peut donner un sens à la notion de « bon niveau » ; d'autre part, elle assure que ce « bon niveau »

1. On peut cependant noter que l'hypothèse probabiliste a pour conséquence l'indépendance à l'égard des prix puisque la valeur y est supposée objective.

s'impose à tous les investisseurs rationnels et informés. Dans ces conditions, si les investisseurs rationnels et informés sont en grand nombre, le prix de marché sera déterminé majoritairement par eux[1], ce qui signifie que le prix ne sera pas très différent de la valeur fondamentale objective. L'efficience prévaudra. Mais, répétons-le, pour ce qui est de la seule stabilité, l'hypothèse cruciale est que chacun prenne pour référence son estimation de la valeur fondamentale, supposée indépendante de ce qui se passe sur le marché. Par le biais de ces estimations, le marché se trouve connecté à l'économie réelle. Dans cette situation, la loi de l'offre et de la demande est valide, condition pour que les marchés financiers puissent être laissés à eux-mêmes.

Cette analyse pose en son fondement que les investisseurs agissent sur la base de la comparaison entre leur estimation de la valeur fondamentale et le prix. Il y a là quelque chose d'énigmatique. En quelque sorte, un titre a deux évaluations et deux prix. Comment est-ce possible ? Que mesurent ces évaluations ? Pour le comprendre, centrons-nous désormais, sauf mention explicite, sur ces titres financiers essentiels que sont les actions[2]. Par leur intermédiaire, c'est la propriété du capital qui se trouve soumise aux échanges et cotée. Par définition, la valeur intrinsèque d'une action s'interprète comme la mesure de la valeur monétaire qui revient au propriétaire lorsque ce

1. Lorsque le marché n'est pas constitué uniquement d'investisseurs rationnels, l'analyse précédente doit être modifiée pour tenir compte des comportements d'arbitrage des investisseurs rationnels tant qu'existe un écart entre le prix et la valeur fondamentale. Il s'ensuit que le prix sera exactement égal à la valeur intrinsèque. Se reporter à André Orléan (« Efficience, finance comportementale et convention : une synthèse théorique », art. cit.).

2. Ce faisant, nous sortons de l'économie marchande. Mais il s'agit ici uniquement d'admettre l'existence de flux régulier de profits.

capital est mis en mouvement *via* la production des marchandises et leur vente. C'est ce que dit Keynes : « Quand un homme achète un bien de capital ou investissement, il achète le droit à la série de revenus escomptés qu'il espère tirer pendant la durée de ce capital de la vente de sa production, déduction faite des dépenses courantes nécessaires à obtenir ladite production[1]. » En conséquence, il apparaît que le calcul fondamentaliste endosse le point de vue de l'entrepreneur. Il s'agit d'évaluer les profits qui reviendront à celui-ci une fois l'investissement réalisé et la production effectuée, ce qui suppose de sa part de prendre en compte de nombreuses variables ayant trait aussi bien à la nature de l'organisation productive et du management qu'à la structure des marchés ou à l'évolution prévisible de la conjoncture économique. Il est une circonstance spécifique où ce calcul s'impose sans conteste : lorsque l'entrepreneur est confronté à la perspective d'un nouvel investissement[2]. En effet, la décision d'investissement ne se justifie que si la valeur produite l'emporte sur le coût supporté. Dans cette circonstance, l'existence de deux évaluations cesse d'être énigmatique. Il ne s'agit pas de deux prix pour un même bien mais de la comparaison entre un prix aujourd'hui, le prix d'offre des biens capitaux, machines et bâtiments, et une estimation des revenus que la mise en œuvre de ces biens capitaux produira au cours du temps. D'ailleurs, dans cette situation, le capital, en tant que droit de propriété, ne fait pas l'objet de transactions et n'a pas de prix. Les échanges portent sur les biens dont le capital est constitué : les machines et les bâtiments, et non pas sur les droits de propriété eux-

1. John Maynard Keynes, *Théorie générale de l'emploi, de l'intérêt et de la monnaie*, *op. cit.*, p. 149

2. Les économistes distinguent le « marché primaire », celui du capital nouvellement émis, et le « marché secondaire », où s'échange du capital ancien.

mêmes. Il est intéressant d'investir si la valeur obtenue tout au long du processus productif est supérieure au coût des machines et des bâtiments.

Considérons maintenant le marché des actions sur lequel, désormais, les droits de propriété ont un prix et sont négociés. Le lien avec ce qui précède semble évident. Le raisonnement est le suivant : il n'est intéressant d'acheter une action que pour autant que son coût d'acquisition est inférieur au flux de revenus qu'elle produit. En conséquence il s'agit, pour l'investisseur, de comparer le prix offert et la valeur fondamentale telle qu'il l'estime au mieux de ses connaissances. Cependant, l'analogie avec le raisonnement précédent est trompeuse. Dans le cas précédent, la comparaison entre le prix du capital et la valeur produite se justifie par le fait que l'investisseur a *effectivement* comme projet la mise en œuvre du capital. En conséquence, la valeur fondamentale s'impose à lui en tant qu'elle mesure les profits qui seront *effectivement* obtenus grâce à la mise en œuvre du capital produit. Dans le cas du marché boursier, la situation est plus complexe. Plusieurs conduites sont possibles. Pour les investisseurs qui cherchent à conserver en portefeuille sur une longue période les actions qu'ils acquièrent, l'analyse précédente s'applique à l'identique. L'investisseur boursier agit alors à la manière d'un entrepreneur qui investit sur le long terme. Cependant, cette stratégie d'investissement à long terme n'est nullement la seule stratégie financière possible. Par le fait même qu'existe désormais un lieu d'échanges organisés, il est désormais possible d'acheter dans la perspective d'une revente à un meilleur prix[1]. C'est là une conduite entièrement nouvelle, fort différente de

---

1. Michael J. Harrison et David M. Kreps, (dans « Speculative Investor Behavior in a Stock Market with Heterogeneous Expectations », *Quarterly Journal of Economics*, vol. XCIII, n° 2, mai 1978) présentent ce fait avec une grande clarté.

l'investissement à long terme : elle n'a plus pour cible le flux de revenus, à savoir les dividendes distribués, mais les plus-values qu'engendrent les variations de prix.

Ce dualisme des stratégies est important parce qu'il donne à voir la nature double du titre, à la fois capital immobilisé et actif liquide. En tant que capital immobilisé, l'action produit de la valeur au cours du temps, sous la forme de dividendes, au fur et à mesure que la production s'opère. Parce que le profit attendu est directement lié à l'écart entre la valeur fondamentale et le prix d'acquisition, l'investisseur est incité à anticiper au mieux la valeur fondamentale. En tant qu'actif liquide, faisant l'objet de transactions sur le marché boursier, l'action connaît des variations constantes de prix, qui sont autant d'occasions de profits pour les échangistes. Il ne s'agit plus d'un profit obtenu grâce à la mise en œuvre effective du capital, mais d'un profit issu des transactions elles-mêmes. Parce que ce profit est directement lié à l'écart entre le prix futur et le prix d'acquisition, l'investisseur est incité à anticiper au mieux le prix futur. Il s'ensuit deux attitudes très différentes : la première est tournée vers l'économie ; la seconde, vers le marché lui-même. Keynes est un des rares théoriciens de la finance à avoir compris l'importance de cette dualité. Il propose de nommer la première stratégie, tournée vers la mise en œuvre du capital, « entreprise », et la seconde, tournée vers le marché, « spéculation » : « Par le terme *spéculation* [je désigne] l'activité qui consiste à prévoir la psychologie du marché, et par le terme *entreprise* celle qui consiste à prévoir le rendement escompté des actifs pendant leur existence entière[1]. »

La prise en compte des stratégies spéculatives modifie radicalement l'optimisme que nourrissent les financiers

---

1. John Maynard Keynes, *Théorie générale de l'emploi, de l'intérêt et de la monnaie*, *op. cit.*, p. 170.

néoclassiques quant à la stabilité des marchés financiers, pour ne rien dire de l'efficience. Il faut abandonner le modèle à rétroactions négatives pour lui substituer le modèle à rétroactions positives. C'est là le point fondamental de cette section : parce que le spéculateur n'a plus pour référence la valeur fondamentale mais le prix lui-même, tout ce qui a été dit à propos de l'ancrage des cours boursiers et des forces de rappel est caduc. L'ancrage hors du marché ne tient plus quand seul le marché intéresse le spéculateur. Dans la perspective spéculative, la valeur fondamentale ne joue plus, au mieux, qu'un rôle indirect[1]. Elle perd son rôle de pivot. Pour le comprendre, il n'est que de citer de nouveau Keynes :

> « [Les investisseurs professionnels] se préoccupent, non pas de la valeur véritable d'un investissement pour un homme qui l'acquiert afin de le mettre en portefeuille, mais de la valeur que le marché, sous l'influence de la psychologie de masse, lui attribuera trois mois ou un an plus tard. Et cette attitude ne résulte pas d'une aberration systématique, elle est la conséquence inévitable de l'existence d'un marché financier organisé [...]. Il ne serait pas raisonnable en effet de payer 25 pour un investissement dont on croit que la valeur justifiée par le rendement escompté est 30, si l'on croit aussi que trois mois plus tard le marché l'évaluera à 20[2]. »

Dans cet exemple, Keynes souligne que l'investisseur professionnel s'intéresse à l'opinion du marché, non pas parce qu'il ne sait pas calculer la valeur fondamentale, mais parce que le profit dépend du prix réalisé. Pour

1. Le spéculateur peut penser que la valeur fondamentale donne une bonne indication de ce que seront les prix futurs. Nous analyserons cette attitude.

2. John Maynard Keynes, *Théorie générale de l'emploi, de l'intérêt et de la monnaie*, *op. cit.*, p. 167.

se faire comprendre, Keynes considère un investisseur évaluant à 30 la valeur fondamentale d'une action dont le cours vaut 25. S'il suivait uniquement sa rationalité fondamentaliste, il constaterait la sous-évaluation de l'action et, en conséquence, serait amené à l'acheter[1]. C'est ce que lui dicterait la stratégie d'entreprise. Ce n'est pourtant pas la stratégie optimale. En effet, anticipant que demain le prix tombera à 20, l'investisseur rationnel a intérêt à vendre aujourd'hui pour racheter le titre lorsque son cours sera tombé à 20, quitte à le revendre plus tard si jamais le cours finit par se fixer au niveau de la valeur fondamentale, c'est-à-dire 30. Ce petit exemple illustre l'idée selon laquelle la rationalité financière ne saurait se réduire à la seule rationalité fondamentaliste, parce que les évolutions à venir du prix offrent des occasions effectives de profit qui ne peuvent être ignorées. Alors que, dans l'exemple proposé par Keynes, un investisseur de type entrepreneur se serait trouvé dans le camp des haussiers, un investisseur spéculateur se retrouve dans le camp des baissiers, non pas parce qu'il pense que le titre est, au regard des fondamentaux, surévalué, mais parce qu'il anticipe que l'évolution du marché est à la baisse. Cet exemple montre que la spéculation peut conduire l'investisseur à agir dans un sens contraire de ce que son propre calcul de la valeur fondamentale indique. Bien qu'il sache que le titre est sous-évalué, notre spéculateur vend le titre, sans que cela implique de sa part un comportement irrationnel. Il en est ainsi parce que, ce qui importe pour le profit, ce n'est pas la valeur fondamentale mais le niveau des prix. Conformément à cette analyse, on comprend que les évolutions du prix, même à court terme, exercent une véritable tyrannie sur les comportements financiers, car elles offrent des

1. Soit pour la garder en portefeuille toute sa vie, soit parce qu'il anticipe que le prix retrouvera le niveau de la valeur fondamentale.

possibilités de profit que les investisseurs ne peuvent négliger. Et cela est vrai également pour les investisseurs qui privilégient le long terme. Il est dans leur intérêt de rester attentifs aux mouvements de court terme. C'est de cette manière que la liquidité exerce son emprise sur le monde financier. C'est elle qui est à l'origine des bulles spéculatives.

Il découle de cette analyse que le spéculateur cherche constamment à déchiffrer l'opinion du marché pour prévoir dans quel sens elle dirigera les prix. Pour cette raison, la spéculation financière peut être dite d'une « nature autoréférentielle ». Elle ne se définit pas à partir d'une norme extérieure au marché comme peut l'être la valeur fondamentale ou l'utilité, mais à partir du marché lui-même. Si l'on anticipe une hausse, on achète le titre ; dans le cas contraire, on vend. Contrairement au modèle fondamentaliste, cette analyse nous dit que les anticipations des agents ne sont pas tournées vers l'économie réelle, mais vers les anticipations des autres intervenants. Ce qui importe sur un marché, ce n'est pas le contenu réel d'une information au regard des données fondamentales, mais bien la manière dont l'opinion collective est supposée l'interpréter. Il s'ensuit une rationalité singulière, de nature fondamentalement mimétique en ce qu'elle cherche à mimer le marché pour le précéder dans ses évolutions, aussi erratiques soient-elles. Si l'investisseur croit que, demain, les cours de la Bourse vont augmenter, alors son intérêt lui dicte d'acheter des actions, même s'il pense que, au regard des fondamentaux, cette hausse est aberrante.

Pour conclure cette analyse, il apparaît que deux modèles aux propriétés contrastées s'opposent pour décrire ce qu'est la concurrence financière. Le tableau suivant en résume les traits les plus saillants.

TABLEAU : Capital *versus* liquidité

CAPITAL	LIQUIDITÉ
Immobilisation	Négociabilité
Profits	Variations de prix
Entreprise	Spéculation
Capital productif	Capital financier
Long terme	Marché
Valeur Fondamentale	Opinion du marché
Rationalité fondamentaliste	Rationalité autoréférentielle
Rétroactions négatives	Rétroactions positives
Stabilité	Instabilité
Modèle néoclassique	Modèle autoréférentiel

L'attachement que manifeste la pensée néoclassique à l'égard du modèle fondamentaliste a partie liée avec sa sous-estimation chronique des effets propres à la liquidité. Il faut même aller plus loin et dire que la liquidité est un phénomène qui, pour l'essentiel, échappe à son entendement. Certes, cette réalité n'est pas totalement ignorée ; les économistes néoclassiques s'essaient à la définir et à la mesurer. Mais la liquidité y reste un fait secondaire, annexe, de faible portée. Que la liquidité puisse être créatrice de prix est une thèse que la théorie de la valeur ne saurait admettre. Sur ce point, la position de Walras est sans ambiguïté : l'échangeabilité dérive intégralement de la « richesse ». Pour faire l'objet de transactions, il suffit que les marchandises aient de la valeur, à savoir qu'elles soient utiles et en quantité limitée. En conséquence, la circulation proprement dite ne nécessite pas une intelligibilité spécifique. La question des échanges se trouve court-circuitée. Seule la contrainte de solvabilité importe. D'ailleurs, l'équilibre général suppose que tous les biens sont par hypothèse absolument liquides, ce qui n'est guère réaliste. Comme on y a longuement insisté, cette manière de penser trouve son origine dans l'hypothèse de valeur substance, en tant qu'elle fonde un point de vue en surplomb, qui appréhende les transactions de l'extérieur. Le chapitre IV a déjà montré l'importance que peut jouer le concept de liquidité dans la construction d'une réflexion alternative. L'analyse des marchés financiers va nous permettre d'aller plus loin dans cette voie. Nous montrerons que les propriétés suivantes, déjà rencontrées lors de l'analyse du rapport monétaire, y prévalent :

1. la liquidité est instituée. Elle est de nature autoréférentielle, ce par quoi il faut comprendre qu'elle construit un monde qui a pour référence les prix et non une prétendue valeur extérieure aux échanges.
2. la logique autoréférentielle se régule au travers de l'émergence d'une référence qui, bien que produite par les interactions, s'impose aux acteurs comme une puissance autonome, extérieure à eux.
3. l'évaluation financière ne se confond pas avec les estimations fondamentalistes. Elle est partiellement indépendante de celles-ci.

Ces trois points seront traités successivement. On commencera par l'institution de la liquidité dans la section qui suit. Ensuite, l'aptitude de la liquidité à produire des références fera l'objet de la section consacrée à l'étude théorique du concours de beauté keynésien. Enfin, dans une dernière section, on reviendra sur la spéculation financière dont on montrera qu'elle est partiellement indépendante des fondamentaux.

L'institution de la liquidité

La spéculation est la conséquence directe de la négociabilité des titres, encore appelée « liquidité ». Cette proposition relève de l'évidence puisque, sans liquidité, il n'y aurait pas de cotation permanente des prix, les actifs seraient totalement immobilisés et la seule variable qui importerait aux yeux de l'investisseur serait le flux des revenus que la détention du titre permet d'obtenir. L'investisseur n'aurait alors d'autre choix que de considérer la valeur fondamentale du titre. Seule l'émergence de la liquidité modifie cette configuration. Elle introduit de nouvelles opportunités. Comment est-ce possible ? Et d'abord, d'où vient la liquidité ?

Répondre à ces questions suppose de prendre conscience des contraintes qu'éprouvent les investisseurs qui se trouvent en possession de droits de propriété totalement immobilisés : s'ils ont à faire face à des difficultés imprévues nécessitant des apports d'argent, ils peuvent être acculés à la faillite malgré leur richesse financière. En effet, faute de pouvoir négocier rapidement leur portefeuille, ils sont incapables de faire face à leurs engagements. Lorsque de telles conditions prévalent, l'investissement n'est le fait que d'institutions ou d'individus disposant de ressources et de liquidités suffisantes pour leur permettre d'affronter les imprévus sans courir des risques excessifs[1]. Pour surmonter cette difficulté et rendre plus

1. N'oublions pas que, historiquement, c'est sur ce mode qu'a fonctionné essentiellement le capitalisme : les droits de propriété étaient exclus du marché et de ses mécanismes. Ainsi, pour ce qui est du capitalisme familial, c'est au sein d'une même famille que se transmettent et se gèrent les droits de propriété. Une autre illustration nous est donnée par ce qu'on appelle le « capitalisme rhénan ». Ce terme a été popularisé par Michel Albert dans son

facile l'investissement, il convient de rendre *liquides* les investissements, c'est-à-dire négociables. Il s'agit de transformer ce qui n'est qu'un pari personnel sur des dividendes futurs en une richesse immédiate *hic et nunc*. En rendant les titres négociables, on atténue les risques que fait courir l'investissement, puisqu'il devient alors possible de se défaire d'un titre. Pour qu'il en soit ainsi, il faut transformer les évaluations individuelles et subjectives en un prix accepté par tous. Telle est la clef du problème. Autrement dit, la liquidité impose que soit produite une évaluation de référence, reconnue par tous les financiers, qui dise à tous ce que le titre vaut. La structure institutionnelle qui permet l'obtention d'un tel résultat est le marché : le marché financier organise la confrontation entre les opinions personnelles des investisseurs de façon à produire un jugement collectif qui ait le statut d'une évaluation de référence. Le cours qui émerge de cette façon a la nature d'un consensus qui cristallise l'accord de la communauté financière sur le prix auquel le titre peut être échangé. Annoncé publiquement, il a valeur de norme : c'est le prix auquel le marché accepte de vendre et d'acheter le titre considéré, au moment considéré. C'est ainsi que le titre est rendu liquide[1]. Le marché financier, parce qu'il institue l'opinion collective comme norme de référence, produit un prix reconnu unanimement par la communauté financière.

Cependant, le caractère artificiel de cette construction

---

livre *Capitalisme contre capitalisme* (Seuil, 1991). Son archétype est le capitalisme allemand de l'après-guerre. Dans ce capitalisme, ce sont les grandes banques qui gèrent directement les droits de propriété. En conséquence, l'emprise de la liquidité apparaît comme une caractéristique du capitalisme financier contemporain.

1. Sur ce point, nous convergeons avec Bruce G. Carruthers et Arthur L. Stinchcombe, « The Social Structure of Liquidity : Flexibility, Markets and States », *Theory and Society,* vol. 28, n° 3, juin 1999, p. 353-382.

apparaît tout entier lorsqu'on réalise que le capital productif quant à lui demeure toujours immobilisé, quelle que soit la liquidité des titres. Ce point était déjà souligné par Keynes :

> « En l'absence de bourses de valeurs, il n'y a pas de motif pour qu'on essaye de réévaluer fréquemment les investissements où l'on s'est engagé. Mais le *Stock Exchange* réévalue tous les jours un grand nombre d'investissements, et ses réévaluations fournissent aux individus (mais non à la communauté dans son ensemble) des occasions fréquentes de réviser leurs engagements. C'est comme si un fermier, après avoir tapoté son baromètre au repas du matin, pouvait décider entre dix et onze heures de retirer son capital de l'exploitation agricole, puis envisager plus tard dans la semaine de l'y investir de nouveau[1]. »

Autrement dit, s'il est possible pour un individu de se débarrasser d'un titre qu'il juge peu compétitif, une telle possibilité n'existe pas pour le marché dans son ensemble. Le marché, pris dans sa globalité, ne peut se défaire d'un titre[2]. Pour qu'un individu vende un titre, il est nécessaire qu'un autre se propose de l'acheter. En effet, quels que soient les mouvements d'achat ou de vente, la quantité de titres reste constante, tout comme le capital coté reste inchangé sous forme de capital productif. C'est ce que nous avons appelé le « paradoxe de la liquidité[3] ». Ce paradoxe met en évidence que la liberté individuelle à

1. John Maynard Keynes, *Théorie générale de l'emploi, de l'intérêt et de la monnaie*, *op. cit.*, p. 163.

2. On distingue le marché primaire, où se négocient les émissions nouvelles de capital, du marché secondaire qui est un marché d'occasion où l'on vend et achète les mêmes titres. Ce qui nous intéresse ici est le marché secondaire. Sur ce marché, le nombre de titres à un instant considéré est constant.

3. André Orléan, *Le Pouvoir de la financ*e, Paris, Odile Jacob, 1999, p. 45.

l'égard du titre n'existe que sur fond d'un engagement collectif implicite : le marché, dans sa globalité, ne peut pas vendre la totalité des titres. Or cette dépendance mutuelle ne trouve pas d'expression adéquate dans le fonctionnement concurrentiel. C'est là une caractéristique qui distingue nettement les marchés financiers des marchés ordinaires. Sur ces derniers, sont mis en présence deux groupes aux intérêts nettement divergents : les producteurs et les consommateurs. Le prix qui se forme résulte de l'opposition entre ces deux forces contraires : l'une poussant les prix à la hausse ; l'autre, les prix à la baisse. La loi de l'offre et de la demande résulte de cette structure particulière qui interdit que l'un des deux intérêts l'emporte trop sur l'autre. Sur les marchés financiers, rien de tel. Il n'existe pas des acheteurs face à des vendeurs, mais un ensemble d'individus qui sont alternativement acheteurs et vendeurs. Structurellement, leurs intérêts sont convergents, au-delà des raisons locales qui poussent tel ou tel à acheter ou à vendre. La liquidité n'est en rien une propriété intrinsèque du bien échangé, comme peut l'être la valeur fondamentale ou l'utilité qui existe même en l'absence du marché : elle résulte du marché lui-même. La liquidité a la dimension d'une croyance collective. Elle repose sur la confiance que la communauté financière lui accorde. Elle disparaît quand tous la réclament.

Cette analyse théorique a des conséquences qui modifient en profondeur notre perception de la sphère financière. Elle donne à voir un marché financier qui, dès son origine, dans sa conception même, est l'expression d'un projet collectif visant à *contourner* les contraintes que l'immobilisation fait peser sur la valorisation et l'extension du capital. En conséquence, il faut interpréter la liquidité financière, non pas comme étant au service de la production, mais comme constituant, par sa nature même, une transgression de l'économie productive, transgression conçue dans l'intérêt des détenteurs de titres. Si l'on adhère à cette analyse, la déconnexion entre finance et production que donne à voir, par exemple, la spéculation autoréférentielle ou les bulles spéculatives, cesse d'apparaître comme un accident irrationnel. Tout au contraire, elle révèle la nature profonde du projet que poursuit la communauté financière lorsqu'elle choisit de s'organiser en marchés boursiers : construire une modalité d'organisation du capital, partiellement libérée du temps productif. Les bourses de valeurs sont des créations institutionnelles inventées pour répondre à une exigence spécifique des créanciers et des propriétaires : rendre liquides les droits de propriété[1]. Ils n'ont pas pour but de « refléter la production ». La liquidité construit un monde de prix qui ont pour critère de légitimité, non pas de fournir une représentation adéquate de la réalité productive pour autant qu'il soit possible de donner uns sens à cette formulation dans un monde d'incertitude knightienne, mais d'être acceptés par la communauté financière.

Pour le dire simplement, du point de vue de la liquidité, ce qui est essentiel est le fait qu'une action puisse, à tout instant, être échangée contre de la monnaie. Ce faisant, c'est la toute-puissance de l'argent qui se trouve reconnue. Il s'agit, en conséquence, de construire des prix auxquels les titres puissent être achetés ou vendus. Le niveau du prix est une question secondaire. Bien plus stratégique est la question de l'ampleur que connaît l'acceptation du prix, car la puissance du marché se mesure à l'influence que ses prix exercent sur l'activité économique, non seulement directement, *via* les échanges, mais aussi indirectement, *via* la manière dont les acteurs évaluent la situation économique

1. D'ailleurs, on n'a jamais vu de financiers se plaindre du fait que les cours seraient déconnectés des fondamentaux. Par contre, un arrêt de la négociabilité n'est pas admis. Il importe que les entreprises en charge des bourses de valeurs produisent la négociabilité qui est leur raison d'être.

et fixent leurs priorités[1]. L'attitude spéculative s'impose à tous par le fait que, étant en permanence à l'écoute du marché, elle tire parti au maximum des variations de prix qui caractérisent la liquidité. Elle est la stratégie adaptée à cette dernière : la rationalité spéculative est la rationalité qu'exige la liquidité. Pour cette raison, la domination de la spéculation sur l'entreprise ne résulte en rien d'un penchant de nature psychologique. Ainsi, lorsque la liquidité se trouve diminuée et entravée, par exemple suite à un alourdissement des frais de transaction, les achats et ventes deviennent plus difficiles et plus coûteux, ce qui rend la spéculation moins rentable et moins significative, quels que soient par ailleurs les désirs des uns et des autres. Ce lien étroit entre liquidité et spéculation est très présent chez Keynes qui plaide en faveur de coûts de transaction élevés, y compris par l'imposition de taxes fiscales importantes, de façon à affaiblir le rôle joué par la spéculation. C'est ainsi que, lorsqu'il compare Wall Street avec la Bourse londonienne, sise à Throgmorton Street, il note que, dans cette dernière, la spéculation est moins intense en raison des coûts importants qui grèvent les transactions londoniennes :

> « Le fait que le marché de Londres ait commis moins d'excès que Wall Street provient peut-être moins d'une différence entre les tempéraments nationaux que du caractère inaccessible et très dispendieux de Throgmorton Street pour un Anglais moyen comparé à Wall Street pour un Américain moyen. La marge des jobbers[2], les courtages onéreux des brokers, les lourdes taxes d'État sur les transferts, qui sont prélevés sur les transactions au *Stock Exchange* de

1. De ce point de vue, leur utilisation en comptabilité, ce qu'on appelle la « *fair value* », est un élément clef du pouvoir de la finance, par lequel celle-ci propage ses manières d'évaluer, bien au-delà des seuls marchés.

2. Intermédiaire de marché, « *market makers* ».

> Londres, diminuent suffisamment la liquidité du marché pour en éliminer une grande partie des opérations qui caractérisent Wall Street. La création d'une lourde taxe d'État frappant toutes les transactions se révélerait peut-être la plus salutaire des mesures permettant d'atténuer aux États-Unis la prédominance de la spéculation sur l'entreprise[1]. »

On est ici aux antipodes des évolutions contemporaines qui visent toutes à réduire les coûts de transaction dans le but d'accroître la liquidité. Si ces coûts étaient élevés, alors les attitudes visant le long terme, c'est-à-dire se proposant d'acheter un titre pour le conserver dans son portefeuille pour une longue période, deviendraient de nouveau prédominantes. Au contraire, les stratégies reposant sur de nombreux achats et ventes rapprochés, de façon à tirer profit au mieux des changements à court terme de la conjoncture et des prix, subiraient des coûts prohibitifs. Cette idée centrale conduit Keynes à écrire :

> « Devant le spectacle des marchés financiers modernes, nous avons parfois été tentés de croire que si, à l'instar du mariage, les opérations d'investissement étaient rendues définitives et irrévocables, hors le cas de mort ou d'autres raisons graves, les maux de notre époque pourraient en être utilement soulagés ; car les détenteurs de fonds à placer se trouveraient obligés de porter leur attention sur les perspectives de long terme et sur celles-là seules[2]. »

Autrement dit, l'importance relative des fondamentalistes et des spéculateurs est fonction du degré de liquidité des marchés : moins le marché est liquide, plus les anticipations se portent sur le long terme, à savoir les dividendes futurs et la valeur fondamentale des capitaux ; plus les marchés

---

1. John Maynard Keynes, *Théorie générale de l'emploi, de l'intérêt et de la monnaie*, *op. cit.*, p. 171-172.
2. *Ibid.*

sont liquides, plus les mouvements rapides d'achats et de ventes deviennent rentables et dominent le marché. Cette idée a connu d'importants prolongements contemporains au travers de ce qu'on a coutume d'appeler « la taxe Tobin ». L'idée de cette taxe se situe dans le droit fil de cette analyse appliquée au marché des devises. Dans le but de rendre ces marchés plus stables, James Tobin a proposé d'en diminuer la liquidité en créant une taxe sur les transactions[1].

Une fois établie la prédominance de la stratégie spéculative dans un contexte dominé par l'institution de la liquidité, se pose la question théorique du comportement d'un marché constitué uniquement de spéculateurs. Sur quelles bases peuvent-ils se coordonner ? Comment peuvent-ils construire une estimation commune ?

Le concours de beauté keynésien : autoréférentialité et croyances conventionnelles

Sur un marché pleinement liquide, tous les participants sont des spéculateurs qui cherchent à anticiper l'évolution du prix. Le prix qui se forme résulte de ces anticipations tournées vers le prix futur. Il s'ensuit une structure singulière, dite « autoréférentielle », qui diffère du modèle fondamentaliste en ce qu'elle se donne comme norme, non pas une réalité objective extérieure au marché, à savoir la valeur fondamentale, mais une variable endogène, en l'occurrence l'opinion du marché. Face à une information nouvelle rendue publique, il s'agit pour chacun, non pas d'analyser les effets de cette information sur la valeur fondamentale, mais de prévoir

1. Se reporter à James Tobin, « A Proposal for International Monetary Reform », *Eastern Economic Journal*, vol. 4, n° 3-4, juillet-octobre 1978, p. 153-159.

comment le marché va réagir. C'est cette logique qu'il importe de comprendre. Comment peut-elle se stabiliser alors même que le prix peut *a priori* prendre n'importe quelle valeur, faute d'un lien avec une grandeur exogène ? Comment les participants au marché peuvent-ils se mettre d'accord sur un prix ? Pour l'analyser, on peut considérer le modèle qu'en a proposé Keynes dans sa *Théorie générale*, à savoir le fameux concours de beauté. Certes, ce modèle ne reproduit pas le fonctionnement du marché dans sa totalité, mais il en saisit pleinement la dimension autoréférentielle. La présente section lui sera entièrement consacrée. L'analyse sera essentiellement abstraite et théorique. Il reviendra à la section suivante d'en tirer les conséquences quant au fonctionnement des marchés boursiers. Mais commençons par rappeler ce qu'est le concours de beauté keynésien :

> « La technique du placement peut être comparée à ces concours organisés par les journaux où les participants ont à choisir les six plus jolis visages parmi une centaine de photographies, le prix étant attribué à celui dont les préférences s'approchent le plus de la sélection moyenne opérée par l'ensemble des concurrents. Chaque concurrent doit donc choisir non les visages qu'il juge lui-même les plus jolis, mais ceux qu'il estime les plus propres à obtenir le suffrage des autres concurrents, lesquels examinent tous le problème sous le même angle[1]. »

La particularité de ce jeu tient au fait que la référence que cherchent à découvrir les agents, en l'occurrence les six plus jolis visages, est déterminée par les choix des joueurs eux-mêmes. Une telle interaction doit être dite « autoréférentielle », au sens où la référence est le produit des interactions. *A contrario*, lorsque la cible

---

1. John Maynard Keynes, *Théorie générale de l'emploi, de l'intérêt et de la monnaie*, *op. cit.*, p. 168.

poursuivie est fixe et définie indépendamment des actions individuelles, le jeu sera dit « hétéroréférentiel », ou plus simplement « référentiel ». Ce serait le cas, par exemple, si les six plus jolis visages étaient déterminés par un jury d'experts. Dans cette dernière situation, l'action des joueurs n'affecte en rien la cible à atteindre. Celle-ci est définie indépendamment des interactions. En conséquence il s'agit, pour les acteurs, d'essayer de découvrir le plus justement possible ce que pense le jury d'experts. Les anticipations individuelles sont tournées vers un objet extérieur aux interactions. La rationalité est de type fondamentaliste : elle est tournée vers la « nature » et se donne pour but l'élucidation de vérités objectives. Chaque joueur est indifférent aux actions des autres, qui sont sans influence sur la détermination de la cible à atteindre. Néanmoins, même dans le cadre du jeu référentiel, ce que les acteurs informés savent quant aux préférences du jury est important à connaître, non pas parce que l'action de ses acteurs aurait un effet sur la cible, mais parce que l'information qu'ils possèdent est une ressource précieuse pour ce qui est de la découverte du but. En revanche, peu importe le comportement et les analyses des acteurs ignorants. Il en va tout différemment dans le jeu keynésien puisque la cible à atteindre est déterminée par les choix des participants au jeu. Les ignorants comme les informés doivent être pris en compte. Comment se déterminer dans un tel cadre autoréférentiel ?

L'approche néoclassique soutient que les acteurs doivent investir conformément à leur estimation de la valeur fondamentale. Transposée au concours de beauté, il s'agit, pour chaque joueur, de retenir les six visages qu'il juge lui-même les plus jolis, sur la base de ses propres préférences. Pour des raisons qui deviendront rapidement claires, on désignera par le terme de « croyance primaire », ou « croyance de degré un », ces estimations personnelles. Lorsque tous les acteurs jouent sur la base de leur croyance primaire, les gagnants sont ceux qui, par chance, se trouvent avoir la croyance primaire la plus usitée. Un cas particulièrement intéressant est celui où tous les joueurs partagent la même croyance primaire. Dans ces conditions, tous font le même choix et tous gagnent. S'il en est ainsi, la stratégie consistant à agir conformément à son estimation personnelle s'avère pertinente. Mais une telle unanimité des croyances primaires est-elle plausible ? C'est ce que défend l'approche néoclassique avec son hypothèse probabiliste selon laquelle il existerait une valeur objective s'imposant à tous[1]. *A contrario*, la réflexion menée autour de l'incertitude knightienne conduit à rejeter cette hypothèse d'unanimité des croyances primaires. Elle n'est pas conforme aux faits. L'estimation de la valeur fondamentale est d'une nature essentiellement subjective. Chaque participant la calcule à partir de ses propres hypothèses. Si on retient cette hypothèse de diversité, l'analyse précédente démontre que l'estimation fondamentaliste n'est pas une bonne stratégie. Elle n'assure en rien l'obtention d'un bon score. L'individu ayant un point de vue excentrique aura un profit nul. Peut-il faire mieux ? Une meilleure idée pour lui consiste à jouer, non pas sur la base de sa croyance primaire, mais en cherchant à anticiper les estimations des autres. Il s'agit de former une croyance qui a pour objet les croyances des autres participants. On la nommera « croyance de degré deux », ou « croyance secondaire ». Le problème avec cette stratégie est que, pour être pertinente, elle suppose impérativement que tous les autres agissent conformément à leur croyance primaire. En effet, si chacun joue selon sa croyance personnelle,

1. Notons que ceci ne suffit pas. Il faut encore que ce fait lui-même soit connu : non seulement chacun doit avoir la même croyance primaire mais tout le monde doit le savoir. C'est ce qu'on appelle un savoir commun.

alors celui qui anticipe les croyances primaires des autres gagnera, pour peu que son information sur ce que pensent les autres soit fiable. Mais, s'il en est ainsi, peu à peu, tous les joueurs prendront conscience qu'il est de leur intérêt de jouer en fonction des croyances primaires des autres. Or, lorsque cette prise de conscience se diffuse largement, la croyance de degré deux elle-même devient caduque. Il faut passer à une croyance de degré trois pour anticiper les croyances de degré deux. Plus généralement, si tous se déterminent à partir de leur croyance de degré n, il faut passer au degré $n + 1$ pour faire mieux. Cette dynamique qui exige sans cesse des croyances de niveau supérieur peut être dite « spéculaire », car, à la manière de deux miroirs mis face à face, elle donne à voir une dynamique de reflets infinie. Chacun essaie d'anticiper toujours un degré au-dessus des autres pour l'emporter, sans y arriver car les autres en font autant. C'est très exactement ce que nous dit Keynes dans son analyse du concours de beauté :

> « Il ne s'agit pas pour chacun de choisir les visages qui, autant qu'il en peut juger, sont réellement les plus jolis [croyance de degré un] ni même ceux que l'opinion moyenne considérera comme tels [croyance de degré deux]. Au troisième degré où nous sommes déjà rendus, on emploie ses facultés à découvrir l'idée que l'opinion moyenne se fera à l'avance de son propre jugement. Et il y a des personnes, croyons-nous, qui vont jusqu'au quatrième ou cinquième degré ou plus loin encore[1]. » [Je souligne.]

Cette remarque clôt l'analyse très succincte que Keynes consacre au concours de beauté dans la *Théorie générale*. Il n'en dira pas plus. Très clairement, l'étude des interactions autoréférentielles ne peut en rester à ce seul

1. John Maynard Keynes, *Théorie générale de l'emploi, de l'intérêt et de la monnaie*, *op. cit.*, p. 168.

constat qui décrit un processus inachevé de croyances imbriquées sans aborder la question centrale de savoir vers quoi il tend et comment il se stabilise. Par ailleurs, dans ce même chapitre XII de la *Théorie générale*, Keynes met en avant avec force le rôle que jouent les conventions dans le fonctionnement financier, mais sans jamais relier celles-ci à la dynamique autoréférentielle. Qu'elles en soient l'expression et la conséquence, telle est la proposition qu'il reste à démontrer, ce qui suppose d'établir que l'autoréférentialité peut produire de l'extériorité sous la forme de croyances conventionnelles. Ce résultat théorique est capital, ce qui explique qu'en soit détaillée la démonstration. Il est au cœur de la transition entre médiation interne et médiation externe.

Pour approfondir la compréhension des processus autoréférentiels, il est intéressant de mobiliser les résultats obtenus par la théorie des jeux et l'économie expérimentale. Cela s'impose d'autant plus que le concours de beauté keynésien possède une structure classique pour un théoricien des jeux, à savoir celle d'un jeu de « pure coordination ». Elle a déjà été rencontrée au chapitre II dans le cas du choix des langues. Dans un jeu de pure coordination, chaque joueur a le choix entre *n* options. Toutes les options sont équivalentes : l'utilité obtenue ne dépend pas de l'option. Plus spécifiquement, le gain est proportionnel au nombre de joueurs ayant choisi la même option. En conséquence, la seule chose qui importe pour le joueur est de se coordonner avec les autres, et l'option qui permet cette coordination est sans pertinence à ses yeux. En ce sens, ce sont des jeux de *pure* coordination. Une illustration classique est le « jeu du rendez-vous » : deux personnes sont perdues dans une ville et désirent se retrouver. Le lieu de la rencontre leur est indifférent. Ils souhaitent seulement se retrouver. Dans le concours de beauté keynésien, on observe une même logique : chacun doit trouver quel sera le choix le plus souvent retenu, peu importe ce choix. La théorie des jeux appliquée à ces situations permet d'établir plusieurs résultats. D'une part, l'unanimité est un équilibre, quel que soit le choix retenu. En effet, en situation d'unanimité, chaque agent obtient son gain maximal. Il s'ensuit que personne ne souhaite modifier sa décision, de telle sorte que la polarisation unanime perdure. D'autre part, lorsque tous les membres du groupe font l'hypothèse qu'une certaine décision est la bonne, alors elle le devient *ipso facto* par l'effet du choix de tous. On dira que la croyance collective s'autoréalise : elle est devenue exacte parce que tous l'ont crue exacte. Ce faisant, on retrouve un triptyque de propriétés, caractéristiques de la liquidité, déjà rencontrées dans les chapitres précédents : indétermination des équilibres, polarisation mimétique et autoréalisation des croyances. Appliquée aux marchés financiers, cette analyse indique que n'importe quel prix peut être un prix d'équilibre dès lors que tous les participants le considèrent comme étant le juste prix. Ces résultats sont importants mais ils sont obtenus sans qu'il soit fait mention des jugements spécifiques que portent les joueurs sur les options offertes, ce qu'on a nommé leur croyance primaire. Introduire ce nouvel élément permet-il d'être plus précis quant au choix de l'équilibre ? Les travaux menés par Thomas Schelling dans *The Strategy of Conflict*[1] peuvent le faire espérer. Ils montrent que certains choix sont plus particulièrement retenus par les acteurs, ce qu'il nomme des « points focaux ». Cette perspective a connu d'importants développements récents grâce aux travaux de Judith Mehta, Chris Starmer et Robert Sugden[2].

1. Oxford, Oxford University Press, 1977.

2. « The Nature of Salience : An Experimental Investigation of Pure Coordination Games », *American Economic Review*, vol. 84, n° 2, juin 1994.

Mehta *et alii* ont expérimenté un grand nombre de jeux de pure coordination. Dans le cadre de la présente réflexion, on se limitera aux deux suivants : déterminer un nombre et déterminer une année. Pour les nombres, il est demandé à un ensemble de joueurs de choisir simultanément un entier naturel positif, sachant que le gain associé est proportionnel au nombre d'individus qui ont fait le même choix. Il s'agit donc pour les joueurs de trouver le nombre qui récoltera le plus de suffrages. Cette tâche n'a rien d'aisé car *a priori* n'importe quel nombre peut convenir. La théorie des jeux n'est d'aucune utilité, car, selon elle, toutes les options sont absolument identiques : rien ne permet de les distinguer dès lors qu'elles procurent les mêmes gains. Si les joueurs réussissent à se coordonner malgré tout, c'est parce qu'ils raisonnent autrement que ce que prend en compte la théorie des jeux. Ils appréhendent les choix, non seulement à partir des gains, mais aussi à partir de leur libellé. Or, de ce point de vue, 1 et, par exemple, 13022011 sont nettement distincts même si leurs gains sont les mêmes. Comme le notait déjà Schelling en 1960, en la matière, l'imagination est bien plus utile que la logique. Pour tester cette hypothèse, Mehta *et alii* ont eu l'idée de sélectionner un groupe de contrôle, noté C, auquel il a été simplement demandé de choisir un entier naturel positif, en l'absence de toute contrainte de coordination. De cette façon, les auteurs ont obtenu des informations quant à la distribution des opinions personnelles au sein de la population testée, ce que nous avons appelé les croyances primaires. Ensuite, dans le deuxième groupe[1], noté J, le jeu de coordination est joué selon les règles précisées précédemment.

1. Les deux groupes sont distincts mais il est fait l'hypothèse que les choix du groupe C sont représentatifs des croyances primaires du groupe J.

Groupe C (n = 88)		Groupe J (n = 90)	
Réponses	Proportion	Réponses	Proportion
Question 1 (années) :			
1971	8,0	1990	61,1
1990	6,8	2000	11,1
2000	6,8	1969	5,6
1968	5,7		
r = 43		r = 15	
Question 2 (nombres) :			
7	11,4	1	40,0
2	10,2	7	14,4
10	5,7	10	13,3
1	4,5	2	11,1
r = 28		r = 17	

Considérons les résultats obtenus (pour la question 2). Dans le groupe C de contrôle qui mesure les croyances primaires, viennent en tête les réponses 7 (11,4 %), puis 2 (10,2 %), puis 10 (5,7 %) et 1 (4,5 %). Dans le groupe J soumis au jeu, on observe une forte convergence des réponses : 40 % choisissent le nombre 1 qui est suivi par le nombre 7 dans 14,4 % des réponses. Par ailleurs, le nombre r de réponses distinctes diminue nettement. Il passe de 28 à 17. Ces résultats sont étonnants. Ils prouvent une capacité certaine du groupe J à se coordonner, même dans une situation autoréférentielle, c'est-à-dire une situation où les joueurs n'ont pas de référence commune ! Selon la théorie des jeux, chaque nombre étant identique aux autres, une très forte dispersion des réponses aurait dû être obtenue[1]. À l'évidence, il n'en a pas été ainsi. L'utilisation du libellé des choix a permis aux acteurs de mettre en place des stratégies de coordination efficaces. Pour en découvrir les modalités, les auteurs commencent par considérer, à titre d'hypothèses, les stratégies les plus simples, celles que Keynes mentionne explicitement dans sa citation : « choisir les visages qui sont réellement les plus jolis » (*croyance de degré un*) et « choisir ceux que l'opinion moyenne considérera comme tels » (*croyance de degré deux*). La première suppose que les joueurs suivent leur croyance primaire[2]. C'est ce que nous avons nommé également la stratégie fondamentaliste. La remarquable convergence des résultats obtenus dans le groupe J comparée à la dispersion du groupe C de contrôle permet de rejeter cette hypothèse. On peut penser que les joueurs comprennent que, pour gagner, il faut d'abord s'intéresser aux choix des autres[3]. En conséquence, sa propre opinion est sans pertinence. L'hypothèse de la croyance secondaire paraît bien plus prometteuse. Elle suppose que les joueurs examinent les croyances primaires du groupe et sélectionnent celle qui est la plus usitée[4]. Dans notre exemple, il s'agit du nombre 7. Si on suppose que les joueurs ont une information fiable quant aux croyances primaires du groupe, le recours à une croyance de degré

1. Comme le nombre d'options proposées est infini, la probabilité que deux individus aient choisi le même nombre était nulle, ou peu s'en faut.

2. Les auteurs lui donnent également le nom de « saillance primaire », par quoi il faut entendre qu'elle s'impose à l'individu lorsqu'il est isolé et ne se soucie pas de se coordonner avec autrui.

3. Hormis les situations dans lesquelles les joueurs peuvent avoir des raisons de penser que les croyances primaires sont identiques.

4. Ce que Judith Mehta, Chris Starmer et Robert Sugden nomment la « saillance secondaire ». En conclusion, ces auteurs comparent trois stratégies : saillance primaire, saillance secondaire et saillance à la Schelling.

deux conduirait à faire émerger une coordination sur le nombre 7[1]. L'émergence du nombre 1 dans le groupe J alors même que ce nombre n'occupe que la 4e position dans le groupe C atteste d'une stratégie autre que la croyance secondaire. C'est ce que Mehta, Starmer et Sugden nomment une « saillance à la Schelling ».

Pour Schelling, qui étudie également ce jeu, le chiffre 1 s'impose en raison de ses qualités intrinsèques : en tant qu'il est « le premier et le plus petit » entier, son unicité saute aux yeux[2]. Plus généralement, une saillance à la Schelling s'analyse comme un choix qui s'impose à tous[3]. Il s'agit de faire émerger une option qui puisse recueillir l'adhésion de tous les joueurs, ce qui suppose de prendre appui sur ce qui leur est commun ; ou plutôt sur ce qu'ils croient leur être commun. Pour mener à bien une telle tâche, la prise en compte des opinions personnelles, en raison de leur diversité naturelle, ne peut constituer qu'un obstacle. C'est au contraire en se plaçant au niveau de l'unité du groupe lui-même, dans ce qui en définit spécifiquement l'identité, qu'il est possible de faire émerger une saillance à la Schelling. Ainsi le chiffre 1

---

1. Plus généralement, si on suppose une information incomplète mais conforme à la réalité des croyances primaires, les auteurs notent que l'utilisation de la croyance secondaire conduirait à une hiérarchie de choix similaires à celle observée dans le groupe C.

2. « Si on demande quel nombre, parmi tous les nombres positifs, est le plus clairement unique, ou quelle règle de sélection conduirait à des résultats dépourvus d'ambiguïté, on est frappé par le fait que l'ensemble des nombres positifs a un "premier" et un "plus petit" nombre » (Thomas Schelling, *The Strategy of Conflict*, *op. cit.*, p. 94).

3. « Une règle de sélection est saillante [à la Schelling] dans la mesure où elle se suggère elle-même ou semble évidente ou naturelle pour ceux qui cherchent à résoudre des problèmes de coordination » (Judith Mehta, Chris Starmer et Robert Sugden, « The Nature of Salience : An Experimental Investigation of Pure Coordination Games », art. cit., p. 661).

a-t-il été sélectionné par 40 % du groupe bien qu'il n'ait été retenu comme croyance primaire que par une toute petite proportion des joueurs (4,5 %). Le jeu portant sur les années conduit aux mêmes résultats. Alors que les croyances primaires sélectionnent l'année 1971, le groupe se coordonne de manière massive (61,1 %) sur l'année 1990. Pourquoi ? Parce que 1990 est l'année du test qui a vu le groupe réuni. Pour cette raison, ce choix s'impose au collectif alors même que les individus préfèrent leur date de naissance (1971 ou 1968) comme croyance primaire[1]. Cela illustre de nouveau le fait qu'une saillance à la Schelling s'élabore à partir des caractéristiques du groupe en tant qu'entité particulière dotée d'une histoire spécifique.

En conclusion, la saillance à la Schelling s'analyse comme une remarquable mise à distance du groupe à l'égard de lui-même. Par son biais, le collectif s'extériorise sous la forme d'une référence que chacun reconnaît comme légitime. Pour en mesurer pleinement la nature, il faut quitter le cadre statique pour considérer un jeu dynamique. Dans le cas d'une répétition à l'identique du jeu, le choix sélectionné à l'instant *t* s'impose naturellement comme saillance en *t +1*. Cette force des précédents[2] illustre l'autonomie des saillances, le fait qu'elles

1. On peut inférer du test qu'il a été effectué en 1990 sur une population d'étudiants dont l'âge varie entre 19 et 22 ans. Le choix primaire a pu être 2000 en raison de sa nature spécifique ou même, pour certains, 1990, l'année du test. Dans le cadre du jeu, 1990 s'impose à une écrasante majorité (61,1 %), vient ensuite 2000, mais disparaissent les années de naissance qui perdent toute pertinence.

2. Autrement dit, si on fait jouer une seconde fois le groupe J, on verra prévaloir une situation de quasi-unanimité sur le chiffre 1 et sur l'année 1990. De même, si on indique au groupe J que, la veille, telle option X s'est trouvée choisie, cette option s'impose comme une saillance à la Schelling.

acquièrent une puissance propre. Le groupe conserve en mémoire son aptitude à faire prévaloir l'unisson. Il la stocke et la réactualise lorsqu'il se trouve confronté à un problème de coordination qu'il juge similaire[1]. C'est ainsi qu'émergent ce que nous appellerons des « croyances conventionnelles[2] » ou, plus simplement, des conventions. Lorsqu'une telle référence apparaît, la coordination est rendue considérablement plus aisée. Les joueurs, pour savoir ce que les autres vont choisir, n'ont plus qu'à se tourner vers la convention. Tant que celle-ci fait l'objet d'une adhésion majoritaire, la conformité à la convention s'impose comme une stratégie gagnante qui permet d'anticiper le comportement des autres. Pour copier les autres, il suffit de copier la convention. En résumé, l'émergence d'une croyance conventionnelle modifie la structure des interactions : la médiation interne laisse la place à la médiation externe. Par ailleurs, la saillance des conventions, par quoi se trouve désigné le fait qu'elles s'imposent aux esprits individuels à la manière d'une force qui les dépasse, est une manifestation de l'affect commun dont elles sont porteuses.

Dans la section qui suit, il s'agit de mobiliser cette compréhension générale des interactions autoréférentielles pour éclairer certains aspects du fonctionnement des marchés financiers, tout particulièrement leur inefficience, à savoir la déconnexion durable entre prix et estimations fondamentalistes. Cela nous permettra de comprendre

1. Ainsi le béret et la baguette peuvent-ils continuer à symboliser l'identité française même si personne ne porte plus de béret !

2. Dans nos travaux antérieurs, nous les avons nommées « croyances sociales » (voir André Orléan, « Le tournant cognitif en économie », *Revue d'économie politique*, vol. 112 (5), septembre-octobre 2002). En anglais, « *collective belief* » (André Orléan, « What is a Collective Belief ? », *in* Paul Bourgine et Jean-Pierre Nadal (dir.), *Cognitive Economics*, Berlin-Heidelberg et New Yok, Springer-Verlag, 2004).

pourquoi la concurrence financière ne produit pas les forces de rappel que nécessiterait sa stabilité.

Inefficience des marchés financiers

Ce qui caractérise les croyances conventionnelles telles qu'elles viennent d'être définies est le fait paradoxal d'une croyance collective qui n'est la croyance de personne ! Le chiffre 1 et l'année 1990 illustrent ces options choisies par tous sans être choisies par quiconque, ou presque. Ce paradoxe est au cœur de l'inefficience des marchés financiers. Il permet de comprendre que des investisseurs pleinement rationnels puissent s'écarter de leur estimation fondamentaliste sans transgresser leur rationalité. Il s'agit de situations dans lesquelles chaque individu croit individuellement à la proposition VF en même temps qu'il croit que le groupe se conforme à la convention P, différente de la proposition VF, sans qu'aucune de ces croyances ne soit erronée. Cette situation illustre ce que nous nommons l'autonomie des croyances conventionnelles. Cette propriété d'autonomie met au jour une logique d'un type nouveau, en rupture avec le modèle individualiste. Selon ce dernier, la croyance collective est la « somme » des opinions individuelles. En tant que telle, elle ne jouit d'aucune autonomie par rapport à celles-ci. Dans la perspective que propose la notion de saillance à la Schelling, il en va tout autrement. Deux niveaux séparés aux logiques distinctes coexistent : le niveau des croyances individuelles et le niveau de la convention. La propriété d'autonomie transposée au marché donne à voir un prix P déconnecté des évaluations individuelles, VF_i. Un tel prix P peut être appelé, au sens fort, la production du marché. Il est le produit de la liquidité et d'elle seule.

L'analyse des jeux autoréférentiels permet de comprendre pourquoi il en est ainsi. Elle invite à distinguer soigneusement ce que l'individu pense vraiment, à savoir son estimation fondamentaliste, et son choix effectif. Cela tient à la nature même de l'interaction considérée qui récompense, non pas ceux qui auraient « raison » et répondraient « correctement » à la question posée, mais ceux qui réussissent à prévoir au mieux les mouvements de l'opinion majoritaire. Cette distinction appliquée aux marchés financiers permet d'éviter les jugements hâtifs d'irrationalité qui sont fréquemment proférés à l'encontre des investisseurs financiers lors des bulles spéculatives, à savoir lorsqu'on constate une déconnexion durable entre le prix coté et ce que la communauté des économistes considère comme étant l'évaluation fondamentale. Prenons le cas d'une monnaie déjà sous-évaluée[1] qui fait néanmoins l'objet d'un important mouvement de ventes sur le marché des changes, conduisant à une sous-évaluation encore plus grande. C'est ce qu'on a connu sur le marché de l'euro en septembre 2000. Dans cette situation de sous-évaluation, on constate l'absence de forces de rappel poussant l'euro à la hausse et le ramenant à son juste niveau. Selon une analyse commune, cette situation serait due à l'irrationalité des cambistes, incapables d'évaluer correctement ce que vaut la devise. Cette hypothèse ne tient pas. Elle n'est d'ailleurs pas nécessaire. Les cambistes, comme tout un chacun, peuvent parfaitement savoir que la monnaie en question est sous-évaluée et pourtant continuer à la vendre. En effet, ce qui compte pour eux lorsqu'ils interviennent sur le marché n'est pas ce qu'ils pensent être la vraie valeur de la monnaie, autant qu'ils en peuvent juger, mais ce qu'ils pensent que le marché va faire. Sur un marché, on fait du profit quand on réussit à prévoir correctement l'évolution de l'opinion du groupe. Telle est la règle du jeu. On ne demande pas

1. Mais le même raisonnement vaut pour toutes les bulles spéculatives.

aux agents d'avoir raison et d'estimer au mieux la valeur fondamentale. De ce point de vue, la déclaration qui suit provenant d'un cambiste interrogé au moment de la forte baisse de l'euro en septembre 2000 est révélatrice de la dichotomie existant entre évaluation personnelle sur une base fondamentaliste et choix d'investissement. On y voit un individu intimement persuadé du caractère sous-évalué de l'euro, mais expliquant qu'il est néanmoins tenu à vendre s'il ne veut pas perdre de l'argent :

> « L'opérateur que je suis a beau croire à une appréciation de l'euro, il ne fait pas le poids lorsqu'il constate qu'un peu partout les positions des autres intervenants sur le marché des changes sont à la vente de l'euro. Du même coup, même si j'estime que l'euro mérite d'être plus cher par rapport au dollar, j'hésite toujours à acheter la devise européenne. En effet, si je suis le seul acheteur d'euros face à cinquante intervenants vendeurs, je suis sûr d'y laisser des plumes [...]. Je ne fais pas forcément ce que je crois intimement, mais plutôt ce que je crois que fera globalement le marché qui *in fine* l'emportera. Le travail de l'opérateur est de tenter d'évaluer au plus juste le sentiment du marché des devises[1]. »

Malgré sa conviction personnelle d'une sous-évaluation, ce cambiste joue à la baisse et c'est là un comportement parfaitement rationnel : s'il avait acheté de l'euro, il aurait fait des pertes ! Une première manière d'analyser cette situation consiste à suivre l'interprétation que nous en propose le cambiste interrogé. Il oppose deux évaluations, son évaluation fondamentaliste personnelle et celle des autres cambistes. Dans un tel cadre, l'individu interrogé justifie son suivisme par le fait qu'il existe un grand nombre d'investisseurs vendeurs qui déterminent l'évolution du marché. Selon cette analyse, ces « cin-

1. *Libération*, 8 septembre 2000, p. 24.

quante intervenants » vendent parce qu'ils pensent que l'euro est surévalué. C'est donc une conception erronée du point de vue des fondamentaux qui les conduit à vendre. Face à ce fait accompli, notre cambiste n'a plus aucun choix. Il ne peut que se plier au diktat inadéquat de l'opinion majoritaire. Si l'on retient cette interprétation, nous n'observons pas ce que nous avons appelé « l'autonomie des croyances conventionnelles », c'est-à-dire une situation où, pour tous les acteurs, est observé un écart entre leur opinion personnelle et leur croyance sociale. En effet, dans le cadre de l'interprétation proposée par le cambiste interrogé, le prix de marché est le reflet direct des estimations fondamentalistes de la majorité des intervenants, les fameux « cinquante vendeurs ». Il n'y a donc pas d'écart entre le prix et les croyances primaires. C'est seulement pour le cambiste interrogé qu'on constate un écart entre son évaluation fondamentaliste et la croyance du marché. Soulignons que, dans une telle situation, la rationalité lui dicte d'imiter l'opinion majoritaire.

Cette interprétation n'est pas nécessairement fausse. Il se peut, dans telle ou telle conjoncture financière donnée, qu'il existe, en effet, sur le marché, des investisseurs naïfs, mal informés ou irrationnels. C'est là une question de fait. S'il en est ainsi, la bulle baissière sur l'euro s'interprète aisément par le fait qu'il existe un grand nombre d'investisseurs qui se trompent quant à ce que vaut la monnaie. Elle est un produit de l'irrationalité collective. C'est la voie empruntée par la finance comportementale[1]. Notons, cependant, que cette interprétation doit,

1. Pour la finance comportementale, il faut nécessairement des investisseurs irrationnels pour que des bulles se forment. Andrew Shleifer est très clair à ce sujet : « Sans lubie des investisseurs, il n'y a pas au départ de perturbations sur les prix efficients, de telle sorte que les prix ne dévient pas de l'efficience. Pour cette raison, la théorie comportementale requiert à la fois des perturbations irrationnelles et un arbitrage limité qui ne les annule pas »

au préalable, nous faire comprendre pourquoi cinquante cambistes se trompent simultanément. Quel mécanisme permet d'expliquer qu'une même erreur se soit propagée au sein du marché ? La finance comportementale, sur ce point, invoque la psychologie cognitive pour expliquer cette corrélation des erreurs. Sur la foi des travaux de Daniel Kahneman et Amos Tversky, Andrew Shleifer note : « Les analyses empiriques démontrent [...] que les gens ne dévient pas de la rationalité d'une manière aléatoire, mais bien plutôt que la plupart dévient d'une façon identique[1]. » Cette réponse n'est pas entièrement convaincante. Il reste suffisamment de biais, même si leur nombre est limité, pour que la conformité de tous au même biais continue à poser problème, même pour qui adhère aux conceptions développées par Kahneman et Tversky. Qui plus est, cela n'explique pas du tout pourquoi certains investisseurs échappent à la fatalité des biais et se comportent de manière parfaitement rationnelle. Pourquoi notre cambiste ne se trompe-t-il pas ? En quoi serait-il si spécial ? En conséquence, il est intéressant de considérer une interprétation alternative qui abandonne la dissymétrie suspecte entre notre cambiste parfaitement rationnel et un marché constitué d'opérateurs focalisés sur la même erreur. Selon cette nouvelle interprétation, tous les intervenants possèdent les mêmes informations et forment les mêmes estimations fondamentalistes. En conséquence, ils agissent de manière identique à notre cambiste, c'est-à-dire d'une manière mimétique, en se fondant sur ce qu'ils pensent être la croyance conventionnelle du marché, en l'occurrence la baisse. Dans une telle perspective, chacun est identiquement rationnel, agissant en fonction d'une même anticipation quant aux comportements des autres. Il n'y

---

(*Inefficient Markets. An Introduction to Behavioral Finance*, *op. cit.*, 2000, p. 24).

1. *Ibid.*, p. 12.

a pas cinquante intervenants « farouchement » vendeurs, mais cinquante cambistes qui, réfléchissant à ce que vont faire les autres intervenants, parmi lesquels se trouve le *trader* interrogé par *Libération*, anticipent qu'ils vont vendre. Si on les interrogeait, ils feraient remarquer à leur tour qu'il ne sert à rien d'aller à contre-courant d'un marché aussi déterminé dans son aveuglement. Autrement dit, le cambiste interrogé interprète mal leurs pensées. Comme il les voit vendre, il en déduit faussement qu'ils considèrent que l'euro est surévalué. En fait, comme lui, ils savent ne pas pouvoir résister à l'opinion baissière du marché, bien qu'ils considèrent que cette baisse ne se justifie pas. Sur un marché, on ne fait pas ce qu'on croit mais ce que le marché croit.

Si cette interprétation des faits est exacte, on reconnaît alors notre situation de déconnexion entre les croyances privées, « VF », toutes convaincues du caractère sous-apprécié de l'euro, et la croyance conventionnelle, « P », selon laquelle le marché croit à la baisse. Si chacun croit que « le marché croit à la baisse », alors chacun sera baissier et le marché baissera effectivement en validant *ex post* la croyance conventionnelle. Dans une telle situation, une bulle émerge sans qu'il ait été nécessaire de supposer la présence d'acteurs irrationnels. Chacun est parfaitement rationnel, dans ses évaluations privées comme dans son évaluation du marché. Les deux évaluations sont exactes. Elles ne sont pas contradictoires parce qu'elles ne portent pas sur les mêmes objets : la croyance privée, haussière, porte sur la valeur fondamentale ; la croyance conventionnelle, baissière, porte sur l'évolution future du marché. Dans l'esprit des participants, la déconnexion entre ces deux appréciations n'a rien de choquante. Elle s'enracine dans l'autonomie des mécanismes de marché. L'expérience du marché, vécu comme une force qui les dépasse et s'impose à eux, valide avec force aux yeux des investisseurs cette hypothèse d'une autonomie de l'évaluation collective. Aussi, loin de produire un ajustement de la croyance conventionnelle aux estimations privées, cette situation conduit à renforcer encore la croyance conventionnelle, qui s'impose comme seule explication plausible, expression d'une force qu'ils ne dominent pas. En conséquence, les croyances se voient confirmées[1] à tous les niveaux : l'euro est effectivement sous-évalué au regard des fondamentaux ; le prix baisse ; le marché se comporte de manière autonome, c'est-à-dire déconnectée des appréciations fondamentalistes.

Même si les deux évaluations renvoient à des expériences distinctes, la valeur fondamentale, d'un côté, et le prix, de l'autre , il existe néanmoins une tendance à les comparer en tant qu'elles sont toutes deux des évaluations d'un même actif. De ce point de vue, l'observation ne laisse aucun doute : l'estimation personnelle tend à s'ajuster sur le prix, et non le contraire. On constate, sans ambiguïté, une contagion qui va du marché vers les jugements subjectifs, ce qui a pour conséquence de renforcer encore la puissance des croyances conventionnelles lorsqu'elles finissent même par être intériorisées et adoptées comme opinions individuelles. Ce fait est important car il montre que le marché est une entité sociale hiérarchisée et non pas la juxtaposition d'esprits indépendants qui échangeraient sur la base de conceptions construites hors marché. Contrairement au point de vue walrassien, les échanges engagent les personnalités et les valeurs. Ils les modèlent. Cette influence qu'exerce le prix de marché sur les consciences est la conséquence de son pouvoir propre, c'est-à-dire de l'ensemble des intérêts qu'il suscite, selon des voies

1. Cette conception d'une bulle rationnelle contredit non seulement l'hypothèse d'efficience financière, mais également les positions défendues par la finance comportementale (se reporter à André Orléan, « Efficience, finance comportementale et convention : une synthèse théorique », art. cit.).

diverses. Le prix a la puissance d'une norme. L'exemple des analystes financiers et des agences de notation est tout particulièrement représentatif de ce pouvoir, dans la mesure où ces acteurs sont supposés produire des estimations fondamentalistes afin d'informer le marché. Or leurs pauvres performances sont bien connues. Par de multiples canaux, ils se trouvent liés aux intérêts financiers et, malgré leur déclaration d'indépendance, ils sont conduits à aligner leur jugement sur celui des marchés. Comme le montre bien Édouard Tétreau dans un petit livre percutant, il vaut mieux, pour les analystes financiers, « avoir tort avec les autres que raison tout seul[1] ». Ce que disait déjà en son temps Keynes : « La sagesse universelle enseigne qu'il vaut mieux pour sa réputation échouer avec les conventions que réussir contre elles[2]. » Il découle de cette légitimité propre au prix de marché une propension absolue des investisseurs à valider les évolutions constatées quelles qu'elles soient. C'est tout l'opposé de la loi de l'offre et de la demande. Ainsi, en 2007 et 2008, quand le prix d'un grand nombre de produits titrisés s'est mis à chuter, aussi bas que le prix ait pu tomber, ceci n'a pas enclenché une forte demande, conformément à l'hypothèse d'efficience. C'est l'intervention des autorités publiques qui a arrêté la chute. Il a donc fallu un acteur extérieur au système pour stopper la panique. Sans lui, le système aurait explosé, preuve manifeste que le marché financier ne peut se sauver seul. La concurrence financière n'est pas autorégulatrice. En conséquence, sa dérégulation est une faute majeure.

---

1. Édouard Tétreau, *Analyste. Au cœur de la folie financière*, Paris, Grasset, 2005, p. 86.

2. *Théorie générale de l'emploi, de l'intérêt et de la monnaie*, p. 170.

Sur quelques propriétés des prix : variabilité excessive, bulles spéculatives et aveuglement face au désastre

Jusqu'à maintenant, notre analyse a porté sur les propriétés structurelles de la logique financière : valorisation, efficience, stabilité, loi de l'offre et de la demande, liquidité, capacité d'autorégulation. Le principe de saillance mis en évidence précédemment permet également d'avancer dans la compréhension détaillée des évolutions boursières. Il offre de nouvelles pistes pour rendre intelligibles leurs propriétés statistiques. Considérons, pour commencer, la nature « non gaussienne » des variations de prix. Il s'agit là d'une caractéristique énigmatique : si l'on prend n'importe quel indice boursier, il apparaît que sa performance sur une longue période est obtenue, non pas, comme on aurait pu s'y attendre, par une longue succession cumulative de petites variations, conformément au modèle gaussien, mais par de très fortes variations concentrées sur un tout petit nombre de jours. Ainsi sur la période de 15 ans qui va de 1993 à 2008, l'indice MSCI[1] Europe a montré une croissance moyenne de 9,27 %. Or, si on enlève les dix jours[2] pour lesquels la variation a été la plus importante, cette croissance tombe à 5,68 %. La chute est impressionnante alors qu'a été enlevé moins d'un jour par an. Si on enlève les 30 meilleurs jours, la performance tombe à 0,90 % et, pour les 40 meilleurs jours, à – 1,13 %. Autrement dit, la performance globale est obtenue sur très peu de jours, moins de 1 % de la période considérée. Interprété en termes probabilistes, ce résultat indique que les varia-

1. Morgan Stanley International Index.
2. Se reporter à Fidelity Fundamentals, « Long-Term Investing Through the Cycle », 2010 : http://www.capitaltower.co.uk/files/Long%20Term%20Investing.pdf.

tions de prix connaissent des écarts très importants par rapport à leur moyenne. Les événements exceptionnels, à savoir de très fortes hausses ou de très fortes baisses, ne sont pas rares. Ils sont bien plus fréquents que ce qu'on observe dans le cas d'une loi gaussienne ou « courbe en cloche ». En effet, cette loi, classiquement utilisée pour décrire le hasard, donne à voir un phénomène aléatoire qui reste fortement concentré autour de sa moyenne. À l'évidence, la représentation gaussienne ne convient pas pour les cours boursiers. Pour reprendre les termes de Mandelbrot[1], le hasard boursier n'est pas un « hasard bénin ». Par exemple, une variation des cours comme celle qu'a connue la Bourse étatsunienne le 19 octobre 1987, à savoir une perte de 22,6 % pour l'indice Dow Jones des valeurs industrielles, est incompatible avec une loi gaussienne. En effet, si l'on suppose que les écarts de prix sur ce marché suivent une loi normale, on peut démontrer que le temps moyen nécessaire à l'observation d'une telle déviation est de 10^{47} ans, soit l'âge de la Terre à la puissance 5. Comme l'écrivent Jean-Philippe Bouchaud et Christian Walter : « Dans le cas gaussien, les grandes déviations sont tellement rares que le krach de 1987 (et beaucoup d'autres plus petits dont la mémoire collective n'a pas retenu l'occurrence) n'aurait pas dû exister, même si la première place boursière avait été ouverte par Lucy[2]. »

L'analyse autoréférentielle offre une explication simple pour comprendre cette variabilité excessive des prix. Elle donne à voir une communauté financière active et anxieuse, interrogeant toutes les hypothèses et toutes les rumeurs

1. Benoît B. Mandelbrot, « Formes nouvelles du Hasard dans les Sciences », *Économie appliquée*, vol. XXVI, 1973.

2. Jean-Philippe Bouchaud et Christian Walter, « Les marches aléatoires », *Pour la science*, dossier hors-série sur *Le Hasard*, avril 1996, p. 94.

pour déterminer celles susceptibles d'obtenir l'assentiment du marché. Ce processus d'exploration dégénère fréquemment en polarisations mimétiques sporadiques et violentes lorsque tel ou tel événement se trouve sélectionné simultanément par un grand nombre d'acteurs en raison de sa saillance supposée, et cela indépendamment de son contenu informationnel réel. Il s'ensuit de fortes et soudaines variations de prix, sans rapport avec les fondamentaux[1]. Autrement dit, la quête de saillances est fondamentalement un mécanisme d'amplification qui procède par agrégation mimétique, en focalisant l'attention du marché sur certaines variations de court terme, au départ insignifiantes.

Sur la longue période, ce même mécanisme joue différemment. Il tend à se stabiliser durablement lorsqu'une interprétation finit par recueillir l'adhésion générale du marché. Dans ces conditions, émerge un modèle d'évaluation reconnu par chacun comme légitime, ce qu'on appellera une « convention d'évaluation ». C'est de cette façon que le groupe autoréférentiel surmonte provisoirement son déficit de référence objective : tant que la convention d'évaluation est acceptée, la dynamique spéculaire est notablement simplifiée, puisque, alors, pour prévoir ce que les autres vont faire, il suffit de considérer ce que la convention prévoit. Les conventions d'évaluation fournissent des schémas interprétatifs par le biais desquels les investisseurs perçoivent la réalité. Tant que les phénomènes observés sont conformes aux prévisions, la convention perdure. Dès lors que les faits observés entrent par trop en contradiction avec la représentation conventionnelle du monde qui prévaut et qu'en conséquence les anomalies s'accumulent, le marché abandonne la convention considérée pour en

1. David M. Cutler, James M. Poterba et Lawrence H. Summers, « What Moves Stock Prices ? », *The Journal of Portfolio Management*, printemps 1989.

rechercher une autre. C'est ce qu'on a observé au début de l'an 2000 quand les prévisions de croissance du commerce électronique, sur lesquelles reposait la convention « Nouvelle Économie », sont apparues comme étant bien trop optimistes. Il s'est ensuivi une importante chute des cours. Cette convention qui a prévalu à la fin du XXe siècle proposait en outre d'estimer la valeur des entreprises dot. com à partir du nombre de visiteurs des sites Internet ou du nombre de clics. Cela a permis de valoriser fortement des entreprises connaissant un grand succès d'audience bien qu'étant par ailleurs structurellement déficitaires. Pourtant, cette hypothèse était des plus douteuses car il n'existe pas de lien mécanique entre le nombre de visiteurs et le niveau des profits. Par ailleurs, cette même convention « Nouvelle Économie » attribuait un avantage définitif au premier arrivé sur la Toile du fait de sa supposée capacité à retenir l'attention des clients potentiels. Qu'une entreprise classique puisse remonter ce handicap grâce à ses importantes ressources n'était pas alors considéré comme possible, tant les « deux cultures » étaient perçues comme totalement antagoniques. À partir de quoi, la capitalisation boursière d'une jeune entreprise comme eToys a pu être évaluée à la fin de 1999 un tiers de plus que celle du géant du jouet Toys « R » Us, alors qu'elle représentait, en chiffre d'affaires, trois magasins de ce dernier qui en comptait plus d'un millier, tout en étant déficitaire. Les années suivantes prouvèrent amplement l'erreur de la convention. eToys se déclara en faillite en mars 2001, la valeur de son action ne valant plus que quelques *cents*, alors même que Toys « R » Us s'allia avec Amazon pour développer avec succès son commerce en ligne, toutes choses que la convention « Nouvelle Économie » jugeait peu probables[1].

---

1. Se reporter à R. J. Shiller, *Irrational Exuberance*, Princeton (New Jersey), Princeton University Press, 2001, au paragraphe intitulé « Examples of "Obvious" Mispricing », p. 175-176.

Cette dynamique historique, qui pense une convention financière partiellement arbitraire, confirmée provisoirement dans les faits qu'elle aide à produire, pour finir par être rejetée quand elle a fait son temps, est similaire à celle présentée par Joseph Schumpeter à propos du cycle des innovations technologiques. Dans un cas comme dans l'autre, l'idée qu'existeraient des critères permettant *ex ante* de définir avec certitude quelle est la bonne option doit être rejetée. Autrement dit, cette analyse nous donne à voir une temporalité pleinement historique, faite d'essais, d'erreurs et d'apprentissages, dans laquelle il n'y a pas d'optimalité *ex ante*. Le futur y est radicalement indéterminé. Il est la conséquence des choix individuels, qui eux-mêmes dépendent de la manière dont le marché pense l'avenir. Comme l'avait déjà vu Schumpeter à propos des innovations techniques, l'erreur centrale de la démarche néoclassique est de vouloir une optimalité *a priori* des choix dans un domaine, l'évolution des sociétés humaines, où cela n'a pas de sens, sauf à se placer dans un temps logique et non pas dans un temps historique. Le modèle d'essais, erreurs et apprentissages est le seul qui soit adéquat à une conception historique du temps[1]. Dans un tel cadre, les seules données économiques fondamentales ne suffisent pas à rendre intelligible l'évolution des connaissances individuelles et collectives. Celles-ci dépendent d'autres facteurs, comme les diverses croyances et valeurs, ou encore les esprits animaux (*animal spirits*), qui structurent le contexte social. Alors que dans le modèle traditionnel de l'économie, l'évolution

1. Dans André Orléan (*Le Pouvoir de la finance*, *op. cit.*), nous avons rapproché la convention financière de la notion de paradigme avancée par Kuhn. Dans les deux cas, il s'agit pour une communauté (soit financière, soit scientifique) de gérer son rapport à un futur incertain. Cette comparaison permet de faire ressortir la nature rationnelle de l'organisation conventionnelle.

des connaissances est conçue comme reflétant la réalité objective, dans notre modèle, la connaissance collective est pensée comme résultant des interactions financières elles-mêmes. En résumé, les marchés financiers sont des machines cognitives complexes qui, à partir de l'ensemble hétérogène des conjectures personnelles, ont pour finalité de produire une estimation collectivement admise, la convention d'évaluation. Du fait même de l'incertitude knightienne, cette production possède une part irréductible d'arbitraire. On ne peut être sûr *a priori* d'avoir fait le bon choix. En conséquence, le choix d'une convention plutôt qu'une autre prend nécessairement la forme d'un pari. Mais cela n'est en rien une limitation qu'on pourrait dépasser car, en matière d'incertitude knightienne, c'est là le mieux qui puisse être fait.

Il n'entre pas dans le projet de ce livre d'analyser en détail les conventions financières[1]. Notons simplement que le marché montre une tendance certaine à sélectionner des conventions haussières, productrices de bulles spéculatives. Ce point ne doit pas nous étonner. De telles conventions sont dans l'intérêt des investisseurs car elles leur apportent des profits phénoménaux. En une matière si fortement incertaine et indéterminée, il est dans la nature des choses sociales que l'opinion qui finisse par l'emporter soit celle qui satisfasse les intérêts des protagonistes. Il ne s'agit nullement d'un processus conscient de sélection, mais d'une dynamique d'essais et erreurs qui, *in fine*, conduit à ce que le marché se focalise sur la croyance qui sert le mieux sa prospérité. Une fois qu'a émergé une telle croyance haussière, à savoir une fois que le marché a pu constater son aptitude effective à créer massivement de la

1. Par exemple la convention « Nouvelle Économie » ou encore la convention « miracle asiatique ». Se reporter au *Pouvoir de la finance*, dans la section intitulée « Quelques exemples de conventions d'interprétation » (*op. cit.*, p. 145-166).

richesse, il en soutiendra la légitimité contre les critiques, d'où qu'elles viennent. Cette convention haussière aura dès lors la durée pour elle et, conséquemment, produira une forte hausse des cours. Notre analyse montre que l'aveuglement face au désastre[1] ne manquera pas de prévaloir. Aucune force de rappel mécanique ne viendra en limiter l'ampleur. Deux arguments vont dans ce sens.

Le premier argument, le plus important conceptuellement, se base sur l'incertitude propre à l'évaluation financière. Lorsque des voix discordantes s'élèvent et plaident pour la prudence en mobilisant l'expérience passée, les partisans de l'euphorie spéculative font valoir qu'il n'y a pas lieu de s'inquiéter. Ils soutiennent que les enseignements du passé sont désormais caducs pour une large part parce que le monde est entré dans une « nouvelle ère », ce qui justifie des règles d'évaluation nouvelles[2]. Autrement dit, ce qui a été observé avant ne vaut plus. On retrouve ici, très exactement, notre propre analyse théorique : le monde social n'est pas stationnaire et l'inférence statistique n'offre donc pas de certitude. Chaque situation est potentiellement nouvelle et doit être analysée sous cet angle. C'est un argument fort car fondé sur une vérité incontestable. Il est d'autant plus convaincant que la situation considérée présente des innovations significatives justifiant la thèse d'une transformation radicale de l'ordre économique[3]. L'illustration la plus exemplaire nous en est donnée par la bulle Internet. Les partisans de la hausse ont fait valoir que la révolution informatique

1. Se reporter à André Orléan, « Les croyances monétaires et le pouvoir des banques centrales », *in* Jean-Philippe Touffut (dir.), *Les Banques centrales sont-elles légitimes ?*, Paris, Albin Michel, 2008.

2. R. J. Shiller, *Irrational Exuberance*, *op. cit.*, p. 96-117.

3. Charles Kindleberger reconnaît l'importance des innovations au travers de ce qu'il appelle « *displacements* » (dans *Manias, Panics, and Crashes. An History of Financial Crise*s, Londres-Basingstoke, The Macmillan Press Ltd, 1978, p. 41-45).

avait modifié en profondeur les mécanismes économiques, rendant obsolètes les règles traditionnelles de l'évaluation boursière. Nous étions entrés dans une « nouvelle ère ». On retrouve une idée similaire au moment de la spéculation sur les chemins de fer : « Nous voilà justifiés d'attendre l'arrivée d'un temps où le monde entier sera devenu une seule famille, parlant une seule langue, gouverné par les mêmes lois et adorant un seul Dieu[1] », pensent les gens de cette époque, ce qui justifie des prises de risque inconsidérées. Cet argument d'un capitalisme transformé est de nouveau très répandu durant la période 2000-2007. C'est ce que l'on a appelé la « grande modération », à savoir l'idée selon laquelle les économies développées seraient devenues moins instables et donc plus sûres. On serait entré dans une ère de risque faible et de hauts rendements, ce que venaient d'ailleurs confirmer les records historiques observés en matière de *spread* ou de volatilité. L'important mouvement d'innovations financières qu'a connues cette période venait conforter cette vision. La titrisation aurait rendu le capitalisme structurellement plus stable, d'une part en diffusant largement le risque immobilier chez un grand nombre d'investisseurs au lieu de le maintenir concentré chez les émetteurs primaires du crédit, et d'autre part en permettant que des investisseurs mieux à même de l'assumer puissent le détenir :

> « Ces nouveaux acteurs ayant une gestion du risque et des perspectives d'investissement différentes aident à atténuer et à absorber les chocs qui, dans le passé, affectaient essentiellement quelques intermédiaires financiers importants[2]. »

---

1. Edward Chancellor, *Devil Take the Hindmost. An History of Financial Speculation*, New York, Farrar, Straus and Giroux, 1999, p. 126.
2. Fonds monétaire international, *Global Financial Stability Report*, avril 2006, p. 51.

Cet argumentaire est partout présent avec une constance remarquable. Il a justifié une grande confiance dans les nouveaux produits.

Le deuxième argument pour contrer les voix discordantes repose sur la puissance supposée du nombre contre l'opinion de quelques individus isolés. Ce que l'on peut encore appeler la « sagesse des foules ». Autrement dit : qui sont-ils pour s'opposer au marché ? Comment un individu seul pourrait-il avoir raison contre une multitude d'acteurs rationnels ? Cette idée tire une grande partie de sa légitimité de la théorie de l'efficience qui soutient que le marché, en tant qu'il agrège de très nombreuses informations, est bien supérieur à n'importe quelle personne particulière, aussi informée soit-elle. Il faut donc s'en remettre au marché et se méfier des analyses minoritaires.

L'ensemble de cette analyse montre quelle puissance est derrière la convention haussière : la puissance coalisée des intérêts financiers investis dans la bulle. Elle est d'autant plus forte que les conseils de prudence qui lui sont opposés ne peuvent se prévaloir d'aucune certitude. Que peut une simple présomption contre la vigueur et l'éclat de la réussite ? La partie est trop déséquilibrée. Il s'ensuit que la capacité du système financier à se corriger lui-même est quasi nulle. Sur ce point, les faits sont sans ambiguïté. Dans le cas de la crise des *subprimes*, il a fallu attendre début 2007, avec le retournement effectif du prix de l'immobilier et les niveaux inquiétants de défaut sur les crédits *subprimes*, pour que les esprits évoluent. Comme dans tous les cas étudiés, la capacité à anticiper l'obstacle pour l'éviter s'est révélée très faible. À notre sens, cela ne tient pas à des « erreurs » commises par les agences de notation. En la matière, elles n'ont fait que se conformer aux croyances de leur milieu, relayées par les voix les plus éminentes. D'autres agences auraient fait de même ou, si elles s'étaient conduites autrement, elles auraient perdu leurs clients. Il en est ainsi parce que cet aveuglement n'a rien d'un fait psychologique, il résulte des contraintes propres au jeu financier. C'est bien ce que démontre toute l'histoire financière : aucune crise n'a été évitée de cette manière. Cela n'a rien à voir avec une supposée irrationalité, ou cupidité, des hommes de la finance. Entre le profit immédiat que propose la continuation de la hausse et l'idée d'une possible catastrophe, il y a toute la distance existant entre la puissance et l'impuissance. La lutte est par trop inégale entre un intérêt futur, c'est-à-dire hypothétique et virtuel, et l'intérêt présent qui, lui, se fait connaître sur le mode impératif[1]. Dès lors qu'autour de vous, tout vous pousse à agir conformément à ce que votre intérêt immédiat vous dicte, les acteurs ne peuvent résister. Comment un gérant de sicav, en pleine bulle Internet, aurait-il pu conseiller d'éviter le secteur des nouvelles technologies ? Il aurait immédiatement perdu tous ses clients. Qui plus est, celui-là même qui est conscient du caractère déraisonnable de la hausse n'a nul intérêt à la stopper. Son intérêt est au contraire d'en jouer aussi longtemps que possible. De nouveau, cette analyse démontre qu'aucune force de rappel n'est présente sur les marchés financiers, qui viendrait en réguler les excès. La concurrence financière est d'une nature spécifique, fondamentalement instable.

Liquidité et convention : une synthèse

La troisième partie a démontré pourquoi concurrence financière et concurrence ordinaire répondent à des logiques distinctes, aux propriétés contrastées. Sur les marchés de biens, deux groupes aux intérêts opposés se font face, les producteurs et les consommateurs. Les premiers, qui sont

1. André Orléan, « L'aveuglement au désastre », *Esprit*, n° 343, mars-avril 2008, p. 12.

offreurs de biens, souhaitent des prix élevés, alors que les seconds, qui sont demandeurs, luttent pour des prix bas. Cette opposition, parce qu'elle produit des forces de sens contraire, stabilise les prix conformément à la loi de l'offre et de la demande. Sur les marchés secondaires de titres, rien de semblable ne s'observe. Les propriétaires d'actifs partagent tous le même désir d'un rendement élevé. Il n'existe pas structurellement, d'un côté, des acheteurs et, de l'autre, des vendeurs, mais des investisseurs qui sont alternativement offreurs ou demandeurs au gré de leur besoin de liquidité. Pour sauver, dans ces conditions, la loi de l'offre et de la demande, les économistes néoclassiques se sont prévalus d'une grandeur objective, la valeur intrinsèque des titres, supposée assurer l'ancrage des cours boursiers dans une réalité extérieure au marché et aux interactions. La présence de cette valeur serait à l'origine de forces de rappel interdisant la dérive des prix et conduisant à l'efficience. Ce modèle à rétroactions négatives ne tient pas, ni théoriquement parce que l'existence d'une telle grandeur objective repose sur une hypothèse erronée quant à la nature de l'incertitude marchande, ce qu'on a nommé l'« hypothèse probabiliste » ; ni empiriquement dans la mesure où les données fondamentales se montrent incapables de rendre compte des évolutions des cours qu'on a pu observer. L'idée répandue selon laquelle une même logique concurrentielle présiderait à l'échange des biens ordinaires comme à celle des actifs doit donc être rejetée[1]. Deux dynamiques distinctes doivent être considérées selon que l'échange porte sur l'utilité ou sur la liquidité. Il faut également abandonner l'hypothèse d'une valeur intrinsèque gouvernant la dynamique des cours boursiers.

---

1. Cette idée a trouvé sa consécration avec l'équilibre général, qui, grâce à l'introduction des biens contingents, propose une intelligibilité de l'ordre marchand intégralement construite autour du seul rapport aux objets. Se reporter au chapitre II.

Un tel abandon modifie en profondeur notre compréhension de la finance de marché. Rejeter l'existence d'une valorisation objective des titres bouleverse nos habitudes de pensée les mieux ancrées et ouvre des voies d'interprétation qui n'ont jamais été explorées. Le prix n'est plus l'expression d'une grandeur définie en amont des jeux marchands mais une création *sui generis* de la communauté financière en quête de liquidité. Telle est notre thèse centrale. Elle a pour fondement la notion de liquidité déjà rencontrée au chapitre IV.

Un objet est rendu liquide par le fait qu'un groupe le reconnaît comme constituant une expression légitime de la valeur. Chaque membre de ce groupe l'accepte dans l'échange en tant que « pouvoir d'achat », ou moyen de règlement, pour autant qu'il anticipe qu'il sera accepté par les autres sur ces mêmes bases. En ce sens, la liquidité ne renvoie pas à une substance mais à une croyance conventionnelle. Un tel lien ne peut se fonder que sur la base d'une solide confiance collective. La polarisation mimétique nous en livre le concept. Cette logique a été analysée en détail pour ce qui est de la monnaie. Elle donne à voir la forme absolue de la liquidité : « Comme représentant universel de la richesse matérielle, l'argent est sans limite parce qu'il est immédiatement transformable en toutes sortes de marchandises[1]. » Les titres en circulation dans la sphère financière constituent également une forme de liquidité, mais une liquidité subordonnée qui a pour origine l'équivalence avec la monnaie, et non l'accès direct aux marchandises. La condition pour que l'investisseur accepte de détenir le titre est qu'il lui soit possible de le revendre à un prix acceptable. Il s'ensuit une configuration autoréférentielle dans laquelle les acteurs sont focalisés sur le marché lui-même et ses évolutions prévisibles. Mais comment être sûr que le titre puisse être

1. Karl Marx, *Le Capital*, *op. cit.*, p. 108.

revendu à des conditions acceptables ? Comme dans le cas de la monnaie, il est impossible d'être absolument sûr : rien ne garantit que, demain, le titre pourra être revendu, de même qu'aucune certitude n'existe quant à l'acceptation future de la monnaie. Il s'agit d'une question de confiance quant au comportement collectif, ce que nous avons nommé le « croire en ». On peut cependant se montrer plus spécifique pour ce qui est des marchés financiers : il s'agit, pour les investisseurs, de « croire en » la justesse du prix. Pratiquement, ce « croire en » a pour objet la convention d'évaluation qui, durant une période donnée, structure la formation des prix financiers[1].

Cette analyse conforte ce qui a été dit à propos des biens liquides dans les chapitres précédents. Émerge, ce faisant, un modèle concurrentiel fort différent de celui traditionnellement mis en avant par les économistes lorsqu'ils analysent le rapport des individus à l'utilité. La mise en exergue de ce modèle de la liquidité, si particulier dans sa dynamique comme dans ses équilibres, est, à nos yeux, l'un des apports du présent livre. Son point de départ est une configuration autoréférentielle d'interactions dans lesquelles chacun recherche ce que les autres désirent, sur le modèle des jeux de « pure coordination[2] ». On

1. Il est possible de distinguer la convention d'évaluation *stricto sensu*, telle qu'elle a été définie précédemment, et une métaconvention portant sur l'aptitude générale du marché à produire des prix justes. C'est ce que nous avons proposé dans *Le Pouvoir de la finance* (*op. cit.*) qui distingue la « convention de continuité » et la « convention d'évaluation ». Cette distinction n'est pas fondamentale. Son intérêt vient principalement du fait que, lorsque Keynes parle de convention financière au chapitre XII de la *Théorie générale de l'emploi, de l'intérêt et de la monnaie* (*op. cit.*), il pense à ce que nous nommons « convention de continuité ».

2. Dans les jeux considérés par Schelling comme dans ceux analysés par Mehta, Starmer et Sugden, les gains sont identiques dans tous les équilibres. Cette hypothèse doit être levée à la manière de ce que nous avons considéré, au chapitre II, lorsque deux langues,

reconnaît ici ce que nous avons nommé au chapitre II, à la suite de René Girard, la « médiation interne[1] » : un processus rivalitaire à rétroactions positives entre individus mimétiques. Il a été montré que la rationalité, dans une telle configuration, se porte sur les objets saillants, c'est-à-dire ceux propres à être copiés par le plus grand nombre. Ces interactions se stabilisent *via* une croyance collective qui établit conventionnellement la valeur de ce qui est élu, ce par quoi cette valeur est mise provisoirement hors de portée des acteurs. Ce phénomène d'auto-extériorisation transforme en profondeur le groupe puisque, pour se coordonner avec autrui, il n'est plus nécessaire d'imiter tel ou tel. Il suffit désormais de s'en remettre au comportement conventionnel. La médiation externe se substitue à la médiation interne. Le mimétisme demeure, mais il est désormais focalisé sur un même modèle commun de sociabilité et de valeur, institué en surplomb des interactions. À la base de la monnaie, du titre négociable comme du chèque, se trouve cette même structure de nature autoréférentielle : une adhésion collective qui se construit à partir d'anticipations individuelles portant sur le comportement du groupe. En ce sens, la logique de la liquidité, qu'elle soit monétaire, financière ou bancaire, est fort différente de la logique de l'utilité. La liquidité a pour objet une croyance durable portant sur la valeur de la monnaie, du titre négociable

---

dont une est plus performante que l'autre, entrent en compétition. De même chez Brian Arthur (« Competing Technologies : An Overview », art. cit.), Robert Boyer et André Orléan (« How do Conventions Evolve ? », art. cit.) et Paul David (« Clio and the Economics of QWERTY », *American Economic Review*, vol. 75, n° 2, mai 1985).

1. Il y a « médiation » au sens où le sujet est à la recherche d'un modèle. Mais ce modèle peut changer en fonction des interactions. Il est fluctuant. Dans le cas des jeux de pure coordination, c'est à peine si on peut encore parler de « médiation » au sens propre.

ou des monnaies bancaires, alors que, du point de vue de l'utilité, le prix n'est que la mesure de l'obstacle qui doit être surmonté pour obtenir la valeur d'usage. Il n'a d'importance qu'instantanée, au moment de l'achat, en tant que dépense. Le prix d'une marchandise et le prix d'un titre ont des natures différentes.

La similitude existant entre ces diverses liquidités est également apparente dans le fait qu'elles produisent une interconnexion des intérêts pour tous ceux qui appartiennent à leur espace de circulation. C'est là la forme spécifique que prend la sociabilité marchande, par laquelle les individus séparés font société. La liquidité lie étroitement les acteurs économiques entre eux. Il en est ainsi, en premier lieu, parce que la valeur du bien liquide que détient l'individu α dépend du comportement des autres détenteurs. Si les autres détenteurs, pour une raison ou une autre, ne veulent plus du bien liquide, sa valeur tombera à zéro et l'individu α considéré pourrait se retrouver ruiné sans avoir rien fait. En conséquence, chaque acteur n'a d'autre choix que d'être constamment attentif au comportement du groupe dont il dépend pour sa richesse. S'il anticipe une inquiétude à venir, il est alors conduit à vendre au plus vite car les premiers vendeurs sont toujours ceux qui perdent le moins. Cette particularité qui pousse à vendre en premier rend possible ce qu'on appelle les phénomènes de « prophétie autoréalisatrice » : dès lors que les individus craignent une possible défiance, ils sont amenés à vendre pour se protéger, ce qui a pour effet de provoquer cette même panique dont ils cherchaient à se protéger. La simple crainte d'une crise peut produire la crise. Ce mécanisme s'observe classiquement pour les banques de dépôt[1] comme pour les marchés financiers. De

1. Se reporter au fameux article de Douglas W. Diamond et Philip H. Dybvig, « Bank Runs, Deposit Insurance, and Liquidity », *Journal of Political Economy*, vol. 91, n° 3, 1983.

telles dynamiques ne sauraient nous étonner. Elles ne sont que l'illustration du fait que la liquidité repose sur une croyance conventionnelle. La liquidité disparaît quand cette croyance est mise en doute. Certains s'opposent à cette manière de voir en faisant observer que l'acceptation du titre, comme celle du chèque, repose sur la garantie d'une valeur objective, soit la valeur fondamentale des titres, soit la couverture en monnaie centrale pour les dépôts à vue. Il n'en est rien. On a déjà vu ce qu'il fallait penser de la valeur objective des titres. Il en va de même pour les dépôts. Ils ne sauraient être garantis à 100 %. Seules les premières demandes de remboursement peuvent être intégralement satisfaites. Si la garantie a un rôle à jouer, ce n'est pas en tant que garantie objective mais en tant qu'elle favorise la perpétuation d'un climat de confiance.

Si on reprend la comparaison entre liquidités et langues proposée au chapitre II, on est conduit à voir dans les liquidités subordonnées (dépôts bancaires et titres financiers) ce qu'on peut nommer des « patois », à savoir des langues locales, parlées par des groupes spécifiques. Cette comparaison est intéressante par le fait que la valeur d'un patois, sa puissance de rayonnement, n'est pas à chercher dans sa conformité à la langue nationale sur le modèle de la convertibilité, mais dans son dynamisme propre, sa capacité à s'imposer largement comme moyen de communication. Il en va de même des liquidités. Elles progressent en fonction du nombre d'acteurs qui sont prêts à les accepter comme expression de la valeur. Ce point est important. Il doit être souligné[1]. Il est aisé à comprendre pour ce qui est des monnaies bancaires. La chose est plus subtile et moins classique pour les cours boursiers. Selon

1. D'ailleurs, mécaniquement, l'ampleur des conversions exigées par le souverain décroît au fur et à mesure que l'espace de circulation augmente. Se reporter au *Pouvoir de la finance*, dans la section consacrée à « La liquidité » (*op. cit.*, p. 130-138).

cette analyse, la force du cours boursier dépend, non pas de sa prétendue efficacité informationnelle, mais de son aptitude à s'imposer largement comme référence dans l'espace économique. Le capitalisme financiarisé moderne, parce qu'il pousse cette aptitude à son maximum, nous en offre une illustration exemplaire : tous les comportements, qu'ils soient de consommation, d'investissement, de production, d'épargne ou de répartition, y mettent en jeu cette variable. Il n'est que de penser à la valeur actionnariale pour la gestion des entreprises ; aux *stock-options* pour le calcul des rémunérations ; à l'effet richesse pour la consommation. C'est parce qu'il s'insinue dans toutes les pratiques, dans toutes les décisions, que le cours boursier affirme sa puissance. Considérons à titre d'exemple la norme comptable dite de la « *fair value* » (juste valeur). Elle impose que les actifs ne soient plus valorisés à leur coût historique d'achat, mais à leur valeur de marché. Par le biais de la diffusion de cette norme comptable, le marché financier voit son emprise sur les comportements économiques s'accroître. Il s'affirme ce faisant comme le lieu légitime de la valorisation. On se souvient que, en octobre 2008, cette norme comptable a dû être amendée car son maintien intégral aurait obligé les banques à constater des dépréciations qui auraient pesé fortement sur leurs capitaux propres et les auraient empêchées de respecter les ratios prudentiels[1]. Pour éviter ces faillites, il a fallu restreindre l'usage de la juste valeur. Cet exemple est représentatif d'un mode d'action qui est proprement conventionnel en tant qu'il a pour fondement la capacité de la liquidité à s'imposer comme une référence pour les comportements économiques.

Il résulte de cette analyse que la liquidité émerge comme un concept crucial permettant de rendre intelligible une

1. Bernard Colasse, « IFRS : Efficience *versus* instabilité », *Revue française de comptabilité*, n° 426, novembre 2009.

large gamme de phénomènes, monétaires, financiers[1] et bancaires. Ce qui est en jeu dans tous ces phénomènes, c'est la reconnaissance sociale de la valeur au sein d'une communauté particulière. Cet accord ne résulte pas d'un contrat mais de la constitution *sui generis* d'une puissance propre au groupe considéré, selon le modèle de la confiance conventionnelle. La production de cette référence commune procède selon une même dynamique à rétroactions positives conduisant aux mêmes propriétés : unanimité, multiplicité des équilibres, indétermination, inefficacité, dépendance par rapport au chemin, non-prédictibilité. Il faut cependant souligner qu'on ne peut mettre sur le même plan ces trois liquidités précitées. La liquidité monétaire, en tant qu'elle définit l'espace marchand originel, possède un pouvoir d'attraction qui demeure supérieur aux deux autres.

1. Financier au sens large, y compris les marchés de matières premières.

Conclusion générale

Dans ses travaux, Charles Malamoud, spécialiste de l'Inde védique, insiste sur le fait que, dans la société qu'il étudie, les rites servent de « modèles[1] » aux relations profanes. Ainsi, la *dakshinâ*, le paiement du prêtre sacrificiel, sert-elle de « modèle au salaire[2] ». « L'acte rituel est l'épure et le modèle de l'acte organisé, compliqué, qui connaît des articulations[3]. » Il fournit des principes, des schémas interprétatifs et une terminologie pour analyser et organiser le monde profane[4]. Les « modèles » que propose

1. « […] l'acte rituel est le modèle même de l'acte » (Charles Malamoud, « Le paiement des actes rituels dans l'Inde védique », *in* Michel Aglietta et André Orléan (dir.), *La Monnaie souveraine*, *op. cit.*, p. 38).

2. Dans « Terminer le sacrifice », cité par Mark Anspach (« Les fondements rituels de la transaction monétaire, ou comment remercier un bourreau », *in* Michel Aglietta et André Orléan (dir.), *La Monnaie souveraine*, *op. cit.*, p. 70).

3. Charles Malamoud, « Finance et monnaie, croyance et confiance ; le paiement des actes rituels dans l'Inde ancienne », *in* Michel Aglietta et André Orléan (dir.), *Souveraineté, Légitimité de la monnaie*, Paris, Cahiers « Finance, Éthique, Confiance », Association d'économie financière, 1995, p. 103.

4. « C'est bien la structure du rite qui fournit ses schémas et une partie de sa terminologie à l'action profane » (Charles Malamoud, « Le paiement des actes rituels dans l'Inde védique », art. cit., p. 46). Ou encore : « Souvent, quand on essaie d'expliquer et d'analyser un ensemble complexe d'actions, on s'efforce de le

la théorie néoclassique sont de cette même nature. Comme les rites védiques, ils sont indissociablement des normes, des explications et des instruments. Ce faisant, ils mêlent trois finalités qui demandent à être distinguées : dire ce qui doit être, dire ce qui est, et construire le monde. Toute la difficulté est dans ce mélange des genres sans équivalent du côté des sciences de la nature. En fait, l'économie s'intéresse moins à ce qui est qu'à ce qui devrait être[1], comme en témoigne sa propension avérée à se focaliser sur des formalismes déconnectés de tout fondement empirique, ce que Edmond Malinvaud nomme « des modèles abstraits pour des économies imaginaires[2]. » La rencontre entre Leonard Savage et Maurice Allais, à Paris, en 1952, à l'occasion d'un colloque sur l'incertitude, illustre de manière exemplaire le rapport difficile des économistes aux faits. L'enjeu du débat était le critère de choix proposé par Savage pour sélectionner plusieurs actions aux conséquences incertaines[3]. Allais veut démontrer que le critère de Savage n'est pas conforme au comportement

---

présenter comme un analogue de ce prototype qu'est le sacrifice et d'y reconnaître les combinaisons d'actes, de personnages et de substances matérielles qui constituent le sacrifice » (*ibid.*, p. 38).

1. À propos de l'économie, Durkheim écrit : « Ces spéculations abstraites ne constituent pas une science à proprement parler puisqu'elles ont pour objet de déterminer non ce qui est [...] mais ce [qui] doit être » (*Règles de la méthode sociologique*, *op. cit.*, p. 26).

2. Edmond Malinvaud (« Pourquoi les économistes ne font pas de découvertes ? », *Revue d'économie politique*, vol. 106, n° 6, novembre-décembre 1996, p. 939). Il ajoute : « [...] j'ai le sentiment [que les économistes] sont souvent trop loués pour un travail initial sur des modèles très spéciaux d'économies imaginaires [...], tandis que les explorations plus utiles et pénibles de l'adéquation au monde réel ne retiennent guère l'attention. »

3. Ce critère suppose de comparer les « espérances d'utilité » pour choisir la plus grande. L'espérance d'utilité se calcule comme une moyenne des utilités pondérée par les probabilités subjectives. Elle introduit deux estimations subjectives : les utilités et les probabilités.

de l'homme rationnel[1]. Montrer cela n'a rien d'évident, car ce critère met en jeu des estimations subjectives qui échappent en grande partie à l'observateur extérieur. En conséquence, face au choix entre une action A et une action B, il est possible que certains préfèrent A quand d'autres préfèrent B, sans que cela n'implique nullement que l'un ou l'autre des deux groupes agisse d'une manière erronée. La diversité des décisions résulte simplement de la diversité des points de vue quant à l'utilité des conséquences ou à la valeur des probabilités subjectives. Allais découvre cependant un moyen astucieux pour contourner cette difficulté et tester la validité du critère. Il propose deux choix simultanés, d'une part, entre A et B, et, d'autre part, entre C et D, qu'il a construits de telle sorte qu'un individu se conformant au critère de Savage et préférant A à B préférera nécessairement C à D, quels que soient par ailleurs ses penchants personnels[2]. Lorsqu'un individu quelconque est confronté à ces choix, ce lien logique

---

1. Voir Maurice Allais, « Le comportement de l'homme rationnel devant le risque : critique des postulats et axiomes de l'École américaine », *Econometrica*, vol. 21, n° 4, octobre 1953.

2. Dans l'article de Maurice Allais (*ibid.*), on trouve la définition des différentes alternatives :

A : Certitude de recevoir 100 millions.

B : 10 chances sur 100 de gagner 500 millions ; 89 chances sur 100 de gagner 100 millions ; 1 chance sur 100 de ne rien gagner.

C : 11 chances sur 100 de gagner 100 millions ; 89 chances sur 100 de ne rien gagner.

D : 10 chances sur 100 de gagner 500 millions ; 90 chances sur 100 de ne rien gagner.

Comme on le note, les loteries proposées ne sont pas intuitives. Elles ont été définies de façon à ce que, pour qui se conforme au critère de Savage, préférer A à B entraîne nécessairement de préférer C à D. La démonstration mathématique de cette propriété est simple. Notons que les probabilités sont ici des données. Elles sont objectives. Le critère de Savage englobe des situations pour lesquelles les probabilités sont estimées par les joueurs.

sous-jacent n'est en rien apparent. Dans ces conditions, que lui dicte son intuition[1] ? Quel sera son choix effectif ? Pour le savoir, Allais procède empiriquement. Il réunit une population d'individus pris au hasard auxquels il pose les deux questions : préférez-vous A ou B ? Préférez-vous C ou D ? Le résultat obtenu est étonnant : Allais observe que les individus qui préfèrent A à B préfèrent majoritairement D à C. Autrement dit, le comportement observé est en pleine contradiction avec le critère de Savage. C'est ce qu'on nomme le « paradoxe d'Allais ». Il a été, par la suite, fréquemment reproduit. Ce résultat porte un coup à la position de Savage. Il démontre que son critère ne fournit pas une bonne description de la manière dont les individus, dans la réalité, se comportent face à l'incertain. Mais ce n'est pas tout, car Allais n'a pas hésité à soumettre Savage lui-même à ce test. Il lui a présenté les deux choix et l'a interrogé sur ses préférences, évidemment sans rien dévoiler du lien mathématique sous-jacent. Allais a pris un gros risque car Savage n'est nullement un individu quelconque. Savage a longuement réfléchi aux décisions en situation d'incertitude et cette réflexion aurait pu le conduire à choisir conformément à son critère. Il n'en a rien été. Savage a répondu comme la majorité de la population : il a préféré A à B et D à C. Comble de l'ironie, l'inventeur du critère se comporte d'une manière qui contredit ses propres recommandations[2] !

Les expériences d'Allais sont sans ambiguïté : pour qui cherche à comprendre l'économie telle qu'elle est, elles imposent d'abandonner le critère de Savage pour lui subs-

---

1. Ce choix n'est pas simple dans la mesure où la différence entre les loteries met en jeu des événements de faible probabilité, à savoir 1 %.

2. Sur cet épisode, on peut se reporter à Peter C. Fishburn, « Reconsiderations in the Foundations of Decision Under Uncertainty », *The Economic Journal*, vol. 97, n° 388, décembre 1987.

tituer une conception mieux adaptée aux comportements observés[1]. Or il n'en a pas été ainsi. Contre l'évidence empirique, l'économie a maintenu le critère. Malgré les travaux de Allais, la « maximisation de l'espérance d'utilité » reste le modèle de base auquel recourent massivement les économistes pour décrire le comportement des individus rationnels face au risque. Cela est extrêmement révélateur du rapport contourné que l'économie entretient avec les faits. Les durkheimiens, en leur temps, ont justement insisté sur ce point. Ils n'ont cessé de souligner la légèreté avec laquelle les économistes traitent des faits[2]. Il faut ici citer longuement François Simiand, qui a consacré de nombreuses réflexions aux questions de méthode en économie[3] :

> « Au lieu que les abstractions de la méthode expérimentale font un effort incessant pour se modeler ou se régler sur

1. On notera que le critère de Savage est, en son origine, un critère normatif et non descriptif. Cependant, il est bien utilisé comme modèle descriptif par les économistes, ce qui renforce encore nos propres conclusions quant au « mélange des genres » pratiqué par les économistes : ils passent, sans difficulté, d'un modèle qui dit ce qui doit être à un modèle supposé dire ce qui est.

2. Contre ce point de vue, on peut faire valoir le développement récent de l'économie expérimentale. Plus largement, on peut souligner que de nombreux économistes contemporains laissent de côté le cadre conceptuel de la théorie économique pour ne retenir que ses méthodes quantitatives (économétrie, statistiques...). Dans cette perspective, l'économie ne serait plus qu'une boîte à outils, sans parti pris interprétatif. Cette approche demande à être étudiée sérieusement. Dans le cadre du présent livre, j'en resterai à une seule remarque : les faits ne se livrent jamais d'une manière brute et directe. Autrement dit, toute méthode quantitative met en jeu des hypothèses conceptuelles. Elle impose un filtre. Aussi l'économie expérimentale ne saurait-elle se substituer entièrement à la réflexion théorique. La question centrale reste bien celle d'un cadre alternatif d'intelligibilité.

3. On les trouve réunies dans le recueil d'articles intitulé *Critique sociologique de l'économie*, Paris, PUF, 2006.

la réalité concrète, se soumettent sans cesse à un contrôle de correspondance avec les faits et ne valent que dans la mesure où cette correspondance se vérifie, les abstractions dont il s'agit [en économie] sont des *idées*, que l'esprit de l'auteur forme à l'occasion, sans doute, de certaines données objectives originelles, mais qu'il forme librement, sans le souci immédiat d'une correspondance avec les faits, qu'il définit, modifie, combine en se gardant seulement de la contradiction formelle, mais sans préoccupation de la vérification expérimentale, et par sa seule faculté rationnelle de déduction, de présomption, d'imagination[1]. »

Simiand oppose à cette démarche qu'il qualifie de « conceptuelle » ou d'« idéologique[2] » une approche qui se conformerait au modèle des sciences naturelles : « [une approche qui aurait pour finalité de faire] la théorie des phénomènes économiques pris objectivement en eux-mêmes et d'un point de vue causal[3] ». Simiand s'insurge tout particulièrement contre cette pratique constante des économistes consistant à interpréter l'écart existant entre le modèle et la réalité comme une défaillance de la réalité et non pas comme une erreur du modèle ! Peut-on imaginer dérive plus inquiétante par rapport aux règles élémentaires de la démarche scientifique ? Elle conduit au paradoxe d'une science qui n'a pas produit de lois. Comme le dit Durkheim, « celles qu'on a l'habitude d'appeler ainsi ne méritent généralement pas cette qualification, [elles] ne sont que des maximes d'action, des préceptes pratiques

1. François Simiand, « Une théorie selon la "méthode abstraite" », in *Critique sociologique de l'économie* (textes présentés par Jean-Christophe Marcel et Philippe Steiner), Paris, PUF, coll. « Le lien social, 2006, chapitre III, p. 61-74 [1905], p. 62.

2. *Ibid.*

3. François Simiand, « Un système d'économie politique pure », in *Critique sociologique de l'économie*, *op. cit.*, chapitre IV, p. 75-85 [1908], p. 77.

déguisés[1] ». Il en est ainsi de la « loi de l'offre et de la demande » ou de la « loi d'Hotelling ». Il ne s'agit en rien d'authentiques lois de la nature à la manière des lois de la physique. Elles ne disent nullement ce qui est mais ce qui pourrait être sous certaines conditions. Au mieux, elles décrivent des mécanismes plausibles.

Cependant, la vigueur de cette critique comme son bien-fondé ne doivent pas masquer sa totale impuissance. Malgré leur pertinence, ces mises en garde ont été sans effet sur le destin de la discipline, comme en témoigne la diffusion exceptionnelle de la pensée néoclassique. Comme l'écrit le sociologue Richard Swedberg, peu suspect de partialité en la matière :

> « Il est clair, aux yeux de la plupart des spécialistes, que la science sociale la plus importante de notre temps est la science économique, plus précisément le type d'économie qui est habituellement qualifiée de *mainstream*, dont le bastion le plus puissant est aux États-Unis[2]. »

Comment expliquer un tel succès malgré de telles faiblesses ? Cette incapacité de la critique à infléchir d'une quelconque manière l'économie est en soi un phénomène étonnant et paradoxal qui demande une interprétation. À nos yeux, l'erreur des durkheimiens réside dans le fait de croire que sciences de la nature et sciences sociales partagent une même conception de la scientificité, en

1. *Règles de la méthode sociologique*, *op. cit.*, p. 26. Il ajoute : « [ces lois] ne sont en somme que des conseils de sagesse pratique et, si l'on a pu [...] les présenter comme l'expression même de la réalité, c'est que, à tort ou à raison, on a cru pouvoir supposer que ces conseils étaient effectivement suivis par la généralité des hommes et dans la généralité des cas » (*Ibid.*, p. 27).

2. Swedberg Richard, « Quand la sociologie économique rencontre l'économie des conventions », *in* François Eymard-Duvernay (dir.), *L'Économie des conventions, méthodes et résultats*, tome 1, Paris, La Découverte, 2006, p. 77-102.

conséquence de quoi ils ont évalué la réussite de l'économie sur la base de son aptitude à rendre intelligible le réel, « d'un point de vue causal ». Assurément, sous cet angle, l'économie fait pauvre figure. Mais il est d'autres critères d'efficacité que ceux mis en avant par la méthode hypothético-déductive. Là est la clef du succès de l'économie. Pour le comprendre, revenons à la rencontre entre Allais et Savage à Paris en 1952.

Lorsque Allais montre à Savage que son choix en faveur de D invalide ses travaux les plus célèbres, ce dernier ressent un sérieux choc psychologique. Il perçoit immédiatement toute la portée de son erreur. Il n'en conteste pas la réalité mais, après quelque temps de réflexion, il répond : « Vous avez raison. J'ai fait une erreur. Je suis tout à fait sûr de préférer A à B et je suis tout à fait sûr qu'une personne qui préfère A à B sera également plus heureuse avec C plutôt que D. En conséquence, je choisis C au lieu de D[1]. » Cette réponse est surprenante. Savage y déclare s'être trompé mais n'hésite pas à inverser son choix initial, affirmant désormais préférer C. Autrement dit, il s'en tient fermement à son critère et refuse la critique avancée par Allais. « Quel mauvais joueur et quel menteur ! », serions-nous tentés de nous exclamer, « voilà un individu qui n'accepte pas sa défaite et qui, par pur opportunisme, prétend maintenant préférer C à D. » Telle n'est pas notre analyse. Pour le comprendre, il faut commencer par noter que les choix A, B, C et D sont, à l'exception de A, des loteries complexes mettant en jeu des événements de très faible probabilité, à savoir 1 %. Il n'est pas aisé *a priori* de déterminer celles que l'on préfère. Chacun se sentira hésitant devant de tels choix. Or qu'est-ce que le critère de Savage ? Le

1. Cité par Steve Landsburg le 20 octobre 2010 dans *Anecdotes, Economics, Puzzles and Rationality* : http://www.thebigquestions.com/2010/10/20/the-noble-savage/.

critère de Savage est une construction normative qui a pour point de départ un certain nombre de postulats conformes à l'intuition. Ils sont supposés être aisément acceptables par tous les acteurs. Par exemple, le postulat de transitivité selon lequel un individu qui préfère A à B et B à C doit préférer A à C ne choquera personne. Le critère de Savage se déduisant logiquement de ces postulats, toute personne qui y adhère est rationnellement conduite à approuver le critère. En conséquence, ayant pris conscience de la contradiction entre son choix en faveur de D et son critère, Savage reprend son raisonnement pas à pas pour trouver la faille. Il commence, dans un premier temps, par réaffirmer sa préférence pour A. Sur ce point, son intuition est suffisamment solide pour qu'il ne la remette pas en cause. Dans un deuxième temps, il note que, si son critère est correct, alors toute personne préférant A à B *doit* préférer C à D. Dans un troisième temps, il applique cette proposition à lui-même : puisqu'il croit effectivement en la justesse de son critère, il *doit* préférer C à D. Tel est le sens de sa nouvelle réponse. Lorsqu'il compare la force de son intuition en faveur du choix D à la force de sa conviction en la pertinence de son critère, c'est cette dernière qui l'emporte. Donc il choisit C en toute bonne foi[1].

Assurément, cette manière de raisonner a sa cohérence. Il faut cependant souligner qu'elle manifeste une transformation radicale dans la nature et l'utilisation du critère de Savage. Désormais, ce critère intervient par le biais de l'adhésion dont il fait l'objet ; il influence

---

1. Leonard Savage, *The Foundations of Statistics*, *op. cit.*, p. 103. Par ailleurs, le même type de test a été effectué sur des individus informés au préalable du débat entre Allais et Savage. Cette information ne modifie pas les résultats. On observe toujours le paradoxe. Se reporter à Peter C. Fishburn, « Reconsiderations in the Foundations of Decision Under Uncertainty », art. cit., p. 838.

directement les comportements individuels. Ce faisant, on sort totalement du cadre des sciences de la nature. C'est comme si la pierre qui tombe se référait directement à la loi de la gravitation pour déterminer sa trajectoire. Dans ces conditions, ce n'est plus la gravité qui la meut mais son adhésion au modèle newtonien. De la même manière, le modèle de l'économiste cesse d'être une description objective de ce qui est ; il est devenu un guide pour l'action qui propose des conseils aux acteurs. Son rôle est d'autant plus souhaité que la situation est plus complexe. L'individu est heureux de trouver de l'aide, surtout lorsque cette aide emporte l'adhésion parce qu'elle présente tous les dehors de la rationalité et de l'efficacité. Lorsque Savage revient sur cet événement quelques années plus tard, il justifie son geste en faisant valoir qu'il s'agissait de corriger une erreur. Il écrit :

> « Il me semble que, en inversant mes préférences entre C et D, j'ai corrigé une erreur. Évidemment, en un sens important, mes préférences, parce qu'elles sont entièrement subjectives, ne sauraient être dans l'erreur – mais dans un sens différent, plus subtil, elles peuvent l'être. Permettez-moi de l'illustrer par un exemple simple sans référence à l'incertitude. Un homme achetant une voiture pour 2 134,56 dollars est tenté de la commander avec une radio déjà installée pour le prix total à 2 228,41 dollars, parce qu'il ressent la différence comme insignifiante. Mais lorsqu'il réfléchit que, s'il avait déjà la voiture, il ne dépenserait certainement pas 93,85 dollars pour une radio, il réalise qu'il a fait une erreur[1]. »

Dans l'exemple de la voiture, l'erreur que commet l'individu est classique. Il estime le prix de la radio comparativement au prix de la voiture, alors que la seule chose qui importe est son prix effectif. Peu importe que

1. Leonard Savage, *The Foundations of Statistics*, *op. cit.*, p. 103.

93,85 dollars ne fassent que 4,3 % du prix de la voiture, c'est toujours trop cher par rapport à ce que cela vaut. Ce type d'erreur est d'une nature similaire aux illusions d'optique : l'acteur a l'impression que la radio ne coûte pas cher parce que, à son insu, il la compare au prix de la voiture. Le fait de dévoiler l'illusion ne modifie pas nécessairement la perception de l'acteur, mais son cerveau sait que désormais ses sens le trompent. D'ailleurs, dans ce même texte, Savage confesse qu'il continue à ressentir une attirance spontanée pour le choix D, dont son cerveau lui dit par ailleurs qu'il ne convient pas.

Cet épisode illustre parfaitement l'ambiguïté du discours économique. Déjà, François Simiand, au début du XXe siècle, mettait en garde contre la prétention des économistes à définir le « vrai intérêt » des individus là où un partisan convaincu de la démarche scientifique s'attendrait à trouver une explicitation de ce que les individus considèrent comme étant leur intérêt[1]. Ces faits montrent à quel point la thèse de l'unité de la science, chère à Karl Popper, et selon laquelle sciences de la nature et sciences sociales partageraient une même épistémologie, est erronée. Les sciences sociales sont spécifiques par le fait qu'elles influencent directement la réalité qu'elles étudient. D'ailleurs, comment peut-on soutenir que l'éco-

---

1. « [...] [L'économiste] assigne pour tâche à la science économique de déterminer l'intérêt vrai des hommes [à savoir ce que l'économiste juge être tel]. Si elle étudie l'intérêt putatif [c'est-à-dire ce que les intéressés eux-mêmes jugent être leur intérêt], c'est pour en établir l'erreur ; et pas un moment il ne semble lui être venu à l'idée que la science économique aurait peut-être plutôt pour objet premier et essentiel d'étudier l'intérêt des hommes tel qu'ils l'entendent en fait, et non pas tel qu'il nous paraît [...] qu'ils devraient l'entendre, et qu'avant de déclarer que cet intérêt tel que l'entendent les hommes est une erreur, elle devrait commencer par le comprendre et l'expliquer, et même que c'est là sa tâche propre » (François Simiand, « La méthode positive en science économique », art. cit., p. 83).

nomie est une science comme une autre et, en même temps, constater qu'elle n'a jamais exhibé aucune de ces lois par lesquelles la scientificité traditionnelle se fait classiquement reconnaître ? En guise de réponse, certains invoquent la jeunesse de cette discipline. Mais, outre que l'argument est factuellement faux, il passe entièrement à côté du vrai problème qui est dans la singularité même de son projet scientifique. Dans l'exemple proposé, le choix en faveur du critère de Savage démontre clairement que les économistes n'ont pas pour finalité prioritaire de comprendre les faits tels qu'ils sont. Bien plus importante à leurs yeux est la mission éducative de l'économie. « Lutter contre les illusions d'optique des acteurs » est son mot d'ordre. L'économiste est essentiellement un tuteur qui fait advenir une réalité conforme à son modèle. La période actuelle offre une infinité d'exemples de cette implication de l'économie dans la transformation du monde. C'est particulièrement vrai de la financiarisation qui a trouvé dans la théorie de l'efficience son meilleur allié et son meilleur argumentaire. Face à cette situation, on serait tenté de dire, à rebours de Marx, que les économistes jusqu'à maintenant ont eu trop tendance à transformer le monde, et qu'on souhaiterait désormais qu'ils prennent plus de soin à l'interpréter. C'est là un des buts de notre projet de refondation : proposer une approche économique qui soit plus attentive aux faits parce qu'elle se donne pour priorité la compréhension de ce qui est. Cette mutation est essentielle.

En résumé, cette analyse prend acte du fait que le rapport à la réalité des sciences sociales se décline selon deux modalités : en tant qu'elles s'efforcent de rendre intelligible le monde et en tant qu'elles proposent des conseils visant à le transformer. Il s'ensuit deux critères d'évaluation concurrents, selon qu'on juge une proposition sur la base de sa capacité à penser les faits tels qu'ils sont, ou qu'on la juge sur la base de sa capacité à changer efficacement le monde. Dans la mesure où l'aptitude d'une idée à agir sur le monde suppose une certaine « adéquation » à la réalité – faute de quoi l'idée resterait virtuelle –, certains ont pu défendre que ces deux critères sont moins contradictoires qu'il n'y paraît. Il faut pourtant repousser une telle analyse. L'expérience est sur ce point sans ambiguïté : la mise en œuvre d'une idée est fonction des intérêts qui la défendent et des convictions qu'elle suscite, toutes choses n'ayant que le rapport le plus lointain à sa « vérité » intrinsèque. La période récente nous en fournit une illustration exemplaire. Il est certain que les immenses intérêts qu'a engendrés la financiarisation du capitalisme ont favorisé, chez les économistes, une vision bienveillante à l'égard de la finance de marché qui n'était pas justifiée et qui a conduit à une dérégulation catastrophique. Comment pourrait-il en être autrement ? Dès lors que les sciences sociales sont parties prenantes des affaires du monde, elles ne peuvent manquer de susciter l'intervention d'intérêts extra-scientifiques qui chercheront à en modifier les analyses à leur profit. C'est la loi commune. Il importe que les économistes en soient conscients[1] et qu'ils se donnent des règles à même de protéger au mieux l'autonomie de leur discipline[2]. Si cette question dépasse le cadre de la présente réflexion, il en est cependant une autre, étroitement liée, qui est, quant à elle, au centre des préoccupations de notre livre : en quoi l'hypothèse de la valeur utilité favorise-t-elle cette

1. Les économistes montrent une extrême réticence à admettre que leurs travaux puissent être influencés par des pouvoirs extra-académiques. C'est une réticence bien naturelle qu'on retrouve d'ailleurs dans toutes les communautés scientifiques. Ce qui rend le cas des économistes particulier est le fait que, par ailleurs, leurs analyses sont fondées sur le primat de l'intérêt. Ils ne devraient pas penser qu'eux-mêmes y échappent.

2. Se reporter à Nicolas Postel, « Le pluralisme est mort, vive le pluralisme ! », *L'Économie politique*, n° 50, avril 2011.

propension de l'économie à négliger les faits pour réfléchir à des « mondes imaginaires » ? Et en quoi, l'approche monétaire proposée comme alternative évite cette dérive ?

Pour répondre à ces questions, il importe de comprendre que ces deux approches n'ont pas la même conception du rapport à la réalité. En disant cela, nous ne voulons pas dire qu'elles sont en désaccord sur les faits eux-mêmes. La question n'est pas là. Le réel que la science considère va au-delà des faits constatés pour englober tout événement qui est compatible avec les lois régissant le monde, même si cet événement ne s'est pas réalisé et demeure simplement à l'état de possible. Selon cette acception, est réel tout ce que les forces à l'œuvre dans le monde sont susceptibles de produire. Le désaccord essentiel entre les deux approches porte précisément sur la nature de ces forces. Pour l'approche néoclassique, il n'existe qu'une seule force agissante : l'individu qui veut quelque chose parce que ce quelque chose lui est utile. Son modèle de base est celui du consommateur en quête de marchandises tel qu'on l'observe à l'origine de la théorie marginaliste de la valeur. Tout au long du présent livre, nous nous sommes efforcés de montrer qu'on ne pouvait pas s'en tenir aux seules volontés individuelles : l'activité économique met également en jeu des puissances collectives qui viennent dicter aux individus ce qu'il convient de faire. La monnaie nous en fournit l'illustration paradigmatique. Le désir qu'elle suscite ne résulte en rien d'une utilité intrinsèque qui serait recherchée pour elle-même. Il est une construction sociale qui trouve son origine dans la puissance de la multitude telle qu'elle est engendrée par la polarisation mimétique. Ce désir connaît sa propre logique. Pour cette raison, les « miracles monétaires » étudiés au chapitre V échappent au modèle individualiste de l'action rationnelle. Ils donnent à voir la présence de représentations collectives autonomes qui modèlent les anticipations des acteurs, pouvant les conduire soit à rechercher plus de monnaie, soit à la refuser. Du point de vue de la macroéconomie standard, ces phénomènes se traduisent par une forte instabilité de la demande de monnaie. L'économie néoclassique s'est jusqu'à maintenant refusée à prendre en considération de telles forces collectives[1]. Elle ne connaît que des volontés individuelles mues par l'utilité. De ce point de vue, il faut définir les économistes néoclassiques comme les spécialistes de cette force particulière qu'est l'action rationnelle, dont ils inventent sans cesse de nouvelles configurations. Est réelle à leurs yeux toute dynamique mettant en scène des individus poursuivant rationnellement leur intérêt. Il s'ensuit une conception très large de la réalité. En ce sens, le marché walrassien de « concurrence pure et parfaite » est bien réel, non pas en tant qu'il existerait factuellement des marchés fonctionnant conformément à son principe, mais en tant que le mécanisme walrassien est économiquement viable et peut fonctionner. Il en découle que le critère

1. Sur ce point, la citation de Edward Lazear est fort claire : « Le point de départ de la théorie économique est que l'individu ou la firme maximise quelque chose, habituellement de l'utilité ou du profit. Les économistes, presque sans exception, font de la maximisation la base de toute théorie. Nombre de nos analyses empiriques visent à tester des modèles qui sont fondés sur un comportement maximisateur. Quand nous obtenons des résultats qui semblent dévier de ce qui apparaîtrait comme la conduite individuelle rationnelle, nous réexaminons les preuves et révisons la théorie. Mais ces révisions théoriques n'écartent presque jamais l'hypothèse selon laquelle les individus maximisent quelque chose, même si ce quelque chose n'est pas orthodoxe. Peu d'économistes sont prêts à admettre que les individus simplement ne savent pas ce qu'ils font. Nous pouvons permettre une information imparfaite, des coûts de transactions et d'autres variables qui rendent les choses plus floues, mais nous ne modélisons pas de comportement qui soit déterminé par des forces au-delà du contrôle de l'individu » (« Economic Imperialism », *Quarterly Journal of Economics*, vol. 115, n° 1, février 2000, p. 100).

d'adéquation au réel d'un modèle repose, non pas sur sa conformité à ce qui est, mais sur la possibilité de le faire fonctionner. Non pas une confirmation par l'observation, mais par la *fabrication*. Dans cette analyse, l'économie est appréhendée à la manière d'un jeu de Lego, constitué de briques élémentaires qui peuvent être déplacées, sans être altérées, donnant naissance à des configurations d'interactions plus ou moins complexes. L'économiste n'intervient qu'en aval, sur le dessin des interactions, de façon à permettre une réalisation plus efficace des intérêts individuels, sans modifier ceux-ci. Pour que le mécanisme fonctionne, il suffit de laisser les individus agir librement. Pensons, à titre d'exemple, à la construction du marché walrassien à Fontaines-en-Sologne[1] ou à la légitimation des stock-options de façon à aligner les intérêts de la direction d'entreprise sur ceux des actionnaires. La gouvernementalité économique est fondée sur cette modalité spécifique de contrôle des conduites individuelles qui consiste à miser sur les intérêts[2]. Cependant, comme on l'a vu, les transformations que l'économie néoclassique provoque peuvent conduire à des catastrophes.

Si l'économie néoclassique fait valoir sa pertinence par le biais de son aptitude à transformer la réalité, il en va tout autrement avec l'approche que propose le présent livre. Son point de départ n'est pas une axiomatique de la souveraineté individuelle mais l'étude des forces sociales

---

1. Marie-France Garcia (dans « La construction sociale d'un marché parfait : le marché au cadran de Fontaines-en-Sologne », *Actes de la recherche en Sciences sociales*, n° 65, novembre 1986) montre comment les producteurs et les distributeurs de fraises de cette localité française se sont mis d'accord, en 1981, pour construire un système centralisé d'enchères de façon à déterminer les prix.

2. Michel Foucault, *Sécurité, Territoire, Population. Cours au Collège de France (1977-1978)*, Paris, Gallimard/Seuil, 2004, et *Naissance de la biopolitique. Cours au Collège de France (1978-1979)*, Paris, Gallimard/Seuil, 2004.

qui produisent les valeurs. Trois manifestations en ont été étudiées : la rareté, la monnaie et les conventions financières. Elles sont à l'origine, respectivement, des valeurs d'usage, de la valeur marchande, et de la valorisation boursière. Parce que ces forces sont au-delà de la maîtrise des individus, il s'ensuit que cette approche entretient un rapport au réel très différent de celui que promeut l'économie néoclassique. L'économiste ne saurait fabriquer ces forces, ni même les contrôler, car elles échappent radicalement à l'intentionnalité individuelle[1]. On ne peut que tenter d'en percer les mystères par l'observation scientifique. Pour cette raison de fond, cette approche privilégie l'étude des faits, qui est le seul chemin pour accéder à l'intelligibilité de ces phénomènes. Pour autant, elle ne négligera pas l'analyse des interactions telles qu'elles se développent une fois les valeurs instituées. C'est pour cette raison que l'approche orthodoxe n'est nullement rejetée. En effet, ce qui est propre à l'approche néoclassique, ce qui la caractérise, est de supposer la question de la valeur résolue avant même que ne débutent les interactions. Pour le dire simplement, l'*Homo œconomicus*, quand il entre en relation avec autrui, sait parfaitement ce qu'il veut. Sa fonction-objectif est déjà déterminée comme le sont les qualités des objets autour de lui. La seule question que l'individu doit alors résoudre est de savoir comment agir pour satisfaire au mieux ses intérêts. Il en découle un discours théorique qui saisit l'action économique du point de vue de la seule rationalité instrumentale. Cette manière particulière d'aborder les relations sociales est

1. « À mon sens, tous ces efforts pour réduire l'intentionnalité collective à l'intentionnalité individuelle se sont soldés par un échec. L'intentionnalité collective est un phénomène biologique primitif qui ne saurait être réduit ou éliminé en faveur de quelque chose d'autre » (John Searle, *La Construction de la réalité sociale*, Paris, Gallimard, 1998, p. 42).

explicitement revendiquée par de nombreux économistes, comme en témoigne le succès que connaît la définition de Lionel Robbins : l'économie est « la science qui étudie le comportement humain en tant que relation entre des fins et des moyens rares qui ont des usages alternatifs[1] ». Détachée de toute référence à un champ spécifique de phénomènes, cette définition ne retient comme seul critère que le principe de l'action rationnelle instrumentale. « Il n'existe aucune limitation quant à l'objet de la science économique[2] », précise Lionel Robbins. Comme le dit Edward Lazear, la seule condition est que « l'individu maximise quelque chose[3] ». Pour l'analyser, l'économiste a développé toute une panoplie d'instruments mathématiques visant à déterminer quelle stratégie satisfait au mieux le but recherché par l'individu, compte tenu de ses diverses contraintes[4]. La dextérité mathématique que peut nécessiter le calcul de la stratégie optimale sous contraintes ne doit cependant pas faire oublier que, du point de vue de

---

1. Lionel Robbins, *An Essay on the Nature and Significance of Economic Science*, Londres, The Macmillan Press Limited, 1932, p. 15.

2. *Ibid.*, p. 16.

3. Edward Lazear, « Economic Imperialism », art. cit., p. 100. Voir citation précédente.

4. C'est ainsi que Gary Becker définit l'approche économique comme « la combinaison des hypothèses de comportement maximisateur, d'équilibre du marché et de stabilité des préférences employée de manière ferme et définitive ». Ce qui le conduit à soutenir que « l'approche économique est une approche globale qui peut s'appliquer à tous les comportements humains » (*The Economic Approach to Human Behavior*, Chicago, University of Chicago Press, 1976, cité *in* Richard Swedberg, *Une histoire de la sociologie économique*, *op. cit.*, p. 215-216). Lazear, pour sa part, associe comportement maximisateur, équilibre et efficacité. Chez tous ces auteurs, l'économie se trouve définie, non pas substantiellement à partir de la spécification des activités qui la constituent, comme l'avait proposé Max Weber, mais bien à partir d'un modèle conceptuel.

l'intelligibilité du monde économique, ce qui est vraiment important est de savoir ce qui fait que l'individu poursuit telle finalité ; autrement dit, la question du sens de son action et des valeurs qui la gouvernent.

Ainsi interprété, le travail néoclassique fournit de précieuses connaissances quant à la dynamique en régime de l'ordre marchand, lorsque les qualités et les utilités sont définies. En conséquence, pour autant que les finalités individuelles se trouvent décrites d'une manière satisfaisante, il s'offre à de nombreuses applications : aide aux acteurs afin de déterminer la stratégie optimale ; aide aux décideurs afin de faire advenir la solution conforme au bien commun. La force de l'économie néoclassique est tout entière dans cette aptitude à répondre aux intérêts des uns et des autres. C'est aussi sa fragilité, dans la mesure où ces mêmes intérêts vont en retour faire pression sur les analyses économiques pour les enrôler à leur service (patronat, syndicats, pouvoirs publics ou médias). Cependant, ne perdons pas de vue que cette démarche est fragile essentiellement pour des raisons d'un autre ordre, à savoir pour des raisons d'une nature strictement théorique : parce qu'elle ne maîtrise pas les conditions de sa validité. La théorie néoclassique repose sur des hypothèses institutionnelles implicites qui échappent au modélisateur. Dans le cadre théorique étroit qui a été considéré, à savoir une économie marchande[1], il s'agit essentiellement de la question de la liquidité. Le rapport utilitaire aux marchandises que décrit l'équilibre général a pour condition l'institution de la monnaie. Si son aptitude à répondre au désir de liquidité des acteurs en le stabilisant se trouvait remise en cause, il s'ensuivrait de

1. L'analyse du capitalisme demande d'aller au-delà de la prise en compte du seul rapport marchand. À titre d'exemple, la théorie de la régulation distingue cinq formes institutionnelles : la monnaie, la concurrence, le rapport salarial, l'État, l'insertion internationale.

graves perturbations dans les échanges, perturbations dont la logique est totalement étrangère à la pensée walrassienne. En résumé, l'intelligibilité complète de l'ordre marchand échappe à l'économiste néoclassique parce qu'elle nécessite un point de vue qui va bien au-delà de la seule rationalité instrumentale. Il importe de saisir les valeurs communes qui sont au fondement de toute vie sociale[1]. On reconnaît là le fil directeur du livre : il s'agit de rompre avec la perspective de la valeur substance qui objective indûment les relations économiques. La valeur n'est pas dans les objets ; elle est une production collective qui permet la vie en commun. Elle a la nature d'une institution.

---

1. Les réflexions que Marie-France Garcia consacre à la fabrication d'un marché walrassien à Fontaines-en-Sologne vont tout à fait dans ce sens. Il est montré que ce marché repose sur un intense travail social sans lequel le mécanisme d'enchères centralisées ne fonctionnerait pas. Garcia note, en particulier, des manifestations hostiles des producteurs à l'égard des acheteurs qui « risquent de compromettre le climat de cordialité nécessaire à la réalisation des transactions » (« La construction sociale d'un marché parfait : le marché au cadran de Fontaines-en-Sologne », art. cit., p. 11). En conséquence, « pour maintenir la "bonne entente" [...], le président et le trésorier sont présents tous les jours, observent, conseillent, rappellent à l'ordre » (*ibid.*).

Références bibliographiques

Aftalion Albert, *Monnaie, Prix et Change. Expériences récentes et théorie*, Paris, Sirey, 1940 [1927].

Aglietta Michel et André Orléan, *La Violence de la monnaie*, Paris, PUF, coll. « Économie en liberté », 1982.

Aglietta Michel, *Régulation et Crises du capitalisme*, Paris, Odile Jacob, coll. « Opus », 1997 [1976].

Aglietta Michel, Andreau Jean, Anspach Mark, Birouste Jacques, Cartelier Jean, de Coppet Daniel, Malamoud Charles, Orléan André, Servet Jean-Michel, Théret Bruno et Jean-Marie Thiveaud, « Introduction », *in* Michel Aglietta et André Orléan (dir.), *La Monnaie souveraine*, Paris, Odile Jacob, 1998, p. 9-31.

Aglietta Michel et André Orléan (dir.), *La Monnaie souveraine*, Paris, Odile Jacob, 1998.

Aglietta Michel et André Orléan, *La Monnaie entre violence et confiance*, Paris, Odile Jacob, 2002.

Akerlof George, « The Market for "Lemons" : Quality Uncertainty and the Market Mechanism », *Quarterly Journal of Economics*, vol. 84, n° 3, août 1970, p. 488-500 (traduit dans Maya Bacache-Beauvallet et Marc Montoussé (dir.), *Textes fondateurs en sciences économiques depuis 1970*, Rosny-sous-Bois, Éditions Bréal, 2003, p. 9-22).

Albert, Michel, *Capitalisme contre capitalisme*, Paris, Seuil, 1991.

Allais Maurice, « Le comportement de l'homme rationnel devant le risque : critique des postulats et axiomes de l'École américaine », *Econometrica*, vol. 21, n° 4, octobre 1953, p. 503-546.

Anspach Mark, « Les fondements rituels de la transaction monétaire, ou comment remercier un bourreau », *in* Michel Aglietta et André Orléan (dir.), *La Monnaie souveraine*, Paris, Éditions Odile Jacob, 1998, p. 53-83.

Aron Raymond, *Les Étapes de la pensée sociologique*, Paris, Gallimard, coll. « Tel », 2007.

Arrow Kenneth J., « The Role of Securities in the Optimal Allocation of Risk-Bearing », *The Review of Economic Studies*, vol. 31, n° 2, avril 1964, p. 91-96.

Arrow Kenneth J. et Frank Hahn, *General Competitive Analysis*, Édimbourg, Oliver and Boyd, 1972.

Arthur W. Brian, « Competing Technologies : An Overview », *in* Giovanni Dosi, Christopher Freeman, Richard Nelson, Gerarld Silverberg et Luc Soete (dir.), *Technical Change and Economic Theory*, Londres, Pinter Publishers, 1988, p. 590-607.

Arthur W. Brian, « Les rétroactions positives en économie », *Pour la science*, n° 150, avril 1990, p. 114-119.

Artous Antoine, *Le Fétichisme chez Marx*, Paris, Éditions Syllepse, 2006.

Baumgartner Wilfrid, *Le Rentenmark*, Paris, PUF, 1925.

Becker Gary S., *The Economic Approach to Human Behavior*, Chicago, University of Chicago Press, 1976.

Benetti Carlo et Jean Cartelier, *Marchands, Salariat et Capitalistes*, Paris, François Maspero, coll. « Intervention en économie politique », 1980.

Berthoud Arnaud, « Économie politique et morale chez Walras », *Œconomia*, n° 9, mars 1988, p. 65-93.

Blancheton Bertrand, *Le Pape et l'Empereur. La Banque de France, la direction du Trésor et la Politique monétaire de la France (1914-1928)*, Paris, Albin Michel, coll. « Histoire de la mission historique de la Banque de France », 2001.

Boltanski Luc et Laurent Thévenot, *De la justification. Les économies de la grandeur*, Paris, Gallimard, coll. « NRF essais », 1991.

Bouchaud Jean-Philippe et Christian Walter, « Les marches aléatoires », *Pour la science*, dossier hors-série sur *Le Hasard*, avril 1996, p. 92-95.

Bourghelle David, Brandouy Olivier, Gillet Roland et André Orléan, *Croyances, Représentations collectives et Conventions en finance*, Paris, Economica, 2005.

Boyer Robert et André Orléan, « How do Conventions Evolve ? », *Journal of Evolutionary Economics*, vol. 2, 1992, p. 165-177.

Boyer Robert et André Orléan, « Persistance et changement des conventions », *in* André Orléan (dir.), *Analyse économique des conventions*, Paris, PUF, 1994, p. 219-247.

Boyer Robert, *La Croissance, début de siècle*, Paris, Albin Michel, 2002.

Bresciani-Turroni Costantino, *The Economics of Inflation. A study of Currency Depreciation in Post-War Germany*, Londres, August M. Kelley Publishers, 1968.

Callon Michel, *The Laws of the Market*, Oxford, Blackwell, 1998.

Campagnolo Gilles, *Carl Menger entre Aristote et Hayek. Aux sources de l'économie moderne*, Paris, CNRS Éditions, 2008.

Carruthers Bruce G. et Arthur L. Stinchcombe, « The Social Structure of Liquidity : Flexibility, Markets and States », *Theory and Society,* vol. 28, n° 3, juin 1999.

Cartelier Jean, « Théorie de la valeur ou hétérodoxie monétaire : les termes d'un choix », *Économie appliquée*, tome XXXVIII, n° 1, 1985, p. 63-82.

Castoriadis Cornelius, « Valeur, égalité, justice, politique : de Marx à Aristote et d'Aristote à nous », in *Les Carrefours du labyrinthe*, Paris, Seuil, coll. « Esprit », 1978, p. 249-316 [1975].

Chamberlin Edward Hastings, *La Théorie de la concurrence monopolistique. Une nouvelle orientation de la théorie de la valeur*, Paris, PUF, 1953 [1933].

Chancellor Edward, *Devil Take the Hindmost. An History of Financial Speculation*, New York, Farrar, Straus and Giroux, 1999.

Colasse Bernard, « IFRS : Efficience *versus* instabilité », *Revue française de comptabilité*, n° 426, novembre 2009, p. 43-46.

de Coppet Daniel, « Une monnaie pour une communauté mélanésienne comparée à la nôtre pour l'individu des sociétés européennes », *in* Michel Aglietta et André Orléan (dir.), *La Monnaie souveraine*, Paris, Odile Jacob, 1998, p. 159-211.

Cowen Tyler et Randall Kroszner, « The Development of the New Monetary Economics », *Journal of Political Economy*, vol. 95, n° 3, p. 567-590.

Cutler David M., Poterba James M. et Lawrence H. Summers, « What Moves Stock Prices ? », *The Journal of Portfolio Management*, printemps 1989, p. 4-12.

David Paul, « Clio and the Economics of QWERTY », *American Economic Review*, vol. 75, n° 2, mai 1985, p. 332-337.

Debreu Gérard, *Théorie de la valeur. Analyse axiomatique de l'équilibre économique*, Paris, Dunod, coll. « Théories économiques », 2001 [1959].

Diamond Douglas W. et Philip H. Dybvig, « Bank Runs, Deposit

Insurance, and Liquidity », *Journal of Political Economy*, vol. 91, n° 3, 1983, p. 401-419.

Dornbusch Rudiger, « Stopping Hyperinflation : Lessons from the German Inflation Experience of the 1920s », *NBER Working Paper*, n° 1675, août 1985.

Douglas Mary, *Ainsi pensent les institutions*, Paris, Usher, 1989.

Dowd Kevin et David Greenaway, « Currency Competition, Network Externalities and Switching Costs : Towards an Alternative View of Optimum Currency Areas », *The Economic Journal*, vol. 103, n° 420, septembre 1993, p. 1180-1189.

Duffie Darrell, *Modèles dynamiques d'évaluation*, Paris, PUF, coll. « Finance », 1994 [1992].

Dumont Louis, *Essais sur l'individualisme*, Paris, Seuil, coll. « Points Essais », 1991 [1983].

Dumouchel Paul, « L'ambivalence de la rareté », *in* Paul Dumouchel et Jean-Pierre Dupuy (dir.), *L'Enfer des choses*, Paris, Seuil, 1979, p. 135-254.

Dupuy Jean-Pierre, « Le signe et l'envie », *in* Paul Dumouchel et Jean-Pierre Dupuy (dir.), *L'Enfer des choses*, Paris, Seuil, 1979, p. 15-134.

Dupuy Jean-Pierre, « Convention et *Common knowledge* », *Revue économique*, vol. 40, n° 2, mars 1989, p. 361-400.

Durkheim Émile, « Représentations individuelles et représentations collectives », in *Sociologie et Philosophie*, Paris, PUF, coll. « Le sociologue », 1967, chapitre I, p. 1-38 (publié dans la *Revue de métaphysique et de morale,* tome VI, mai 1898).

Durkheim Émile, « Jugements de valeur et jugements de réalité », in *Sociologie et Philosophie*, Paris, PUF, coll. « Le sociologue », 1967, chapitre IV, p. 90-109 [1911].

Durkheim Émile, *De la division du travail social*, Paris, PUF, 1978 [1893].

Durkheim Émile, *Les Règles de la méthode sociologique*, Paris, PUF, coll. « Quadrige », 1993 [1895].

Durkheim Émile, *Les Formes élémentaires de la vie religieuse. Le système totémique en Australie*, Paris, PUF, coll. « Quadrige », 2003 [1912].

Fama Eugene, « Random Walks in Stock Market Prices », *Financial Analysts Journal*, vol. 21, n° 5, septembre-octobre 1965, p. 55-59.

Fama Eugene, « Efficient Capital Markets : A Review of Theory and Empirical Work », *Journal of Finance*, vol. 25, 1970, p. 383-417.

Fauconnet Paul et Marcel Mauss, « La sociologie : objet et

méthode », *in* Marcel Mauss, *Œuvres*, tome III : *Cohésion sociale et divisions de la sociologie*, Paris, Éditions de Minuit, 1974, p. 139-177 [1901].

Favereau Olivier, « Marchés internes, marchés externes », *Revue économique*, numéro spécial consacré à « L'économie des conventions », vol. 40, n° 2, mars 1989, p. 274-328.

Fidelity Fundamentals, « Long-Term Investing Through the Cycle », 2010 :
http://www.capitaltower.co.uk/files/Long % 20Term % 20Investing.pdf.

Fishburn Peter C., « Reconsiderations in the Foundations of Decision Under Uncertainty », *The Economic Journal*, vol. 97, n° 388, décembre 1987, p. 825-841.

Fisher Franklin M., *Disequilibrium Foundations of Equilibrium Economics*, Cambridge, Cambridge University Press, 1983.

Fonds monétaire international, *Global Financial Stability Report*, avril 2006.

Foucault Michel, *Sécurité, Territoire, Population. Cours au Collège de France (1977-1978)*, Paris, Gallimard/Seuil, coll. « Hautes Études », 2004.

Foucault Michel, *Naissance de la biopolitique. Cours au Collège de France (1978-1979)*, Paris, Gallimard/Seuil, coll. « Hautes Études », 2004.

Fourgeaud André, *La Dépréciation et la Revalorisation du mark allemand et les Enseignements de l'expérience monétaire allemande*, Paris, Payot, coll. « Bibliothèque technique », 1926.

François Simiand, « Une théorie selon la "méthode abstraite" », in *Critique sociologique de l'économie*, textes présentés par Jean-Christophe Marcel et Philippe Steiner, Paris, PUF, coll. « Le lien social, 2006, chapitre III, 61-74 [1905], p. 62.

Friedman Milton, *Inflation et Systèmes monétaires*, Paris, Calmann-Lévy, coll. « Agora », 1976.

Garcia Marie-France, « La construction sociale d'un marché parfait : le marché au cadran de Fontaines-en-Sologne », *Actes de la recherche en Sciences sociales*, n° 65, novembre 1986, p. 2-13.

Girard René, *Mensonge romantique et Vérité romanesque*, Paris, Grasset, 1961.

Girard René, *La Violence et le Sacré*, Paris, Grasset, 1972.

Granovetter Mark, « Economic Action and Social Structure : the Problem of Embeddedness », *American Journal of Sociology*, vol. 91, n° 3, novembre 1985, p. 481-510 (traduit sous le titre

« Action économique et structure sociale : le problème de l'encastrement », in *Le Marché autrement. Essais de Mark Granovetter*, Paris, Desclée de Brouwer, coll. « Sociologie économique », Paris, 2000, chapitre II, p. 75-114).

Granovetter Mark, « Les institutions économiques comme constructions sociales », *in* André Orléan (dir.), *Analyse économique des conventions*, Paris, PUF, coll. « Quadrige », 2004, chapitre III, p. 119-134.

Grenier Jean-Yves, *L'Économie d'Ancien Régime. Un monde de l'échange et de l'incertitude*, Paris, Albin Michel, 1996.

Grenier Jean-Yves, « La monnaie des sciences sociales », *Annales, Histoire, Sciences Sociales*, vol. 55, n° 6, novembre-décembre 2000, p. 1335-1342.

Grenier Jean-Yves, *Histoire économique. La révolution industrielle et l'essor du capitalisme,* Palaiseau, Éditions de l'École polytechnique, 2010.

Guerrien Bernard, *La Théorie néoclassique,* tome I : *Microéconomie*, Paris, La Découverte, coll. « Repères », 1999.

Guesnerie Roger, « L'économie, discipline autonome au sein des sciences sociales ? », *Revue économique*, vol. 52, n° 5, septembre 2001, p. 1055-1063.

Hahn Frank, « Stability », *in* Kenneth J. Arrow et Michael Intriligator (dir.), *Handbook of Mathematical Economics*, vol. II, Amsterdam, North-Holland Publishing Company, 1982, p. 746-793.

Hahn Frank, *Equilibrium and Macroeconomics*, Oxford, Basil Blackwell, 1984.

Hahn Frank, « On Some Problems of Proving the Existence of an Equilibrium in a Monetary Economy », *in* Frank Hahn, *Equilibrium and Macroeconomics*, Oxford, Basil Blackwell, 1984, p. 147-157.

Hall Robert E., « Monetary Trends in the United States and the United Kingdom », *Journal of Economic Literature*, vol. 20, décembre 1982, p. 1552-1556.

Harrison J. Michael et David M. Kreps, « Speculative Investor Behavior in a Stock Market with Heterogeneous Expectations », *Quarterly Journal of Economics*, vol. XCIII, n° 2, mai 1978, p. 323-36.

Hayek Friedrich A., *Denationalization of Money*, Londres, Institute of Economic Affairs, 1976.

Hayek Friedrich A., « L'utilisation de l'information dans la société », *Revue française d'économie*, vol. 1, n° 2, automne 1986, p. 117-135 (traduction de « The Use of Knowledge in Society »,

American Economic Review, vol. 35, n° 4, septembre 1945, p. 519-530).

Hirshleifer Jack, « Investment Decision under Uncertainty : Choice-Theoretic Approaches », *Quarterly Journal of Economics*, vol. LXXIX, n° 4, novembre 1965, p. 509-536.

Kahneman Daniel et Amos Tversky, « Prospect Theory : An Analysis of Decision Under Risk », *Econometrica*, vol. 47, mars 1979, p. 263-291.

Karpik Lucien, *L'Économie des singularités*, Paris, Gallimard, coll. « Bibliothèque des sciences humaines », 2007.

Kast Robert et André Lapied, *Fondements microéconomiques de la théorie des marchés financiers*, Paris, Economica, coll. « Gestion », 1992.

Keynes John Maynard, « The General Theory of Employment », *Quarterly Journal of Economics*, vol. 51, n° 2, février 1937, p. 209-223.

Keynes John Maynard, *Théorie générale de l'emploi, de l'intérêt et de la monnaie*, Paris, Payot, coll. « Petite bibliothèque Payot », 1971 [1936].

Keynes John Maynard, « Perspectives économiques pour nos petits-enfants », in *Essais sur la monnaie et l'économie*, Paris, Payot, coll. « Petite bibliothèque Payot », 1978, p. 127-141 [1930].

Kindleberger Charles P., *Manias, Panics, and Crashes. A History of Financial Crises*, Londres, Macmillan Press Ltd, 1978.

Kindleberger Charles P., *La Grande Crise mondiale 1929-1939*, Paris, Economica, 1988.

Kirman Alan, « General Equilibrium », *in* Paul Bourgine et Jean-Pierre Nadal (dir.), *Cognitive Economics. An Interdisciplinary Approach*, Berlin-Heidelberg et New York, Springer-Verlag, 2004, chapitre III, p. 33-53.

Knight Frank H., *Risk, Uncertainty, and Profit*, Boston-New York, Houghton Mifflin Company, 1921.

Kuhn Thomas S., *La Structure des révolutions scientifiques*, Paris, Flammarion, 1983.

Kurz Mordecai, « On the Structure and Diversity of Rational Beliefs », *Economic Theory*, vol. 4, 1994, p. 877-900.

Kurz Mordecai, « Rational Beliefs and Endogenous Uncertainty : Introduction », *Economic Theory*, vol. 8, 1996, p. 383-397.

Lancaster Kelvin, « A New Approach to Consumer Theory », *Journal of Political Economy*, vol. 74, n° 2, avril 1966, p. 132-157.

Lange Oskar, « On the Economic Theory of Socialism », *in* Benjamin

E. Lippincott (dir.), *On the Economic Theory of Socialism*, Minneapolis, University of Minnesota Press, 1938, p. 55-143.

Lazear Edward, « Economic Imperialism », *Quarterly Journal of Economics*, vol. 115, n° 1, février 2000, p. 99-146.

Le Rider Georges, *La Naissance de la monnaie. Pratiques monétaires de l'Orient ancien*, Paris, PUF, 2001.

Lordon Frédéric, « La légitimité au regard du fait monétaire », *Annales. Histoire, Sciences Sociales*, vol. 55, n° 6, novembre-décembre 2000, p. 1349-1359.

Lordon Frédéric et André Orléan, « Genèse de l'État et genèse de la monnaie : le modèle de la *potentia multitudinis* », *in* Yves Citton et Frédéric Lordon (dir.), *Spinoza et les Sciences sociales. De la puissance de la multitude à l'économie des affects*, Paris, Éditions Amsterdam, coll. « Caute ! », 2008, p. 127-170.

Lordon Frédéric, *Capitalisme, Désir et Servitude. Marx et Spinoza*, Paris, La Fabrique Éditions, 2010.

Lordon Frédéric, « La puissance des institutions (autour de *De la critique* de Luc Boltanski) », *Revue du MAUSS permanente*, 8 avril 2010 [en ligne]. http://www.journaldumauss.net/spip.php?article678

Lucas Robert E., *Studies in Business-Cycle Theory*, Cambridge (MA)-Londres, The MIT Press, 1984.

Macpherson Crawford B., *La Théorie politique de l'individualisme possessif*, Paris, Gallimard, coll. « Folio Essais », 2004 [1962].

Malamoud Charles, « Finance et monnaie, croyance et confiance ; le paiement des actes rituels dans l'Inde ancienne », *in* Michel Aglietta et André Orléan (dir.), *Souveraineté, Légitimité de la monnaie*, Paris, Cahiers « Finance, Éthique, Confiance », Association d'économie financière, 1995, p. 99-129.

Malamoud Charles, « Le paiement des actes rituels dans l'Inde védique », *in* Michel Aglietta et André Orléan (dir.), *La Monnaie souveraine*, Paris, Odile Jacob, 1998, p. 35-52.

Malinvaud Edmond, « Pourquoi les économistes ne font pas de découvertes ? », *Revue d'économie politique*, vol. 106, n° 6, novembre-décembre 1996, p. 929-942.

Malkiel Burton G., « The Efficient Market Hypothesis and its Critics », *Journal of Economic Perspectives*, vol. 17, n° 1, hiver 2003, p. 59-82.

Mandelbrot Benoît B., « Formes nouvelles du Hasard dans les Sciences », *Économie appliquée*, vol. XXVI, 1973, p. 307-319.

Marx Karl, *Contribution à la critique de l'économie politique*, Paris, Éditions Sociales, 1957.

Marx Karl, *Introduction à la critique de l'économie politique*, *in* Karl Marx et Friedrich Engels, *Textes sur la méthode de la science économique* (édition bilingue), Paris, Éditions Sociales, 1974 [1857].

Marx Karl, *Le Capital*, Livre I, sections I à IV, Paris, Flammarion, coll. « Champs », 1985 [1867].

Mauss Marcel, « Les origines de la notion de monnaie », in *Œuvres*, tome II : *Représentations collectives et Diversité des civilisations*, Paris, Éditions de Minuit, 1974 [1914], p. 106-112.

Mehta Judith, Starmer Chris et Robert Sugden, « The Nature of Salience : An Experimental Investigation of Pure Coordination Games », *American Economic Review*, vol. 84, n° 2, juin 1994, p. 658-673.

Menger Carl, « On the Origin of Money », *Economic Journal*, vol. 2, 1892, p. 233-255.

Menger Carl, « La monnaie, mesure de valeur », *Revue d'économie politique*, vol. 6, 1892, p. 159-175 (repris dans Gilles Campagnolo, *Carl Menger entre Aristote et Hayek. Aux sources de l'économie moderne*, Paris, CNRS Éditions, 2008, p. 206-220).

Michel Albert, *Capitalisme contre capitalisme*, Paris, Seuil, 1991.

Montesquieu, *De l'esprit des lois*, Paris, Classiques Garnier, 2011.

Moreau Émile, *Souvenir d'un gouverneur de la Banque de France. Histoire de la stabilisation du franc (1926-1928)*, Paris, Éditions M.-Th. Génin, Librairie de Médicis, 1954.

Morgenstern Oskar et von Neumann John, *Theory of Games and Economic Behaviour*, Princeton, Princeton University Press, 1944.

Morishima Michio, *Marx's Economics. A Dual Theory of Value and Growth*, Cambridge, Cambridge University Press, 1974 [1973].

Mouré Kenneth, *La Politique du franc Poincaré (1926-1936)*, Paris, Albin Michel, coll. « Histoire de la mission historique de la Banque de France », 1998.

Orléan André, *Le Pouvoir de la financ*e, Paris, Odile Jacob, 1999.

Orléan André, « Le tournant cognitif en économie », *Revue d'économie politique*, vol. 112 (5), septembre-octobre 2002, p. 717-738.

Orléan André, « L'économie des conventions : définitions et résultats », préface à *Analyse économique des conventions*, Paris, PUF, coll. « Quadrige Manuels », 2004, p. 9-48.

Orléan André, « Efficience, finance comportementale et convention : une synthèse théorique », *in* Robert Boyer, Mario Dehove et

Dominique Plihon (dir.), *Les Crises financières*, compléments A, rapport du Conseil d'analyse économique, octobre 2004, p. 241-270.

Orléan André, « What is a Collective Belief ? », *in* Paul Bourgine et Jean-Pierre Nadal (dir.), *Cognitive Economics*, Berlin-Heidelberg et New Yok, Springer-Verlag, 2004, p. 199-212.

Orléan André, « L'aveuglement au désastre. Le cas des crises financières », *Esprit*, n° 343, mars-avril 2008, p. 9-19.

Orléan André, « Les croyances monétaires et le pouvoir des banques centrales », *in* Jean-Philippe Touffut (dir.), *Les Banques centrales sont-elles légitimes ?* Paris, Albin Michel, 2008, p. 17-35.

Orléan André, « La sociologie économique de la monnaie », *in* François Vatin et Philippe Steiner (dir.), *Traité de sociologie économique*, Paris, PUF, 2009, chapitre VI, p. 209-246.

Oskar Lange, « On the Economic Theory of Socialism », *in* Benjamin E. Lippincott (dir.), *On the Economic Theory of Socialism*, Minneapolis, University of Minnesota Press, 1938, p. 55-143.

Passeron Jean-Claude, *Le Raisonnement sociologique. L'espace non-poppérien du raisonnement naturel*, Paris, Nathan, coll. « Essais & recherches », 1991.

Patinkin Don, *La Monnaie, l'Intérêt et les Prix*, Paris, PUF, 1972 [1955].

Pays Bruno, *Libérer la monnaie. Les contributions monétaires de Mises, Rueff et Hayek*, Paris, PUF, 1991.

Perrot Philippe, *Le Luxe. Une richesse entre faste et confort* XVIIIe-XIXe *siècle*, Paris, Seuil, 1995.

Polanyi Karl, *La Grande Transformation*, Paris, Gallimard, coll. « Bibliothèque des sciences sociales », 1972 [1944].

Postel Nicolas, « Le pluralisme est mort, vive le pluralisme ! », *L'Économie politique*, n° 50, avril 2011, p. 6-31.

Réseaux, numéro spécial « Les claviers », n° 87, janvier-février 1998.

Revue économique, « L'économie des conventions », vol. 40, n° 2, mars 1989.

Robbins Lionel, *An Essay on the Nature and Significance of Economic Science*, Londres, The Macmillan Press Limited, 1932.

Ross Stephen A., *Neoclassical Finance*, Princeton-Oxford, Princeton University Press, 2005.

Rothbard Murray, *Man, Economy, and State*, Auburn, Alabama, Ludwig von Mises Institute, 2004.

Roubine Isaak I., *Essais sur la théorie de la valeur de Marx*, Paris, Éditions Syllepse, 2009 [1928].

Rowland Benjamin M. (dir.), *Balance of Power and Hegemony : the Interwar Monetary System*, New York, New York University Press, 1976.

Sahlins Marshall, *Âge de pierre, Âge d'abondance. L'économie des sociétés primitives*, Paris, Gallimard, 1976 [1972].

Samuelson Paul A., *Economics*, New York, McGraw-Hill, 1976.

Savage Leonard J., *The Foundations of Statistics*, New York, Dover Publications, 1954.

Schelling Thomas, *The Strategy of Conflict*, Oxford, Oxford University Press, 1977 [1960].

Schumpeter Joseph, *Histoire de l'analyse économique*, tome I : *L'Âge des fondateurs, des origines à 1790*, Paris, Gallimard, 1983 [1954].

Schumpeter Joseph, *Histoire de l'analyse économique*, tome II : *L'Âge classique, de 1790 à 1870*, Paris, Gallimard, 1983 [1954].

Searle John, *La Construction de la réalité sociale*, Paris, Gallimard, 1998 [1995].

Shiller Robert J., *Irrational Exuberance*, Princeton (New Jersey), Princeton University Press, 2001.

Shiller, Robert J., « From Efficient Markets Theory to Behavioral Finance », *Journal of Economic Perspectives*, vol. 17, n° 1, hiver 2003, p. 83-104.

Shleifer Andrew, *Inefficient Markets. An Introduction to Behavioral Finance*, Oxford, Oxford University Press, 2000.

Simiand François, « La méthode positive en science économique », in *Critique sociologique de l'économie*, (textes présentés par Jean-Christophe Marcel et Philippe Steiner), Paris, PUF, coll. « Le lien social », 2006, chapitre VII, p. 129-149 [1907].

Simiand François, « Un système d'économie politique pure », in *Critique sociologique de l'économie* (textes présentés par Jean-Christophe Marcel et Philippe Steiner), Paris, PUF, coll. « Le lien social », 2006, chapitre IV, p. 75-85 [1908].

Simiand François, « Une théorie selon la méthode abstraite », in *Critique sociologique de l'économie* (textes présentés par Jean-Christophe Marcel et Philippe Steiner), Paris, PUF, coll. « Le lien social », 2006, chapitre III, p. 61-74 [1905].

Simiand François, « La monnaie réalité sociale », *Annales sociologiques*, série D, fascicule I, 1934, p. 1-81 (repris dans François Simiand, *Critique sociologique de l'économie* (textes présentés par Jean-Christophe Marcel et Philippe Steiner), Paris, PUF, coll. « Le lien social », 2006, p. 215-279).

Simmel Georg, *Philosophie de l'argent*, Paris, PUF, 1987 [1900].
Smith Adam, *Enquête sur la nature et les causes de la richesse des nations*, Paris, PUF, coll. « Pratiques théoriques », 1995 [1776].
Spence Michael, « Job Market Signaling », *Quarterly Journal of Economics*, vol. 87, n° 3, août 1973, p. 355-374.
Sraffa Piero, *Production de marchandises par des marchandises*, Paris, Dunod, 1999 [1960].
Stiglitz Joseph, « The Causes and Consequences of the Dependence of Quality on Price », *Journal of Economic Literature*, vol. 25, mars 1987, p. 1-48.
Swedberg Richard, « Quand la sociologie économique rencontre l'économie des conventions », *in* François Eymard-Duvernay (dir.), *L'Économie des conventions, méthodes et résultats*, tome 1, Paris, La Découverte, 2006, p. 77-102.
Tétreau Édouard, *Analyste. Au cœur de la folie financière*, Paris, Grasset, 2005.
Veblen Thorstein, *Théorie de la classe de loisir*, Paris, Gallimard, coll. « Tel », 1970 [1899].
de Villé Philippe, « Comportements concurrentiels et équilibre général : de la nécessité des institutions », *Économie appliquée*, tome XLIII, n° 3, 1990, p. 9-34.
Walras Léon, *Éléments d'économie politique pure ou théorie de la richesse sociale*, Paris, Librairie Générale de droit et de jurisprudence, 1952 [1900].
Weber Max, « L'objectivité de la connaissance dans les sciences et la politique sociales », in *Essais sur la théorie de la science*, Paris, Plon, coll. « Recherches en sciences humaines », 1965, p. 117-213 [1904].
Weber Max, *Économie et Société*, tome I : *Les Catégories de la sociologie*, Paris, Plon, Pocket, coll. « Agora », 1995 [1921].
Weber Max, *Sociologie des religions*, Paris, Gallimard, coll. « Tel », 1996 [1920].
Zelizer Viviana, *La Signification sociale de l'argent*, Paris, Seuil, coll. « Liber », 2005.
Žižek Slavoj, « Fétichisme et subjectivation interpassive », *Actuel Marx*, n° 34, 2003, p. 99-109.

Table

Introduction 9

PREMIÈRE PARTIE
CRITIQUE DE L'ÉCONOMIE

Chapitre I : La valeur substance : travail et utilité 19
L'hypothèse substantielle 24
La centralité du troc et l'exclusion de la monnaie ... 28
Sous-estimation des échanges 33
Une conception totalisante 38
Le fétichisme de la marchandise 44
Conclusion 56

Chapitre II : L'objectivité marchande 59
Le rapport utilitaire aux objets et l'accord walrassien 61
Le tâtonnement walrassien et la médiation par les prix 68
L'hypothèse mimétique 79
Asymétries d'information et conventions de qualité 95
Incertitude et monnaie 107
Objectivité marchande et modélisation idéaltypique 116

Chapitre III : La rareté 129
La dépendance à l'égard des objets 134
Le modèle de Veblen 140

Le modèle de concurrence mimétique 147
Retour sur la valeur 155

DEUXIÈME PARTIE

L'INSTITUTION DE LA VALEUR

Chapitre IV : La monnaie 161
Monnaie *versus* valeur : les éléments d'un débat 164
Genèse conceptuelle de la monnaie 170
La crise de la monnaie 182
L'objectivité de la valeur 188
La théorie quantitative de la monnaie............. 190
Économie et sciences sociales.................... 206

Chapitre V : Un cadre unidisciplinaire pour penser la valeur.................... 210
Simmel et la confiance 213
L'affect commun.............................. 219
Durkheim : une conception unidisciplinaire de la valeur 223
Le fait religieux 229
La pensée libérale face au fait monétaire........... 239
Les miracles monétaires......................... 248

TROISIÈME PARTIE

LA FINANCE DE MARCHÉ

Chapitre VI : L'évaluation financière 261
Hypothèse probabiliste et valeur intrinsèque des titres 262
Efficience des marchés financiers 272
Incertitude knightienne et irréductible subjectivité des estimations individuelles.................. 283

Chapitre VII : Liquidité et spéculation 294
L'entreprise et la spéculation.......................... 297
L'institution de la liquidité 309
Le concours de beauté keynésien :
autoréférentialité et croyances conventionnelles.... 316
Inefficience des marchés financiers................ 329
Sur quelques propriétés des prix :
variabilité excessive, bulles spéculatives
et aveuglement face au désastre 337
Liquidité et convention : une synthèse............. 346

Conclusion générale 355
Références bibliographiques.................. 375

RÉALISATION : NORD COMPO À VILLENEUVE-D'ASCQ
IMPRESSION : NORMANDIE ROTO IMPRESSION S.A.S. À LONRAI
DÉPÔT LÉGAL : SEPTEMBRE 2013. N° 112043 (133243)
– Imprimé en France –

Éditions Points

Le catalogue complet de nos collections est sur Le Cercle Points, ainsi que des interviews de vos auteurs préférés, des jeux-concours, des conseils de lecture, des extraits en avant-première…

www.lecerclepoints.com

Collection Points Économie

E4. Keynes, *par Michael Stewart*
E7. Les Grands Économistes, *par Robert L. Heilbroner*
E15. Tout savoir – ou presque – sur l'économie
par John Kenneth Galbraith et Nicole Salinger
E17. Comprendre les théories économiques
par Jean-Marie Albertini et Ahmed Silem
E18. Histoire du capitalisme, *par Michel Beaud*
E19. Abrégé de la croissance française, *par Jean-Jacques Carré, Paul Dubois et Edmond Malinvaud*
E20. Les Riches et les Pauvres, *par Éliane Mossé*
E21. Théories de la crise et Politiques économiques
par André Grjebine
E22. Les Grandes Économies
par Yves Barou et Bernard Keizer
E24. L'Entreprise du 3e type
par Georges Archier et Hervé Sérieyx
E25. L'Agriculture moderne, *par Claude Servolin*
E26. La Crise… et après
Comprendre la politique économique, t. 2
par Éliane Mossé
E27. Les Finances du monde, *par Jean-Yves Carfantan*
E28. L'Ère des certitudes
Comprendre la politique économique, t. 1
par Éliane Mossé
E31. Introduction à l'économie
par Jacques Généreux
E32. Comptabilité nationale, *par Daniel Labaronne*
E34. L'Union monétaire de l'Europe
par Pascal Riché et Charles Wyplosz

E35. Introduction à la politique économique
par Jacques Généreux
E36. Chiffres clés de l'économie française, *par Jacques Généreux*
E37. Chiffres clés de l'économie mondiale, *par Jacques Généreux*
E38. La Microéconomie, *par Bernard Guerrien*
E39. Les Théories monétaires, *par Pierre-Bruno Ruffini*
E40. La Pensée économique depuis Keynes
par Michel Beaud et Gilles Dosteler
E41. Multinationales et Mondialisation, *par Jean-Louis Mucchielli*
E42. Le Système monétaire et financier français
par Dominique Perrut
E43. Les Théories de la croissance
par Jean Arrous
E44. Les Théories du marché du travail
par Éric Leclercq
E45. Les Théories de l'économie politique internationale
par Gérard Kébabdjian
E46. Économie monétaire, *par Paul-Jacques Lehmann*
E47. Économie internationale
par Christian Aubin et Philippe Norel
E48. Le Débat interdit, *par Jean-Paul Fitoussi*
E49. Les Systèmes fiscaux, *par Annie Vallée*
E50. Les Politiques de l'emploi, *par Liêm Hoang-Ngoc*
E52. L'Entreprise et l'Éthique, *par Jérôme Ballet et Françoise de Bry*
E53. Économie de l'environnement, *par Annie Vallée*
E54. Méthodologie économique, *par Claude Mouchot*
E55. L'Économie d'entreprise, *par Olivier Bouba-Olga*
E56. Les Trous noirs de la science économique, *par Jacques Sapir*
E57. Lettre ouverte aux gourous de l'économie qui nous prennent pour des imbéciles, *par Bernard Maris*
E58. Les Politiques économiques européennes
sous la direction de Michel Dévoluy
E59. Made in Monde, *par Suzanne Berger*
E60. Les Vraies Lois de l'économie, *par Jacques Généreux*
E61. La Société malade de la gestion, *par Vincent de Gaulejac*
E62. Le Commerce des promesses, *par Pierre-Noël Giraud*
E63. Repenser l'inégalité, *par Amartya Sen*
E64. Pourquoi les crises reviennent toujours, *par Paul Krugman*
E65. La Démondialisation, *par Jacques Sapir*
E66. L'Histoire économique globale, *par Philippe Norel*
E67. Les Pratiques de gestion des ressources humaines
par François Pichault et Jean Nizet
E68. L'Empire de la valeur, *par André Orléan*